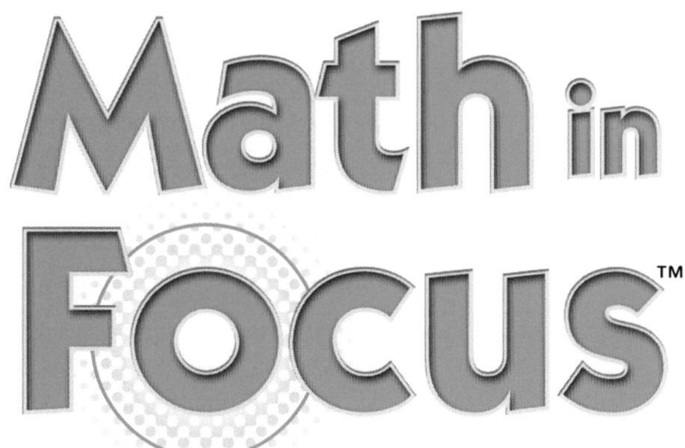

Matemáticas de Singapur de Marshall Cavendish

Libro del estudiante

Consultor y autor
Dr. Fong Ho Kheong

Autores
Gan Kee Soon y Chelvi Ramakrishnan

Consultores en Estados Unidos
Dr. Richard Bisk, Andy Clark,
y Patsy F. Kanter

Published by Marshall Cavendish Education
An imprint of Marshall Cavendish International (Singapore) Private Limited
Times Centre, 1 New Industrial Road, Singapore 536196
Customer Service Hotline: (65) 6411 0820
E-mail: tmesales@sg.marshallcavendish.com
Website: www.marshallcavendish.com/education

Distributed by
Houghton Mifflin Harcourt
222 Berkeley Street
Boston, MA 02116
Tel: 617-351-5000
Website: www.hmheducation.com/mathinfocus

English Edition first published 2009
Spanish Edition first published 2011

Math in Focus™ Grade 5 Student Book A
ISBN 978-0-547-58235-1

Printed in United States of America

1 2 3 4 5 6 7 8 1401 17 16 15 14 13 12 11
4500292887 A B C D E

Contenido

Números enteros

Introducción del capítulo 1

Recordar conocimientos previos Escribir números en palabras, en forma normal y en forma desarrollada • Identificar el valor de cada dígito en un número • Comparar números • Redondear a la centena más cercana • Usar el redondeo y la estimación por la izquierda para estimar sumas y diferencias 2

Repaso rápido

1 Los números hasta 10,000,000 5

Aprende Cuenta las decenas de millar • Escribe números en forma normal y en palabras. • Lee números hasta 1,000,000 usando períodos • Cuenta las centenas de millar. • Escribe números en forma normal y en palabras • Lee números hasta 10,000,000 usando períodos

Manos a la obra Buscar en Internet cantidades dadas en millones

Exploremos Estudiar números negativos en contexto

2 Valor posicional 16

Aprende Cada dígito de un número tiene un valor y un lugar • Los números hasta 1,000,000 se pueden escribir en forma desarrollada • Cada dígito de un número tiene un valor y un lugar • Los números hasta 10,000,000 se pueden escribir en forma desarrollada

Ver **Práctica y resolución de problemas**

Libro del estudiante A y Libro del estudiante B	Cuaderno de actividades A y Cuaderno de actividades B
• **Practiquemos** en todas las lecciones • **¡Ponte la gorra de pensar!** en todos los capítulos	• **Práctica independiente** para todas las lecciones • **¡Ponte la gorra de pensar!** en todos los capítulos

3 Comparar números hasta 10,000,000 20

Aprende Compara números usando una tabla de valor posicional • Compara números mayores que 1,000,000 • Halla reglas para completar patrones de números

4 Redondear y estimar 25

Aprende Redondea números al millar mayor • Redondea números al millar menor • Usa el redondeo para estimar sumas y diferencias • Usa la estimación por la izquierda con aproximación para estimar sumas • Usa la estimación por la izquierda con aproximación para estimar diferencias • Usa el redondeo para estimar productos • Usa números compatibles para estimar cocientes

¡Ponte la gorra de pensar! Resolución de problemas 35

Resumen del capítulo 36

Repaso/Prueba del capítulo 38

Centenas de millar	Decenas de millar	Millares	Centenas	Decenas	Unidades
2	3	7	9	8	1
5	0	0	6	0	0

Ver **Oportunidades de evaluación**

Libro del estudiante A y Libro del estudiante B	Cuaderno de actividades A y Cuaderno de actividades B
• **Repaso rápido** para evaluar el nivel de preparación de los estudiantes al comienzo de cada capítulo	• **Repaso acumulativo** seis veces durante el año
• **Práctica con supervisión** después de cada uno o dos ejemplos para evaluar el nivel de preparación de los estudiantes antes de continuar con la lección	• **Repasos semestrales y finales del año** para evaluar el nivel de preparación de los estudiantes antes de la prueba
• **Repaso/Prueba del capítulo** en cada capítulo para repasar o hacer una prueba del material del capítulo	

Multiplicación y división de números enteros

Introducción del capítulo 41

Recordar conocimientos previos Escribir números en forma desarrollada y en palabras • Usar modelos de barras para mostrar las cuatro operaciones • Redondear al millar más cercano • Estimar productos usando el redondeo • Estimar productos usando la estimación por la izquierda • Estimar cocientes usando operaciones de multiplicación relacionadas 42

Repaso rápido

1 Usar una calculadora 47

Aprende Familiarízate con la calculadora • Usa la calculadora para sumar • Usa la calculadora para restar • Usa la calculadora para multiplicar • Usa la calculadora para dividir

Manos a la obra Ingresar números en la calculadora • Hallar sumas y diferencias usando la calculadora • Hallar productos y cocientes usando la calculadora

2 Multiplicar por decenas, centenas o millares 51

Aprende Halla patrones en productos cuando 10 es un factor • Puedes descomponer un número como ayuda para multiplicar por decenas • Halla patrones en productos cuando 100 ó 1,000 es un factor • Puedes descomponer un número como ayuda para multiplicar por centenas o millares • Estima productos redondeando factores a la decena o a la centena más cercana • Estima productos redondeando factores a la decena o al millar más cercano

Manos a la obra Hallar reglas para multiplicar números enteros por 10 usando el valor posicional • Descomponer factores que sean múltiplos de 10 (Propiedad asociativa) • Hallar reglas para multiplicar números enteros por 100 ó 1,000 usando el valor posicional • Descomponer factores que sean múltiplos de 100 ó 1,000 (Propiedad asociativa)

3 Multiplicar por números de 2 dígitos 64

Aprende Multiplica números de 2 dígitos por decenas • Multiplica números de 2 dígitos por números de 2 dígitos • Multiplica números de 3 dígitos por decenas • Multiplica números de 3 dígitos por números de 2 dígitos • Multiplica números de 4 dígitos por decenas • Multiplica números de 4 dígitos por números de 2 dígitos

4 Dividir entre decenas, centenas o millares 70

Aprende Halla patrones para dividir entre 10 • Puedes descomponer un número como ayuda para dividir entre decenas. • Halla patrones para dividir entre 100 ó 1,000 • Puedes descomponer un número como ayuda para dividir entre centenas o millares • Redondea números para estimar cocientes

Manos a la obra Hallar reglas para dividir números enteros entre 10 usando el valor posicional• Descomponer divisores que sean múltiplos de 10 (Propiedad asociativa) • Hallar reglas para dividir múltiplos de 100 o de 1,000 entre 100 ó 1,000 usando el valor posicional • Descomponer divisores que sean múltiplos de 100 ó 1,000 (Propiedad asociativa) • Hallar divisores de números enteros que sean múltiplos de decenas, centenas o millares

Exploremos Usar una tabla de valor posicional para dividir números enteros que no sean múltiplos de 10 ó 100 entre 10 ó 100

5 Dividir entre números de 2 dígitos 82

Aprende Usa diferentes métodos para dividir entre decenas • Divide números de 2 dígitos entre números de 2 dígitos • Divide números de 3 dígitos entre números de 2 dígitos • Divide las decenas antes de dividir las unidades • Divide números de 4 dígitos entre números de 2 dígitos • Divide las centenas, luego las decenas y después las unidades

Diario de matemáticas Lectura y escritura

6 Orden de las operaciones 90

Aprende Trabaja de izquierda a derecha con expresiones numéricas que solo usen la suma y la resta • Trabaja de izquierda a derecha con expresiones numéricas que solo usen la multiplicación y la división • Trabaja siempre de izquierda a derecha. Primero, multiplica y divide. Luego, suma y resta • Resuelve primero todas las operaciones dentro del paréntesis • Orden de las operaciones

Manos a la obra Formar expresiones numéricas con dos o más operaciones y luego simplificarlas

Exploremos Analizar el significado de 'de izquierda a derecha' en el orden de las operaciones

7 Problemas cotidianos: Multiplicación y división 96

Aprende El residuo puede ser parte de una respuesta • Aumenta el cociente cuando se incluya el residuo • Algunos problemas se deben resolver en dos pasos • Algunos problemas se deben resolver en más de dos pasos • Lee una tabla para hallar información sobre una pregunta • Resuelve problemas usando modelos de barras • Algunos problemas se pueden resolver usando otras estrategias

¡Ponte la gorra de pensar! Resolución de problemas 109

Resumen del capítulo 110

Repaso/Prueba del capítulo 112

	Decenas de millar	Millares	Centenas	Decenas	Unidades
900			○○○○○ ○○○○		
900 ÷ 100					○○○○○ ○○○○
14,000	●	●●●●			
14,000 ÷ 1000				●	○○○○

3 Fracciones y números mixtos

Introducción del capítulo 114

Recordar conocimientos previos Las fracciones semejantes tienen el mismo denominador • Las fracciones no semejantes tienen denominadores distintos • Un número mixto se forma de un número entero y una fracción • Hallar fracciones equivalentes • Escribir fracciones en su mínima expresión • Representar fracciones en una recta numérica • Identificar números primos y compuestos • Expresar fracciones impropias en forma de números mixtos • Sumar y restar fracciones semejantes • Sumar y restar fracciones no semejantes • Leer y escribir décimos y centésimos en forma de decimal y de fracción • Expresar fracciones en forma de decimal 115

Repaso rápido

1 Sumar fracciones no semejantes 122

Aprende Halla denominadores comunes para sumar fracciones no semejantes • Usa puntos de referencia para estimar sumas de fracciones

Manos a la obra Usar herramientas de computadora para hacer modelos que muestren la suma de pares de fracciones. Luego hallar la suma.

Exploremos Analizar la relación entre los valores de las fracciones y sus sumas

Diario de matemáticas Lectura y escritura

2 Restar fracciones no semejantes 127

Aprende Halla denominadores comunes para restar fracciones no semejantes • Usa puntos de referencia para estimar diferencias entre fracciones

Manos a la obra Usar herramientas de computadora para hacer modelos que muestren la diferencia entre un par de fracciones y hallar la diferencia.

Exploremos Analizar la relación entre los valores de las fracciones y sus diferencias

3 Fracciones, números mixtos y expresiones de división 131

Aprende Convierte expresiones de división a fracciones • Convierte expresiones de división a números mixtos

Manos a la obra Escribir expresiones de división y fracciones usando modelos de tiras de papel • Escribir expresiones de división, fracciones impropias y números mixtos usando modelos de tiras de papel

4 Escribir fracciones, expresiones de división y números mixtos en forma de decimal 137

Aprende Halla fracciones equivalentes para escribir fracciones en forma de decimal • Escribe expresiones de división en forma de decimal • Expresa números mixtos en forma de decimal

5 Sumar números mixtos 140

Aprende Suma sin convertir los números mixtos • Suma convirtiendo los números mixtos • Usa puntos de referencia para estimar sumas de números mixtos

Exploremos Analizar la relación entre los valores de los números mixtos y sus sumas

6 Restar números mixtos 145

Aprende Resta sin convertir los números mixtos • Resta convirtiendo los números mixtos • Usa puntos de referencia para estimar diferencias entre números mixtos

7 Problemas cotidianos: Fracciones y números mixtos 150

Aprende Escribe expresiones de división como fracciones y números mixtos • Haz un modelo para resolver problemas de un paso • Haz un modelo para resolver problemas de dos pasos

Diario de matemáticas Lectura y escritura 154

¡Ponte la gorra de pensar! Resolución de problemas 155

Resumen del capítulo 156

Repaso/Prueba del capítulo 158

Multiplicar y dividir fracciones y números mixtos

Introducción del capítulo 160

Recordar conocimientos previos Hallar fracciones equivalentes • Simplificar fracciones • Sumar y restar fracciones • Expresar fracciones impropias como números mixtos y números mixtos como fracciones impropias • Expresar fracciones en forma de decimal • Multiplicar fracciones por un número entero • Hallar el número de unidades para resolver un problema • Hacer un modelo para ilustrar lo que se afirma • Usar el orden de las operaciones para simplificar expresiones 161

Repaso rápido

1 Multiplicar fracciones propias 165

Aprende Usa modelos para multiplicar fracciones • Multiplica fracciones sin usar modelos

Manos a la obra Hacer modelos de área para multiplicar fracciones (Propiedad conmutativa)

Exploremos Analizar la diferencia entre multiplicar dos números enteros y multiplicar dos fracciones propias

2 Problemas cotidianos: Multiplicar con fracciones propias 169

Aprende Multiplica fracciones para resolver problemas cotidianos • Da la respuesta en forma de residuo fraccionario

3 Multiplicar fracciones impropias por fracciones 175

Aprende Multiplica fracciones impropias por fracciones propias

4 Multiplicar números mixtos y números enteros 177

Aprende Multiplica números mixtos por números enteros

Manos a la obra Hacer modelos de área para multiplicar números mixtos por números enteros

Exploremos Descomponer un número mixto entre un producto de otro número mixto y un número entero

5 Problemas cotidianos: Multiplicar con números mixtos 181

Aprende Multiplica números mixtos por números enteros para resolver problemas cotidianos • Expresa el producto de un número mixto y un número entero en forma de decimal • Resuelve problemas de dos pasos que incluyan la multiplicación con números mixtos

6 Dividir una fracción entre un número entero 185

Aprende Divide una fracción entre un número entero

Manos a la obra Hacer un modelo de área para dividir una fracción entre un número entero

7 Problemas cotidianos: Multiplicar y dividir con fracciones 190

Aprende Halla las partes de un entero para resolver problemas cotidianos • Halla las partes fraccionarias de un entero y el residuo • Halla partes fraccionarias y enteros cuando se da una parte fraccionaria • Halla las partes fraccionarias de un residuo cuando se da el entero

Diario de matemáticas Lectura y escritura 198

¡Ponte la gorra de pensar! Resolución de problemas 199

Resumen del capítulo 200

Repaso/Prueba del capítulo 202

Álgebra

Introducción del capítulo 204

Recordar conocimientos previos Comparar números con símbolos • La multiplicación es lo mismo que una suma repetida • Propiedades de los números • Operaciones inversas • Orden de las operaciones 205

Repaso rápido

1 Usar letras para representar números 208

Aprende Escribe una expresión numérica para mostrar cómo se relacionan los números en una situación • Usa variables para representar números desconocidos y formar expresiones con sumas y diferencias • Es posible usar una variable en lugar de un número en una expresión algebraica • Es posible evaluar las expresiones algebraicas usando los valores dados para la variable • Usa variables para formar expresiones con multiplicaciones • Usa variables para formar expresiones con divisiones

Manos a la obra Formar diferentes tipos de expresiones algebraicas usando tarjetas con letras y números

Exploremos Analizar diferentes formas de evaluar y escribir expresiones de división equivalentes

Diario de matemáticas Lectura y escritura

2 Simplificar expresiones algebraicas 219

Aprende Las expresiones algebraicas se pueden simplificar • Los términos semejantes se pueden sumar • Una variable restada de sí misma da cero • Los términos semejantes se pueden restar • Usa el orden de operaciones para simplificar expresiones algebraicas • Reúne términos semejantes para simplificar expresiones algebraicas

Manos a la obra Hacer figuras con palitos planos para practicar la escritura de expresiones algebraicas en contexto

3 Desigualdades y ecuaciones 226

Aprende Es posible usar expresiones algebraicas en desigualdades y ecuaciones • Las expresiones algebraicas se pueden comparar evaluando las expresiones con un valor dado de la variable • Propiedades de la igualdad • Resuelve ecuaciones con variables a un lado del signo de igual • Resuelve ecuaciones con variables a ambos lados del signo de igual

4 Problemas cotidianos: Álgebra 236

Aprende Escribe y evalúa una expresión de suma o resta para un problema cotidiano • Escribe y evalúa una expresión de multiplicación o división para un problema cotidiano • Usa expresiones algebraicas para comparar cantidades y resolver ecuaciones

Diario de matemáticas Lectura y escritura 241

¡Ponte la gorra de pensar! Resolución de problemas 241

Resumen del capítulo 242

Repaso/Prueba del capítulo 244

Área de un triángulo

Introducción del capítulo 246

Recordar conocimientos previos Formar ángulos • Clasificar ángulos • Identificar segmentos perpendiculares • El área es la cantidad de superficie cubierta • Hallar el área contando unidades cuadradas • Hallar el área usando fórmulas 247

Repaso rápido

1 Base y altura de un triángulo 251

Aprende Un triángulo tiene tres vértices, tres lados y tres ángulos • Cualquier lado de un triángulo puede ser su base • Un triángulo se mide según su base y su altura • A veces la altura no es parte del triángulo

Manos a la obra Comprobar que la altura del triángulo siempre sea perpendicular a la base

2 Hallar el área de un triángulo 256

Aprende El área de un triángulo es la mitad del área de un rectángulo que tiene la misma 'base' y la misma 'altura' o bien la mitad de su base por la altura • Halla el área de un triángulo usando la fórmula 'área de un triángulo'

Manos a la obra Comprobar que el área de un triángulo acutángulo sea la mitad de la base por la altura • Comprobar que el área de un triángulo obtusángulo también sea la mitad de la base por la altura • Comprobar que todos los pares de medidas de la base y altura de un triángulo den el mismo resultado

Exploremos Estudiar la relación entre el área de diferentes triángulos que tengan la misma base y altura

¡Ponte la gorra de pensar! Resolución de problemas 262

Resumen del capítulo 263

Repaso/Prueba del capítulo 264

Razones

Introducción del capítulo 266

Recordar conocimientos previos Comparar números usando la resta • Comprender fracciones • Escribir fracciones en su mínima expresión • Usar modelos para resolver problemas 267

Repaso rápido

1 Hallar la razón 269

Aprende Usa razones para comparar dos números o cantidades mediante la división • No es necesario que una razón dé las cantidades reales que se comparan • Usa un modelo de parte al todo para mostrar una razón

2 Razones equivalentes 276

Aprende Las razones equivalentes muestran las mismas comparaciones de números o cantidades • Usa el máximo factor común para escribir razones en su mínima expresión • Usa la multiplicación para hallar el término que falta en las razones equivalentes • Usa la división para hallar el término que falta en las razones equivalentes

Manos a la obra Usar conjuntos iguales de cubos de colores para hacer modelos de razones equivalentes

3 Problemas cotidianos: Razones 283

Aprende Halla la mínima expresión de las razones para comparar cantidades usadas en problemas cotidianos • Usa el entero para hallar la parte que falta en una razón • Halla la nueva razón cuando cambia uno de los términos • Usa modelos para hallar una razón • Dada la razón y un término, halla el otro término

Diario de matemáticas Lectura y escritura

4 Razones en forma de fracción 290

Aprende Las razones también pueden escribirse en forma de fracción • Escribe razones en forma de fracción para saber cómo se relaciona un número con otro • Haz un modelo para representar una razón dada en forma de fracción

Exploremos Explora la relación entre una razón escrita en forma de razón y en forma de fracción

Diario de matemáticas Lectura y escritura

5 Comparar tres cantidades 296

Aprende Usa razones para comparar tres cantidades • Usa la multiplicación para hallar los términos que faltan en las razones equivalentes • Usa la división para hallar los términos que faltan en las razones equivalentes

Manos a la obra Usar conjuntos de fichas de colores y cuadros de 10 para hacer modelos y simplificar razones de tres términos

6 Problemas cotidianos: Más razones 302

Aprende Halla la mínima expresión de las razones para comparar cantidades usadas en problemas cotidianos • Halla razones equivalentes o usa modelos para resolver problemas cotidianos • Haz modelos para resolver problemas que incluyan razones en forma de fracción • Haz modelos para resolver problemas cotidianos

Diario de matemáticas Lectura y escritura

Exploremos Formar todos los conjuntos posibles de razones equivalentes con el conjunto de números dados

¡Ponte la gorra de pensar! Resolución de problemas 312

Resumen del capítulo 313

Repaso/Prueba del capítulo 314

Glosario 316

Índice 332

Créditos fotográficos 348

Bienvenidos a

Math in Focus™

Este fantástico programa de matemáticas llega desde el país de Singapur. Estamos seguros de que disfrutarás aprendiendo matemáticas con las interesantes lecciones que hallarás en estos libros.

¿*Qué hace que Math in Focus*™ sea un programa diferente?

- **Dos libros** Este libro viene con un **Cuaderno de actividades**. Cuando veas el ícono del lápiz, POR TU CUENTA, escribe en el **Cuaderno de actividades** en lugar de escribir en las de este libro de texto.
- **Lecciones más extensas** Es posible que algunas lecciones tomen más de un día, para que puedas comprender completamente las matemáticas.
- **Las matemáticas tendrán sentido** Aprenderás a usar modelos de barras para resolver problemas con facilidad.

En este libro, hallarás

Aprende	Práctica con supervisión	Practiquemos	POR TU CUENTA
Significa que aprenderás algo nuevo.	En esta sección, tu maestro te ayudará a hacer ejemplos de varios problemas..	Aquí harás otros problemas para practicar lo que has aprendido. Así puedes estar seguro de que has comprendido.	Ahora puedes practicar haciendo muchos problemas diferentes en tu propio **Cuaderno de actividades.**

¡También hallarás *Juegos, Manos a la obra, Diario de matemáticas, Exploremos y ¡Ponte la gorra de pensar!*

Combinarás el razonamiento lógico con destrezas y conceptos de matemáticas para resolver problemas sin dificultad. Hablarás, pensarás, practicarás e, incluso, escribirás usando el lenguaje de las matemáticas.

¿Qué hay en el Cuaderno de actividades?

Math in Focus^{TM} te da el tiempo necesario para aprender nuevos conceptos y destrezas de importancia y para comprobar tu comprensión. En el **Cuaderno de actividades** hallarás ejercicios para practicar como se indica a continuación.

- Resolverás problemas adicionales para practicar el nuevo concepto de matemáticas que estés aprendiendo. Presta atención a POR TU CUENTA en el libro de texto. Este símbolo te indicará qué páginas debes usar para practicar.

- *¡Ponte la gorra de pensar!*

  Los problemas de Práctica avanzada te enseñarán a pensar en otras maneras de resolver problemas más difíciles.

  En *Resolución de problemas* aprenderás a resolver problemas usando diferentes estrategias.

- En las actividades del Diario de matemáticas aprenderás a usar tu razonamiento y a describir tus ideas ¡por escrito!

Los estudiantes de Singapur han usado este tipo de programa de matemáticas por muchos años.

Ahora tú también puedes hacerlo... ¿Estás listo?

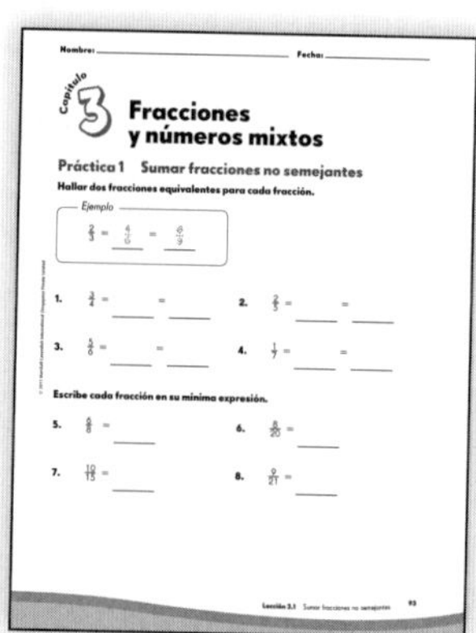

Nombre: ______ Fecha: ______

Capítulo 3 **Fracciones y números mixtos**

Práctica 1 Sumar fracciones no semejantes

Hallar dos fracciones equivalentes para cada fracción.

Ejemplo

$\frac{2}{3} = \frac{4}{6} = \frac{6}{9}$

1. $\frac{3}{4}$ = ___ = ___
2. $\frac{2}{5}$ = ___ = ___
3. $\frac{5}{6}$ = ___ = ___
4. $\frac{1}{7}$ = ___ = ___

Escribe cada fracción en su mínima expresión.

5. $\frac{6}{8}$ = ___
6. $\frac{8}{20}$ = ___
7. $\frac{10}{15}$ = ___
8. $\frac{9}{21}$ = ___

Lección 3.1 Sumar fracciones no semejantes 93

Capítulo 1

Números enteros

Lecciones

1.1 Los números hasta 10,000,000

1.2 Valor posicional

1.3 Comparar números hasta 10,000,000

1.4 Redondear y estimar

Idea importante

▶ Los números enteros se pueden escribir de diferentes maneras. Los números se pueden comparar y redondear de acuerdo con su valor posicional.

Recordar conocimientos previos

Escribir números en palabras, en forma normal y en forma desarrollada

- Escribe 25,193 en palabras: veinticinco mil ciento noventa y tres
- Escribe cuarenta y siete mil doscientos sesenta y ocho en forma normal: 47,268
- Escribe 32,146 en forma desarrollada: 30,000 + 2,000 + 100 + 40 + 6

Identificar el valor de cada dígito en un número

Decenas de millar	Millares	Centenas	Decenas	Unidades
●	●	○	●	○
1	1	1	1	1

1 unidad
1 decena = 10 unidades
1 centena = 10 decenas
1 millar = 10 centenas
1 decena de millar = 10 millares

Comparar números

Decenas de millar	Millares	Centenas	Decenas	Unidades
1	0	2	3	4
	9	4	2	3

10,234 es mayor que 9,423 porque 1 decena de millar (10,000) es mayor que 9 millares (9,000).

Redondear a la centena más cercana

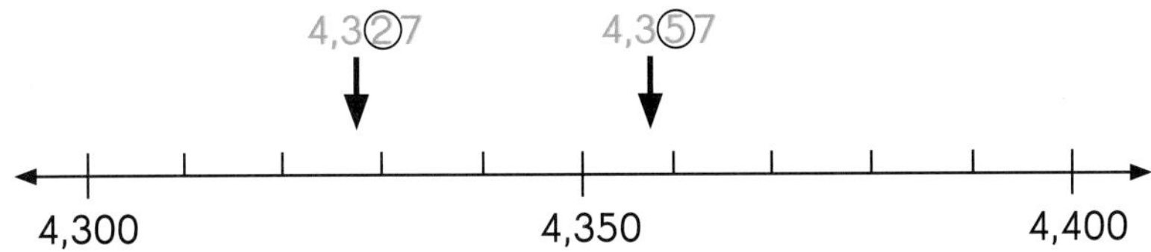

Cuando el dígito de las decenas es 0, 1, 2, 3 ó 4, se redondea el número a la centena menor.

4,3②7 redondeado a la centena más cercana es 4,300.

Cuando el dígito de las decenas es 5, 6, 7, 8 ó 9, se redondea el número a la centena mayor. 4,3⑤7 redondeado a la centena más cercana es 4,400.

Usar el redondeo y la estimación por la izquierda para estimar sumas y diferencias

Estima la suma de 287 y 805.

Redondea:

287 redondeado a la centena más cercana es 300.

805 redondeado a la centena más cercana es 800.

300 + 800 = 1,100

La suma estimada es 1,100.

Estimando por la izquierda:

Suma los valores de los dígitos iniciales

287 → **2**00
805 → **8**00

200 + 800 = 1,000

La suma estimada es 1,000.

Estima la diferencia entre 686 y 417.

Redondeando:

686 redondeado a la centena más cercana es 700.
417 redondeado a la centena más cercana es 400.

700 – 400 = 300

La diferencia estimada es 300.

Estimando por la izquierda:

Resta los valores de los dígitos iniciales.

686 → **6**00
417 → **4**00

600 – 400 = 200

La diferencia estimada es 200.

✔ Repaso rápido

Completa.

1. Escribe 95,718 en palabras.
2. Escribe setenta y ocho mil doscientos trece en forma normal.
3. Escribe 31,485 en forma desarrollada.
4. 2 decenas = ___ unidades
5. 3 centenas = ___ decenas
6. 5 millares = ___ centenas
7. 7 decenas de millar = ___ millares

Compara.

8. ¿Cuál es mayor, 20,345 ó 21,345?
9. ¿Cuál es menor, 10,001 ó 9,991?

Redondea cada número a la centena más cercana.

10. 880
11. 1,249
12. 2,901
13. 8,997

Estima redondeando a la centena más cercana.

14. 936 + 465
15. 853 – 217

Estima usando la estimación por la izquierda.

16. 519 + 472
17. 758 – 329

Lección 1.1 Números hasta 10,000,000

Objetivos de la lección

- Contar decenas y centenas de millar hasta 10,000,000.
- Usar tablas de valor posicional para mostrar números hasta 10,000,000.
- Leer y escribir números hasta 10,000,000 en forma normal y en palabras

Vocabulario
centena de millar
forma normal
en palabras
períodos
millón

Aprende Cuenta las decenas de millar.

1 decena de millar (10,000), 2 decena de millar (20,000),
3 decena de millar (30,000), 4 decena de millar (40,000),
5 decena de millar (50,000), 6 decena de millar (60,000),
7 decena de millar (70,000), 8 decena de millar (80,000),
9 decena de millar (90,000), 10 decena de millar (100,000)

10 decenas de millar = 1 **centena de millar**

Centenas de millar	Decenas de millar	Millares	Centenas	Decenas	Unidades
	●●●●● ●●●●●				

↓

Centenas de millar	Decenas de millar	Millares	Centenas	Decenas	Unidades
●					
1	0	0	0	0	0
representa 1 centena de millar o 100,000	representa 0 decenas de millar o 0	representa 0 millares o 0	representa 0 centenas o 0	representa 0 decenas o 0	representa 0 unidades o 0

Práctica con supervisión

Cuenta las centenas de millar.

1

Cien mil	100,000
Doscientos mil	200,000
Trescientos mil	300,000
Cuatrocientos mil	
Quinientos mil	
	600,000
	700,000
Ochocientos mil	
	900,000

Una coma entre el dígito de los millares y el dígito de las centenas te ayuda a leer el número más fácilmente.

Escribe números en forma normal y en palabras.

¿Cuál es el número en forma normal y en palabras?

Centenas de millar	Decenas de millar	Millares	Centenas	Decenas	Unidades
●●● ●●●	●●● ●●	●●●	●		●● ●●
representa 6 centenas de millar	representa 5 decenas de millar	representa 3 millares	representa 1 centena	representa 0 decenas	representa 4 unidades

	Forma normal	En palabras
6 centenas de millar	600,000	seiscientos mil
5 decenas de millar	50,000	seiscientos mil
3 millares	3,000	tres mil
1 centena	100	cien
0 decenas	0	
4 unidades	4	cuatro

Número en forma normal: 653,104

Número en palabras: seiscientos cincuenta y tres mil ciento cuatro

Práctica con supervisión

Escribe el número indicado en la tabla de valor posicional en forma normal y en palabras.

2

Centenas de millar	Decenas de millar	Millares	Centenas	Decenas	Unidades
●●● ●●	●●● ●●	●●●● ●●●	○○○ ○○○	●●●● ●●●	○○○ ○○○
representa 5 centenas de millar	representa 5 decenas de millar	representa 7 millares	representa 6 centenas	representa 7 decenas	representa 6 unidades

	Forma normal	En palabras
☐ centenas de millar	☐	☐
☐ decenas de millar	☐	☐
☐ millares	☐	☐
☐ centenas	☐	☐
☐ decenas	☐	☐
☐ unidades	☐	☐

Número en forma normal : ☐

Número en palabras : ☐

3

Centenas de millar	Decenas de millar	Millares	Centenas	Decenas	Unidades
●●● ●●●	●●●● ●●●●	●●● ●●●		●● ●●	○○ ○○

Número en forma normal : ☐

Número en palabras : ☐

Aprende

Lee los números hasta 1,000,000 usando **períodos.**

Los grupos de tres lugares se llaman períodos. Puedes leer los números hasta 1,000,000 agrupándolos en períodos.

Centenas de millar	Decenas de millar	Millares	Centenas	Decenas	Unidades
4	9	7	8	3	2

Primero lee el período de los millares: cuatrocientos noventa y siete mil

Luego, lee el período restante: ochocientos treinta y dos

497,832 se lee así: cuatrocientos noventa y siete mil ochocientos treinta y dos.

767,707

767,707 se lee así: setecientos sesenta y siete mil setecientos siete.

Práctica con supervisión

Escribe en palabras.

4. 325,176

5. 438,834

6. 906,096

7. 680,806

8. 700,007

9. 999,999

Aprende

Cuenta las centenas de millar.

1 centena de millar (100,000), 2 centenas de millar (200,000),
3 centenas de millar (300,000), 4 centenas de millar (400,000),
5 centenas de millar (500,000), 6 centenas de millar (600,000),
7 centenas de millar (700,000), 8 centenas de millar (800,000),
9 centenas de millar (900,000), 10 centenas de millar (1,000,000)

10 centenas de millar = 1 **millón**

Millones	Centenas de millar	Decenas de millar	Millares	Centenas	Decenas	Unidades
	○○○○○ ○○○○○					

Millones	Centenas de millar	Decenas de millar	Millares	Centenas	Decenas	Unidades
●						
1	0	0	0	0	0	0
representa 1 millón o 1,000,000	representa 0 centenas de millar o 0	representa 0 decenas de millar o 0	representa 0 millares o 0	representa 0 centenas o 0	representa 0 decenas o 0	representa 0 unidades o 0

Práctica con supervisión

Cuenta los millones

10

Un millón	1,000,000
Dos millones	2,000,000
Tres millones	3,000,000
	4,000,000
Cinco millones	5,000,000
Seis millones	6,000,000
Siete millones	7,000,000
	8,000,000
Nueve millones	
Diez millones	10,000,000

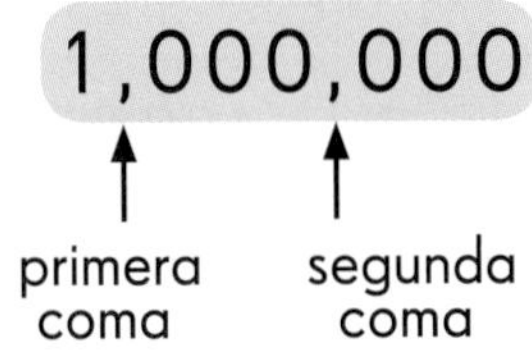

Usa dos comas para separar los períodos.
La primera coma indica el período de los millones.
La segunda coma indica el período de los millares.

Aprende

Escribe números en forma normal y en palabras.

¿Cuál es el número en forma normal y en palabras?

Millones	Centenas de millar	Decenas de millar	Millares	Centenas	Decenas	Unidades
representa 3 millones	representa 5 centenas de millar	representa 6 decenas de millar	representa 7 millares	representa 0 centenas	representa 4 decenas	representa 5 unidades

	Forma normal	En palabras
3 millones	3,000,000	tres millones
5 centenas de millar	500,000	quinientos mil
6 decenas de millar	60,000	sesenta mil
7 millares	7,000	siete mil
0 centenas	0	
4 decenas	40	cuarenta
5 unidades	5	cinco

Número en forma normal: 3,567,045

Número en palabras: tres millones quinientos sesenta y siete mil cuarenta y cinco

Manos a la obra

Conexión con la tecnología

Trabajen en grupos de cuatro o cinco.
Busquen en Internet cantidades dadas en millones.
Busquen por lo menos cinco cantidades.
Impriman los resultados que obtengan en su grupo.
Presenten su investigación al resto de la clase.

La población de Virginia es una cantidad que se da en millones.

De acuerdo con la estimación anual de la población de cada estado de Estados Unidos, la población de Virginia en 2007 era de aproximadamente 7,700,000 habitantes.

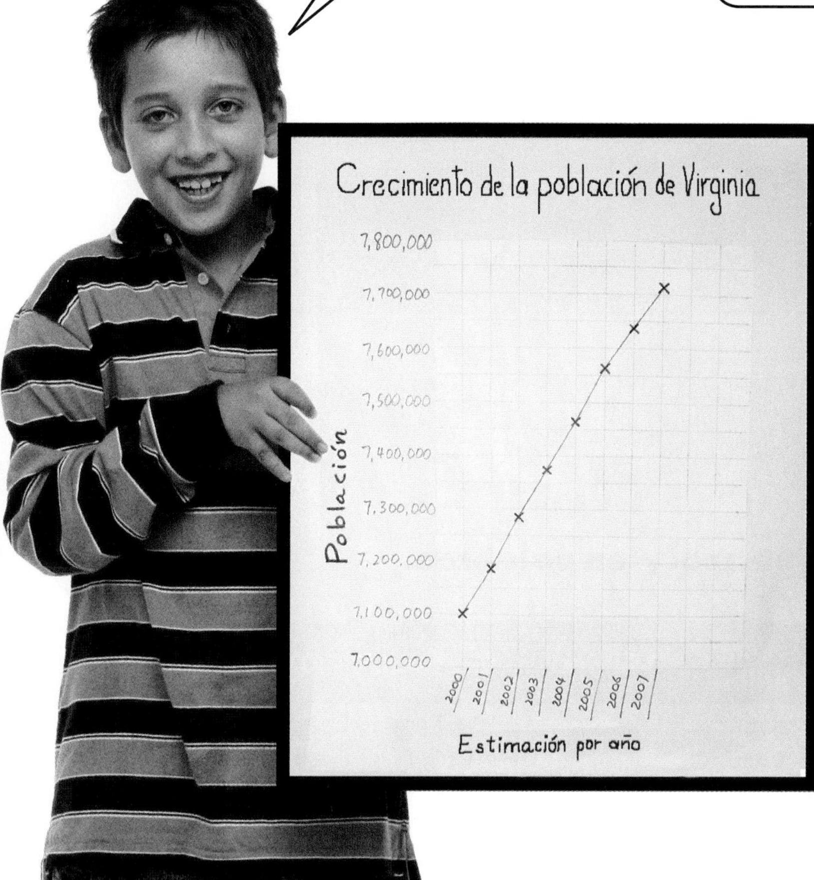

Práctica con supervisión

Escribe el número indicado en la tabla de valor posicional en forma normal y en palabras.

Millones	Centenas de millar	Decenas de millar	Millares	Centenas	Decenas	Unidades
●● ●●	●●● ●●●		●●● ●●	●●●	●●●● ●●●	●●●●● ●●●●
representa 4 millones	representa 6 centenas de millar	representa 0 decenas de millar	representa 5 millares	representa 3 centenas	representa 7 decenas	representa 9 unidades

	Forma normal	En palabras
☐ millones	☐	☐
☐ centenas de millar	☐	☐
☐ decenas de millar	☐	☐
☐ millares	☐	☐
☐ centenas	☐	☐
☐ decenas	☐	☐
☐ unidades	☐	☐

Número en forma normal : ☐

Número en palabras : ☐

Escribe el número en forma normal y en palabras.

12

Millones	Centenas de millar	Decenas de millar	Millares	Centenas	Decenas	Unidades
●●● ●●●	●● ●	●● ●●		●●● ●●	●●●● ●●●●	●

Número en forma normal : ☐

Número en palabras : ☐

Lee números hasta 10,000,000 usando períodos.

También puedes leer los números hasta 10,000,000 agrupándolos en períodos.

Millones	Centenas de millar	Decenas de millar	Millares	Centenas	Decenas	Unidades
5	8	2	4	4	2	8

Primero lee el período de los millones: cinco millones

Luego, lee el período de los millares: ochocientos veinticuatro mil

Finalmente, lee el período restante: cuatrocientos veintiocho

5,824,428 se lee así: cinco millones ochocientos veinticuatro mil cuatrocientos veintiocho.

6,035,350

6,035,350 se lee así: seis millones treinta y cinco mil trescientos cincuenta.

Práctica con supervisión

Escribe en palabras.

13 1,234,567

14 2,653,356

15 4,404,044

16 8,888,888

17 5,090,909

18 7,006,060

Practiquemos

Escribe en forma normal.

1. Doscientos mil ciento seis
2. Nueve millones quinientos veinte
3. Cinco millones dos mil doce

Escribe en palabras.

4. 215,905
5. 819,002
6. 6,430,000
7. 5,009,300

POR TU CUENTA

Ver Cuaderno de actividades A: Prácticas 1 y 2, págs. 1 a 6

Exploremos

¿Puede haber números menores que cero?

1. La tabla muestra la temperatura mínima de cada día de una semana en Chicago.

Día	lun.	mar.	mié.	jue.	vie.	sáb.	dom.
Temperatura	–4 °C	–14 °C	–16 °C	–17 °C	–5 °C	2 °C	6 °C

Una temperatura de 2 °C quiere decir 2 grados Celsius **sobre** cero.
Una temperatura de –4 °C quiere decir 4 grados Celsius **bajo** cero.

Los valores –4, –5, –14, –16 y –17 son **números negativos**. Aquí se usan para indicar temperaturas bajo 0 °C.

Los valores 2 y 6 son **números positivos**. Aquí se usan para indicar temperaturas sobre 0 °C.

Los números positivos se pueden escribir con un signo '+' delante de ellos. Por ejemplo, 2 y 6 también pueden escribirse así: +2 y +6 respectivamente. El signo '+' ayuda a distinguirlos de los números negativos.

2 La tabla muestra la altura de cuatro lugares en relación con el nivel del mar.

Lugar	New Orleans, Louisiana	Valle de la Muerte, California	Mar Muerto, Isarael	Fosa de las Marianas, Océano Pacífico
Altura	–6 pies	–282 pies	–1,378 pies	–35,797 pies

Las alturas negativas significan que los lugares se encuentran bajo el nivel del mar.

Conexión con la tecnología

¿A cuántos pies bajo el nivel del mar se encuentra cada lugar?

¿Se te ocurre algún otro ejemplo en el que se usen números negativos?

Busca en Internet más usos de números negativos.

3 Los números negativos se pueden indicar en una recta numérica de cualquiera de estas maneras.

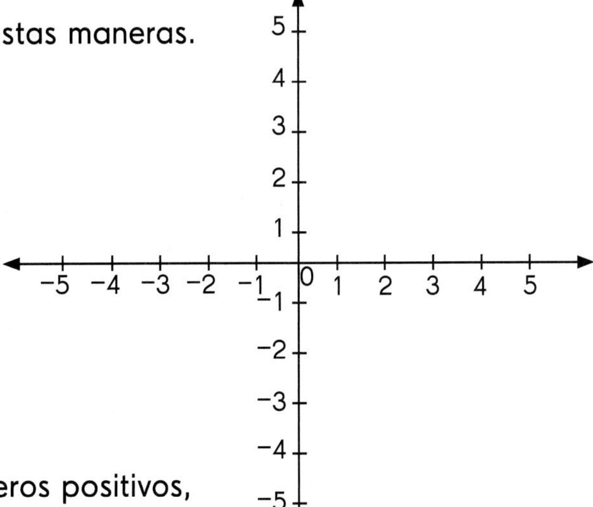

Observa que, para todos los números positivos, hay un número negativo opuesto.
Por ejemplo, 4 y –4 son opuestos.

Escribe el número negativo opuesto de cada número positivo.

a 8 **b** 50 **c** 173 **d** 2,469

Lección

1.2 Valor posicional

Objetivos de la lección

- Identificar el valor posicional de cualquier dígito de los números hasta 10,000,000.
- Leer y escribir los números hasta 10,000,000 en forma desarrollada

Vocabulario
lugar
valor
forma desarrollada

Aprende

Cada dígito de un número tiene un valor y un lugar.

Centenas de millar	Decenas de millar	Millares	Centenas	Decenas	Unidades
8	6	1	2	5	7

En 861,257:
el dígito 8 representa 800,000.
el valor del dígito 8 es 800,000.

el dígito 6 representa 60,000.
el valor del dígito 6 es 60,000.

el dígito 1 representa 1,000.
el valor del dígito 1 es 1,000.

el dígito 8 está en el lugar de las centenas de millar.
el dígito 6 está en el lugar de las decenas de millar.
el dígito 1 está en el lugar de los millares.

Práctica con supervisión

Completa.

1. En 670,932, el valor del dígito 6 es ____.
2. En 937,016, el dígito ____ está en el lugar de las centenas.
3. En 124,573, el dígito que está en el lugar de las centenas de millar es el ____.
4. En 971,465, el dígito 6 está en el lugar de las ____.
5. En 289,219, el dígito 8 está en el lugar de las ____.

Práctica con supervisión

Indica el valor del dígito 2 en cada número.

6. 81**2**,679
7. **2**60,153
8. 8**2**7,917

Para cada número, indica el lugar en que se encuentra el dígito 2.

9. 18**2**,679
10. **2**60,153
11. 8**2**7,917

Aprende

Los números hasta 1,000,000 se pueden escribir en forma desarrollada.

Observa los valores de los dígitos de 381,492. Por ejemplo, el valor del dígito 3 es 300,000. Para obtener el número, puedes sumar los valores de los dígitos.

381,492 = 300,000 + 80,000 + 1,000 + 400 + 90 + 2

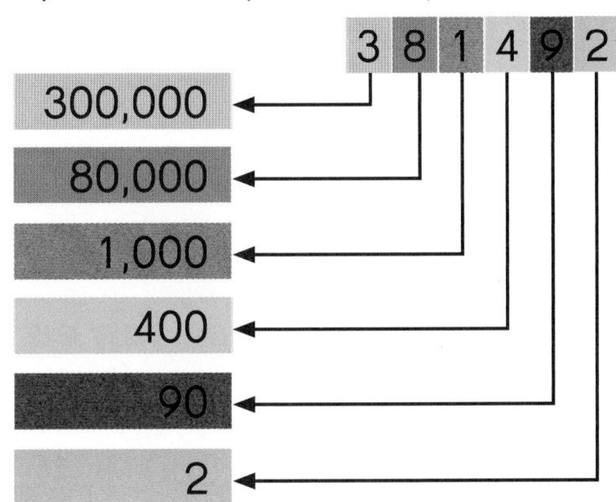

381,492 en forma desarrollada: 300,000 + 80,000 + 1,000 + 400 + 90 + 2

Práctica con supervisión

Completa con la forma desarrollada de cada número.

12. 761,902 = 700,000 + ▭ + 1,000 + 900 + 2
13. 124,003 = ▭ + 20,000 + 4,000 + 3
14. 900,356 = 900,000 + 300 + ▭ + 6

Aprende

Cada dígito de un número tiene un valor y un lugar.

Millones	Centenas de millar	Decenas de millar	Millares	Centenas	Decenas	Unidades
1	6	4	9	0	0	0

En 1,649,000:
el dígito 1 representa 1,000,000.
el valor del dígito 1 es 1,000,000.

el dígito 1 está en el lugar de los millones.
el dígito 4 está en el lugar de las decenas de millar.
el dígito 9 está en el lugar de los millares.

Práctica con supervisión

Completa.

15 En 7,296,000:

a el dígito ___ está en el lugar de los millones.

b el dígito 2 representa ___.

c el dígito 9 está en el lugar de las ___.

Aprende

Los números hasta 10,000,000 se pueden escribir en forma desarrollada.

5,649,000 = 5,000,000 + 600,000 + 40,000 + 9,000

5,000,000
600,000
40,000
9,000

Completa con la forma desarrollada de cada número.

16 7,200,000 = 7,000,000 + ___

17 6,235,000 = ___ + 200,000 + 30,000 + 5,000

18 2,459,000 = 2,000,000 + 400,000 + ___ + 9,000

Practiquemos

Indica el valor del dígito 5 en cada número.

1. 64,0**5**1
2. 783,**5**62
3. 1**5**7,300
4. **5**91,368

Completa.

5. En 493,128, el dígito ▭ está en el lugar de las decenas de millar.
6. 638,215 = ▭ + 30,000 + 8,000 + 200 + 10 + 5
7. En 357,921, el valor del dígito 3 es ▭ y el dígito 7 está en el lugar de los ▭.
8. 829,359 = 800,000 + ▭ + 9,000 + 300 + 50 + 9

Indica el valor del dígito 6 en cada número.

9. **6**,390,000
10. 8,100,**6**00
11. 7,**6**20,548
12. 9,0**6**0,001

Completa.

13. En 7,005,000, el dígito ▭ está en el lugar de los millones.
14. En 2,321,654, el dígito que está en el lugar de las centenas de millar es el ▭.
15. 9,197,328 = 9,000,000 + 100,000 + 90,000 + 7,000 + ▭ + 20 + 8
16. 2,403,800 = ▭ + 400,000 + 3,000 + 800

POR TU CUENTA

Ver Cuaderno de actividades A: Práctica 3, págs. 7 a 10

Lección

1.3 Comparar números hasta 10,000,000

Objetivos de la lección

- Comparar y ordenar números hasta 10,000,000.
- Identificar y completar un patrón de números.
- Hallar una regla para un patrón de números.

Vocabulario
mayor que (>)
menor que (<)

Aprende

Compara números usando una tabla de valor posicional.

¿Qué número es menor, 237,981 ó 500,600?

Cuando compares números, observa el valor de cada dígito de izquierda a derecha. Recuerda: '**>**' significa '**mayor que**' y '**<**' significa '**menor que**'.

Centenas de millar	Decenas de millar	Millares	Centenas	Decenas	Unidades
2	3	7	9	8	1
5	0	0	6	0	0

Compara los valores de los dígitos empezando por la izquierda.
2 centenas de millar es menos que 5 centenas de millar.
Entonces, 237,981 es menor que 500,600.

237,981 < 500,600

Compara números mayores que 1,000,000.

¿Qué número es menor, 3,506,017 ó 5,306,007?

Millones	Centenas de millar	Decenas de millar	Millares	Centenas	Decenas	Unidades
3	5	0	6	0	1	7
5	3	0	6	0	0	7

Compara los valores de los dígitos empezando por la izquierda.
3 millones es menos que 5 millones.
Entonces, 3,506,017 es menor que 5,306,007.

3,506,017 < 5,306,007

Práctica con supervisión

Completa. Usa la tabla de valor posicional como ayuda.

1. ¿Qué número es mayor, 712,935 ó 712,846?

Centenas de millar	Decenas de millar	Millares	Centenas	Decenas	Unidades
7	1	2	**9**	3	5
7	1	2	**8**	4	6

Compara los valores de los dígitos empezando por la izquierda. Si son iguales, compara los dígitos siguientes. Continúa hasta que los valores de los dígitos no sean iguales.

Aquí, los valores de los dígitos en el lugar de las centenas son diferentes.

Compara los valores de los dígitos que están en el lugar de las centenas.

___ centenas es mayor que ___ centenas.

Entonces, 712,935 es ___ que 712,846.

712,935 ◯ 712,846

Completa.

2. ¿Qué número es mayor, 4,730,589 ó 4,703,985?
4,7**3**0,589
4,7**0**3,985

Compara los valores de los dígitos empezando por la izquierda. Si son iguales, compara los dígitos siguientes. Continúa hasta que los valores de los dígitos no sean iguales.

Aquí, los valores de los dígitos en el lugar de las decenas de millar son diferentes. Compara los valores de los dígitos que están en el lugar de las decenas de millar.

___ decenas de millar es mayor que ___ decenas de millar.

Entonces, ___ es mayor que ___.

___ > ___.

Compara los números. Escribe < o > en cada ◯.

3. 345,932 ◯ 435,990
4. 100,400 ◯ 99,900
5. 5,245,721 ◯ 524,572
6. 3,143,820 ◯ 4,134,820

Ordena los números de menor a mayor.

7 324,688 32,468 3,246,880

8 1,600,456 1,604,654 1,064,645

Halla reglas para completar patrones de números.

¿Cuál es el número siguiente en cada patrón?

a 231,590 331,590 431,590 531,590 ...

Para obtener el número siguiente en el patrón, suma 100,000 al número anterior.

231,590 331,590 431,590 531,590 631,590

+100,000 +100,000 +100,000 +100,000

331,590 es 100,000 más que **2**31,590.

431,590 es 100,000 más que **3**31,590.

531,590 es 100,000 más que **4**31,590.

100,000 más que **5**31,590 es **6**31,590.

El número siguiente es 631,590.

b 755,482 705,482 655,482 605,482 ...

755,482 705,482 655,482 605,482 555,482

–50,000 –50,000 –50,000 –50,000

705,482 es 50,000 menos que **75**5,482.

655,482 es 50,000 menos que **70**5,482.

605,482 es 50,000 menos que **65**5,482.

50,000 menos que **60**5,482 es **55**5,482.

El número siguiente es 555,482.

Práctica con supervisión

Halla los números que faltan.

9. 1,345,024   3,345,024   5,345,024 ...

   3,345,024 es ______ más que 1,345,024.

   5,345,024 es ______ más que 3,345,024.

   ______ más que 5,345,024 es ______.

   El número siguiente es ______.

10. 820,346   810,346   800,346 ...

    810,346 es ______ menos que 820,346.

    800,346 es ______ menos que 810,346.

    ______ menos que 800,346 es ______.

    El número siguiente es ______.

Practiquemos

Responde cada pregunta.

1. ¿Cuál es mayor, 568,912 ó 568,921?
2. ¿Cuál es menor, 71,690 ó 100,345?
3. ¿Cuál es el mayor, 81,630, 81,603 u 816,300?
4. ¿Cuál es el menor, 125,000, 12,500 ó 25,000?

Ordena los números de menor a mayor.

5. 901,736   714,800   199,981
6. 645,321   654,987   645,231

Ordena los números de mayor a menor.

7 36,925 925,360 360,925

8 445,976 474,089 474,108

Halla los números que faltan.

9 580,356 600,356 620,356 640,356 ...

600,356 es ___ más que 580,356.

620,356 es ___ más que 600,356.

640,356 es ___ más que 620,356.

___ más que 640,356 es ___.

10 4,030,875 3,830,875 3,630,875 3,430,875 ...

3,830,875 es ___ menos que 4,030,875.

3,630,875 es ___ menos que 3,830,875.

3,430,875 es ___ menos que 3,630,875.

___ menos que 3,430,875 es ___.

Halla la regla. Luego, completa el patrón de números.

11 325,410 ___ 305,410 295,410 ___ 275,410

12 2,390,000 3,400,000 4,410,000 ___ 6,430,000

POR TU CUENTA

Ver Cuaderno de actividades A: Práctica 4, págs. 11 a 14

Lección 1.4 Redondear y estimar

Objetivos de la lección

- Redondear números al millar más cercano.
- Ubicar números en una recta numérica.
- Usar el redondeo para estimar o comprobar sumas, diferencias y productos.
- Usar operaciones de multiplicación relacionadas para estimar cocientes.

Vocabulario
redondear
estimar
estimación por la izquierda con aproximación
números compatibles

Aprende Redondea números al millar mayor.

¿Cuánto es 6,541 redondeado al millar más cercano?

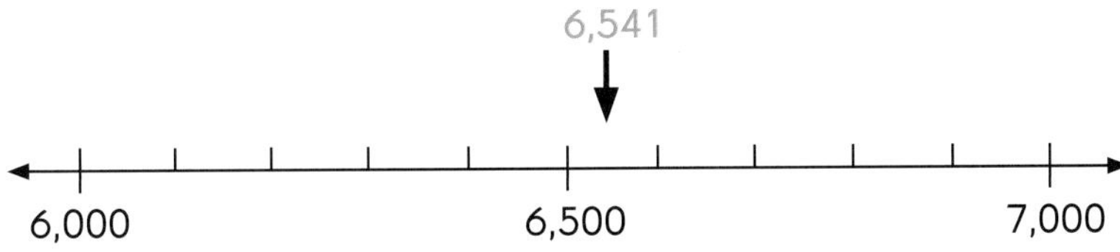

6,541 está entre 6,000 y 7,000.
6,541 se acerca más a 7,000 que a 6,000.
6,541 redondeado al millar más cercano es 7,000.

Práctica con supervisión

Completa. Usa la recta numérica como ayuda.

1

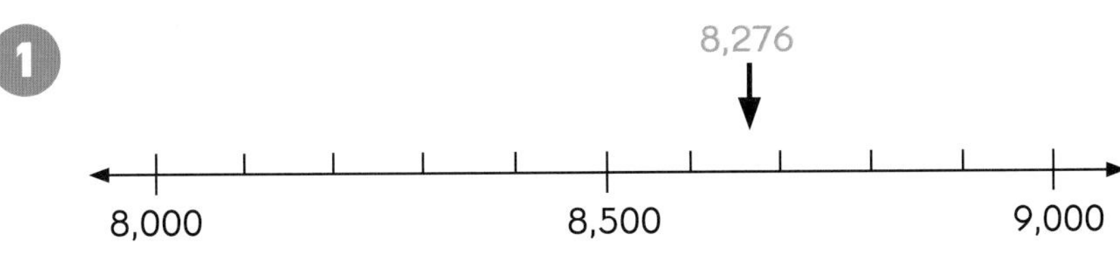

8,276 está entre 8,000 y ____.
8,276 se acerca más a ____ que a ____.
8,276 redondeado al millar más cercano es ____.

Aprende

Redondea números al millar mayor.

¿Cuánto es 9,500 redondeado al millar más cercano?

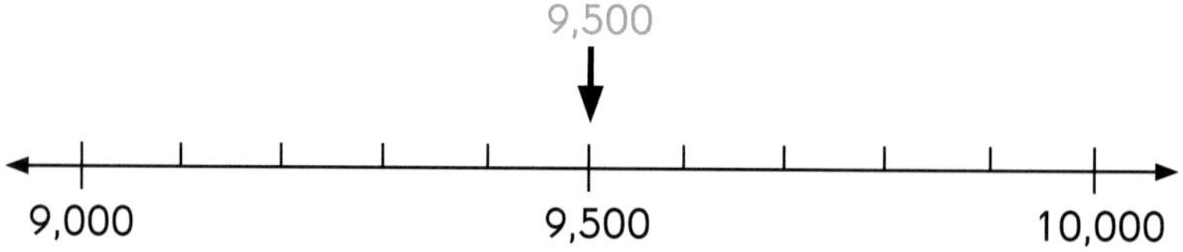

9,500 está exactamente en el punto medio entre 9,000 y 10,000.
9,500 redondeado al millar más cercano es 10,000.

Práctica con supervisión

Responde cada pregunta. Usa la recta numérica como ayuda.

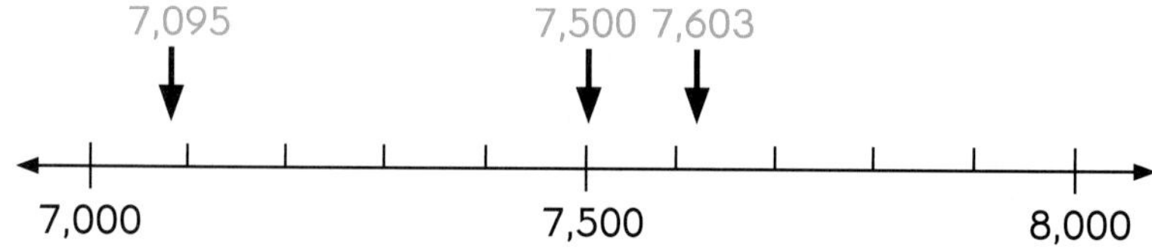

2. ¿Cuánto es 7,095 redondeado al millar más cercano?

3. ¿Cuánto es 7,500 redondeado al millar más cercano?

4. ¿Cuánto es 7,603 redondeado al millar más cercano?

Aprende

Redondea números al millar menor.

¿Cuánto es 85,210 redondeado al millar más cercano?

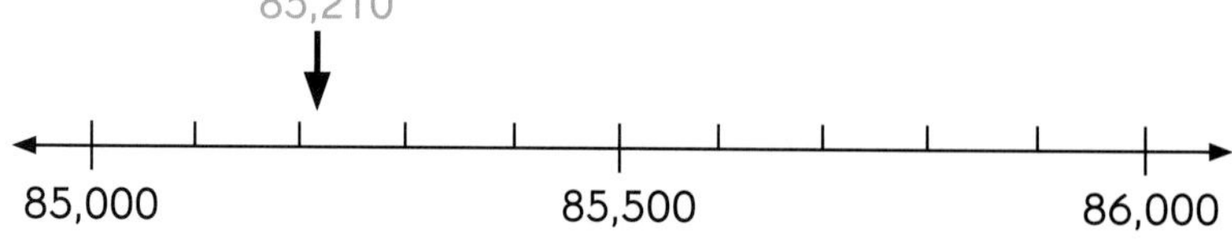

85,210 está entre 85,000 y 86,000.
85,210 se acerca más a 85,000 que a 86,000.
85,210 redondeado al millar más cercano es 85,000.

Práctica con supervisión

Copia la recta numérica. Marca con una X la posición de 125,231 y 125,780. Luego, redondea cada número al millar más cercano.

5

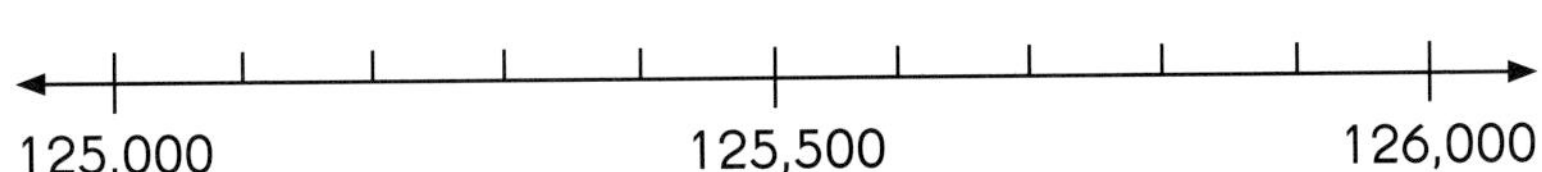

Redondea cada número al millar más cercano.

6 6,321 7 9,873 8 6,995 9 12,051

10 65,500 11 89,773 12 325,699 13 600,039

Responde cada pregunta. Traza una recta numérica como ayuda.

14 Redondeando al millar más cercano, ¿cuál es el menor número que se redondea a

a 4,000? b 80,000?

15 Redondeando al millar más cercano, ¿cuál es el mayor número que se redondea a

a 7,000? b 50,000?

Usa el redondeo para estimar sumas y diferencias.

Redondea los números 6,521 y 5,079 al millar más cercano.

6,521 se redondea a 7,000.
5,079 se redondea a 5,000.

Luego, estima: a 6,521 + 5,079 b 6,521 − 5,079

a 6,521 + 5,079 se redondea a 7,000 + 5,000 = 12,000

b 6,521 − 5,079 se redondea a 7,000 − 5,000 = 2,000

Práctica con supervisión

Redondea cada número al millar más cercano. Luego, estima la suma o la diferencia.

16. 7,192 + 1,642
17. 5,701 − 3,214
18. 6,290 + 5,500 + 3,719
19. 9,810 − 1,600 − 7,391

Usa la estimación por la izquierda con aproximación para estimar sumas.

Estima la suma de 4,615, 2,537 y 1,828.

Suma los valores de los dígitos iniciales.

4,615 → **4**,000
2,537 → **2**,000
1,828 → **1**,000

4,000 + 2,000 + 1,000 = 7,000

Luego, estima la suma de lo que queda redondeada al millar más cercano.

615 + 537 + 828 → 600 + 500 + 800 = 1,900

1,900 redondeado al millar más cercano es 2,000.

Aproxima la estimación

7,000 + 2,000 = 9,000

La suma estimada es 9,000.

Al aproximar la estimación, tendrás una estimación más precisa que si usas solamente los dígitos iniciales.

Usa la estimación por la izquierda con aproximación para estimar diferencias.

Estima la diferencia entre 4,837 y 2,152.

Resta los valores de los dígitos iniciales.

4,837 → **4**,000
2,152 → **2**,000

4,000 – 2,000 = 2,000

Luego, estima la diferencia de lo que queda redondeada al millar más cercano.

837 – 152 → 800 – 100 = 700

700 redondeado al millar más cercano es 1,000.

Aproxima la estimación.

2,000 + 1,000 = 3,000

La diferencia estimada es 3,000.

Estima la diferencia entre 5,134 y 2,918.

Resta los valores de los dígitos iniciales.

5,134 → **5**,000
2,918 → **2**,000

5,000 – 2,000 = 3,000

Luego, estima la diferencia de lo que queda redondeada al millar más cercano.

918 – 134 → 900 – 100 = 800

800 redondeado al millar más cercano es 1,000.

Aproxima la estimación.

3,000 – 1,000 = 2,000

La diferencia estimada es 2,000.

Práctica con supervisión

Usa la estimación por la izquierda con aproximación para estimar cada suma.

20. 4,261 + 7,879 + 6,175

Suma los valores de los dígitos iniciales.

4,261 → ____

7,879 → ____

____ → ____

____ + ____ + ____ = ____

Luego, estima la suma de lo que queda redondeada al millar más cercano.

261 + ____ + ____ → ____ + ____ + ____ = ____

____ redondeado al millar más cercano es ____.

Aproxima la estimación.

____ + ____ = ____

La suma estimada es ____.

21. 2,619 + 7,391 + 4,738

22. 5,559 + 6,041 + 8,244

23. 3,497 + 7,198 + 8,253

24. 1,864 + 5,907 + 9,541

Práctica con supervisión

Usa la estimación por la izquierda con aproximación para estimar cada diferencia.

25. 9,872 − 2,215

Resta los valores de los dígitos iniciales.

9,872 → ___

___ → ___

___ − ___ = ___

Luego, estima la diferencia de lo que queda redondeada al millar más cercano.

872 − ___ → ___ − ___ = ___

___ redondeado al millar más cercano es ___.

Aproxima la estimación.

___ + ___ = ___

La diferencia estimada es ___.

26. 3,842 − 1,206

27. 5,770 − 2,216

28. 8,671 − 4,329

29. 6,983 − 3,507

30. 7,966 − 2,643

Práctica con supervisión

Usa la estimación por la izquierda con aproximación para estimar cada diferencia

31 8,275 − 3,860

Resta los valores de los dígitos iniciales.

8,275 → ___

___ → ___

___ − ___ = ___

Luego, estima la diferencia de lo que queda redondeada al millar más cercano.

860 − ___ → ___ − ___ = ___

___ redondeado al millar más cercano es ___.

Aproxima la estimación.

___ − ___ = ___

La diferencia estimada es ___.

32 5,016 − 2,770

33 6,392 − 2,931

34 7,210 − 4,932

35 9,550 − 1,697

Aprende

Usa el redondeo para estimar productos.

Estima el valor de 7,120 × 5.

Primero, redondea 7,120 al millar más cercano.

7,120 se redondea a 7,000.

7,000 × 5 = 35,000

7,120 × 5 se aproxima a 35,000.

Práctica con supervisión

Primero, redondea el número de 4 dígitos al millar más cercano.

Estima el valor de 6,327 × 7.

 6,327 se redondea a ___.

___ × 7 = ___

6,327 × 7 se aproxima a ___.

Estima cada producto.

 2,145 × 7

38 8,756 × 6

Aprende

Usa **números compatibles** para estimar cocientes.

Los números compatibles son números que se pueden sumar, restar, multiplicar o dividir fácilmente. Se pueden usar para estimar sumas, diferencias, productos o cocientes

En la división, los números compatibles son pares de números que son fáciles de dividir. Esos pares de números se obtienen a partir de operaciones básicas de división.

Estima el valor de 3,465 ÷ 6.

Busca números compatibles que se acerquen a 3,465 y a 6.

3,000 ÷ **6** = **5**00

3,600 ÷ **6** = **6**00

Los pares de números compatibles son:

3,000 y 6 ó 3,600 y 6

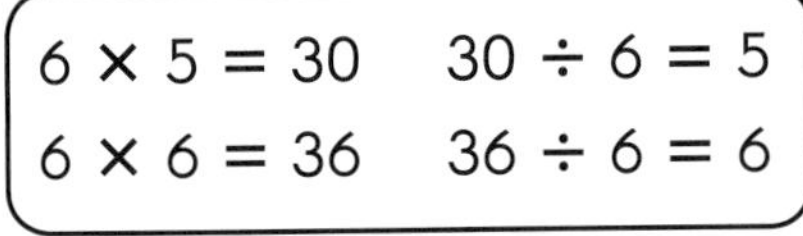

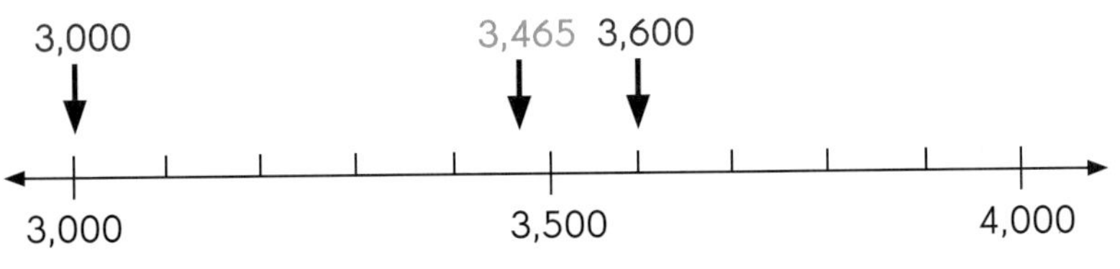

3,465 se acerca más a 3,600 que a 3,000.

Elige 3,600 para hacer esta estimación.

3,600 ÷ 6 = 600

3,465 ÷ 6 se aproxima a 600.

Práctica con supervisión

Estima el valor de 6,742 ÷ 8.

39

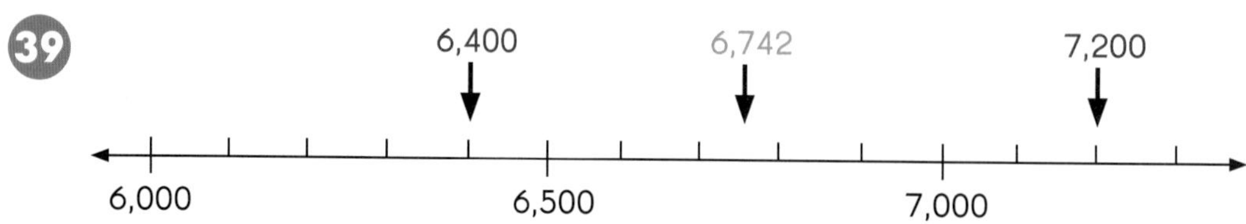

Elige ___ para hacer la estimación.

___ ÷ 8 = ___

6,742 ÷ 8 se aproxima a ___.

Busca números compatibles.

6,742 ÷ 8 → 6,400 ÷ 8
6,742 ÷ 8 → 7,200 ÷ 8

6,742 se acerca más a ___ que a ___.

Estima cada cociente.

40 1,745 ÷ 3

41 4,467 ÷ 6

Practiquemos

Redondea cada número al millar más cercano.

1 80,295

2 229,078

3 549,947

Responde la pregunta. Traza rectas numéricas como ayuda.

4 Redondeando al millar más cercano, ¿cuál es
 a el menor número que puede redondearse a 8,000?
 b el mayor número que puede redondearse a 60,000?

Redondea cada número al millar más cercano. Luego, estima la suma o la diferencia

5 3,670 − 2,189

6 3,638 + 7,917 + 6,148

Usa la estimación por la izquierda con aproximación para estimar cada suma o diferencia.

7. 7,958 + 5,233 + 4,068
8. 3,725 + 1,882 + 6,536
9. 9,978 − 4,209
10. 8,134 − 4,917

Estima cada producto.

11. 3,322 × 8
12. 9,245 × 5

Estima cada cociente.

13. 6,581 ÷ 7
14. 8,502 ÷ 9

POR TU CUENTA

Ver Cuaderno de actividades A: Práctica 5, págs. 15 a 24

DESTREZAS DE RAZONAMIENTO CRÍTICO

¡Ponte la gorra de pensar!

RESOLUCIÓN DE PROBLEMAS

1. Tres tarjetas contienen números enteros diferentes. Cada número, redondeado a la decena más cercana, da 30.
¿Cuáles pueden ser los tres números?

2. Sin sumar los números 99, halla de una manera más rápida el valor de:

   a. 99 + 99

   b. 99 + 99 + 99 + 99 + 99 + 99

   c. ¿Cuál es el valor del dígito que está en el lugar de las unidades en cada caso?

   d. ¿Cuál es la menor cantidad de números 99 que deben sumarse para obtener un 1 en el lugar de las unidades?

POR TU CUENTA

Ver Cuaderno de actividades A: ¡Ponte la gorra de pensar! págs. 25 y 26

Resumen del capítulo

Guía de estudio

Has aprendido...

Los números hasta 10,000,000

Escribir

Forma normal:
6,245,781

En palabras:
seis millones doscientos cuarenta y cinco mil setecientos ochenta y uno

Forma desarrollada:
6,245,781 =
6,000,000 +
200,000 + 40,000 +
5,000 +700 + 80 + 1

Comparar

Mayor que:
9,195,079 > 8,753,426

Menor que:
5,187,326 < 7,946,704

Usar el redondeo

Suma:
2,381 + 4,502 se redondea a
2,000 + 5,000 = 7,000

Resta:
7,185 − 2,738 se redondea a
7,000 − 3,000 = 4,000

Multiplicación:
3,856 × 7 se redondea a
4,000 × 7 = 28,000

Muestra

Millones	Centenas de millar	Decenas de millar	Millares	Centenas	Decenas	Unidades
●●● ●●●	○ ○	●● ●●	●●● ●●	○○○○ ○○○	●●●● ●●●●	○
6	2	4	5	7	8	1

▶ Los números enteros se pueden escribir de diferentes maneras. Los números se pueden comparar y redondear de acuerdo con su valor posicional.

Hallar patrones

505,347 605,347 705,347 ...
605,347 es 100,000 más que 505,347.
705,347 es 100,000 más que 605,347.
Regla: Suma 100,000 a un número para obtener el siguiente número del patrón.

Estimar

Usar números compatibles

División:
5,456 ÷ 6

4,800 ÷ 6 = 800
5,400 ÷ 6 = 900

5,456 ÷ 6
→ 5,400 ÷ 6 = 900

Usar la estimación por la izquierda con aproximación

Suma:
5,174 + 1,546 + 7,301
→ 5,000 + 1,000 + 7,000 = 13,000
174 + 546 + 301
→ 100 + 500 + 300 = 900
→ 1,000
13,000 + 1,000 = 14,000

Diferencia:
5,915 − 3,250
→ 5,000 − 3,000 = 2,000
915 – 250 → 900 − 200 = 700
→ 1,000
2,000 + 1,000 = 3,000

Repaso/Prueba del capítulo

Vocabulario

Completa los espacios en blanco.

centena de millar
forma normal
en palabras
períodos
millón
valor posicional
forma desarrollada
mayor que (>)
menor que (<)
redondear
estimar
estimación por la izquierda con aproximación
números compatibles

1 Puedes leer los números hasta 10,000,000 agrupándolos en ____ que son grupos de tres lugares.

2 El número 2,002,002 en ____ es dos ____, dos mil, dos.

3 El método que se muestra para estimar 3,924 + 7,806 se llama ____.

3,924 → 3,000
7,806 → 7,000
3,000 + 7,000 = 10,000 } ← Suma los valores de los dígitos iniciales

924 + 806
→ 900 + 800 = 1,700
→ 2,000 } ← Estima la suma de lo que queda redondeada al millar más cercano.

10,000 + 2,000 = 12,000 ← Ajusta la estimación.

4 Los números que se pueden sumar, restar, multiplicar o dividir fácilmente se llaman ____. En la división, son pares de números que son fáciles de dividir.

Conceptos y destrezas

Observa la tabla de valor posicional. Luego, completa los enunciados.

Millones	Centenas de millar	Decenas de millar	Millares	Centenas	Decenas	Unidades
●●● ●●	○○○○ ○○○○	●●●●● ●●●●	●●● ●●●	○○ ○○	●	○○○

5 Número en forma normal: ____

6 Número en palabras: ____

7 Number en forma desarrollada: ____

Completa.

Millones	Centenas de millar	Decenas de millar	Millares	Centenas	Decenas	Unidades
2	9	3	7	0	4	5

En 2,937,045:

8. El dígito 9 representa ______.

9. El valor del dígito 2 es ______.

10. El dígito 3 está en el lugar de las ______.

Compara los números. Escribe > ó < en cada ◯.

11. 8,417,855 ◯ 8,045,762

12. 604,259 ◯ 1,105,873

Halla la regla. Luego, completa el patrón de números.

13. 8,584,671 8,084,671 7,584,671 ______ ______

14. 300,534 1,400,534 2,500,534 ______ ______

Redondea cada número al millar más cercano.

15. 1,939

16. 527,138

Estima cada suma o diferencia.

17. 8,068 + 2,643

18. 5,632 + 2,165 + 7,464

19. 3,815 − 1,113

20. 5,325 − 1,689

Estima cada producto.

21. 9,301 × 5

22. 3,876 × 6

Estima cada cociente.

23 $6{,}783 \div 8$

24 $4{,}463 \div 5$

Resolución de problemas

Usa la tabla para responder cada pregunta.

Abajo se muestra el área terrestre de algunos países.

País	Área terrestre (en millas cuadradas)
Canadá	3,851,808
Francia	211,209
Hong Kong	426
Singapur	268
Tailandia	198,456
Estados Unidos	3,717,811

25 Escribe el área terrestre de Canadá en palabras.

26 Ordena los países de mayor a menor según su área terrestre.

27 ¿Qué países tienen un área terrestre mayor que 1,000,000 millas cuadradas?

28 ¿Qué países tienen un área terrestre de 200,000 millas cuadradas después de redondearse a la centena de millar más cercana?

Multiplicación y división de números enteros

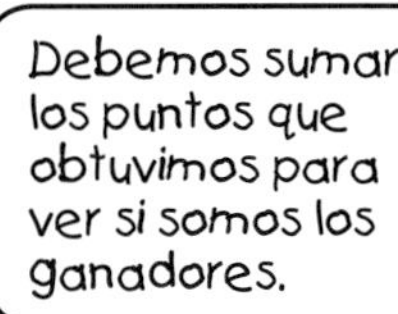

Lecciones

2.1 Usar una calculadora
2.2 Multiplicar por decenas, centenas o millares
2.3 Multiplicar por números de 2 dígitos
2.4 Dividir entre decenas, centenas o millares
2.5 Dividir entre números de 2 dígitos
2.6 Orden de las operaciones
2.7 Problemas cotidianos: Multiplicación y división

Ideas importantes

- Puedes usar patrones como ayuda para multiplicar y dividir números.
- Las expresiones numéricas se pueden simplificar usando el orden de las operaciones.
- La multiplicación y la división se pueden usar para resolver problemas cotidianos.

Recordar conocimientos previos

Escribir números en forma desarrollada y en palabras

Escribe 4,937,512 en forma desarrollada y en palabras.

Forma desarrollada:

4,000,000 + 900,000 + 30,000 + 7,000 + 500 + 10 + 2

En palabras:

Cuatro millones novecientos treinta y siete mil quinientos doce

Usar modelos de barras para mostrar las cuatro operaciones

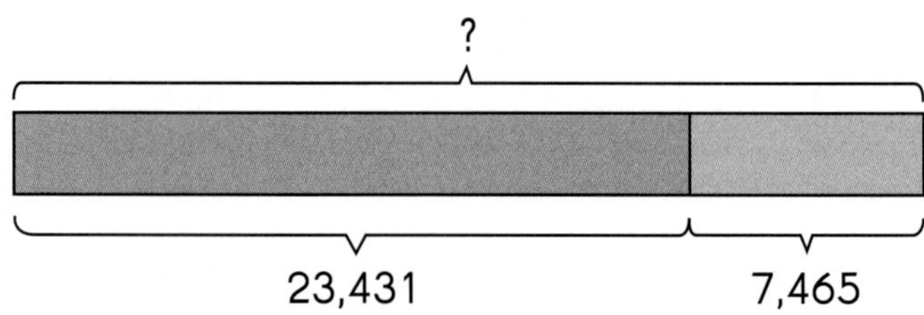

? = 23,431 + 7,465
= 30,896

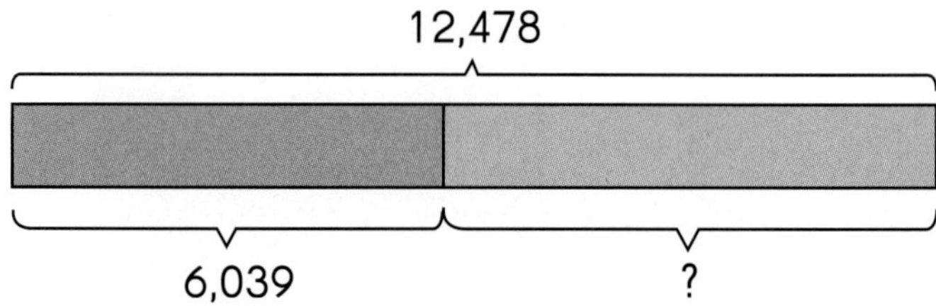

? = 12,478 − 6,039
= 6,439

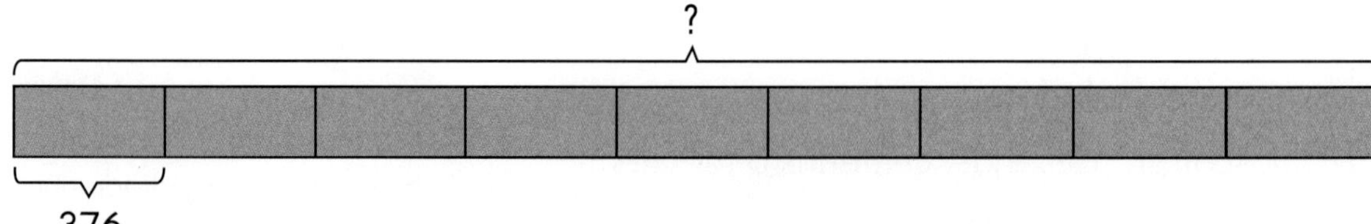

? = 9 × 376
= 3,384

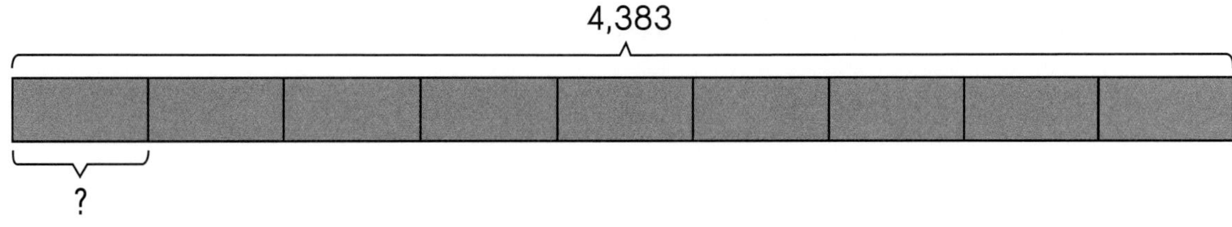

$? = 4{,}383 \div 9$
$= 487$

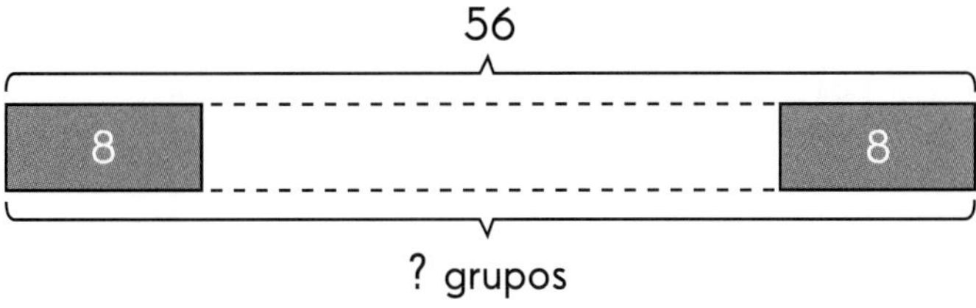

$? = 56 \div 8$
$= 7$

Redondear al millar más cercano

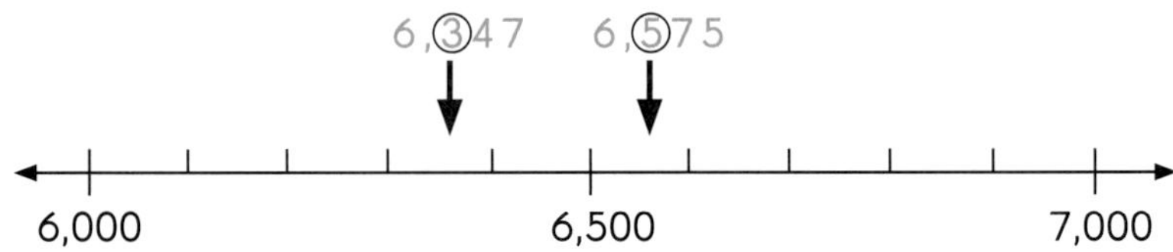

Si el dígito de las centenas es 0, 1, 2, 3 ó 4, redondea el número al millar menor.

6,③47 redondeado al millar más cercano es 6,000.

Si el dígito de las centenas es 5, 6, 7, 8, ó 9, redondea el número al millar mayor.

6,⑤75 redondeado al millar más cercano es 7,000.

Estimar productos usando el redondeo

Estima el valor de 684×9.

684 redondeado a la centena más cercana es 700.

$700 \times 9 = 6{,}300$

684×9 se aproxima a 6,300.

Estimar productos usando la estimación por la izquierda

Estima el valor de 563×7.

$563 \longrightarrow 500$
$500 \times 7 = 3,500$

563×7 se aproxima a 3,500.

Estimar cocientes usando operaciones de multiplicación relacionadas

Estima el valor de $156 \div 4$.

Busca números compatibles que se acerquen a 156 y a 4.

$4 \times 30 = 120$
$4 \times 40 = 160$

156 se acerca más a 160 que a 120.

Elige 160 para hacer esta estimación.

$160 \div 4 = 40$

$156 \div 4$ se aproxima a 40.

✔Repaso rápido

Escribe los números en forma desarrollada y en palabras.

1. 8,753,924

   Forma desarrollada: ___ + ___ + ___ + ___ + ___ + ___ + ___

   En palabras: ___

2. 5,905,478

   Forma desarrollada: ___ + ___ + ___ + ___ + ___ + ___

   En palabras: ___

Halla cada símbolo o número que falta.

3 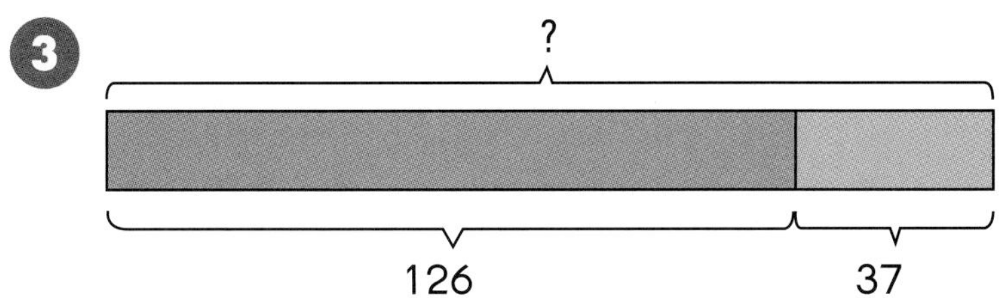

? = 126 ◯ 37

= ▭

4 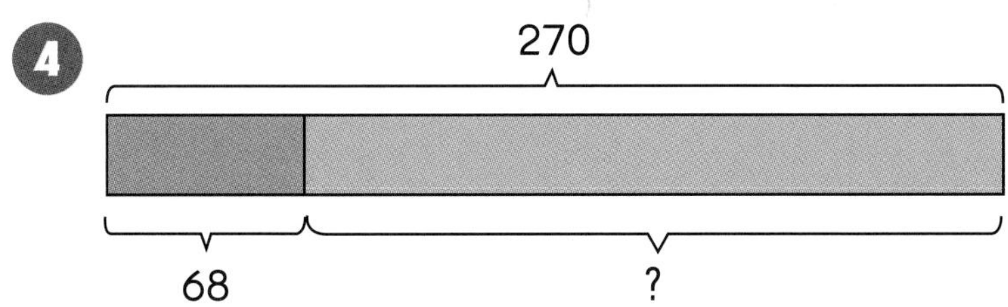

? = 270 ◯ 68

= ▭

5 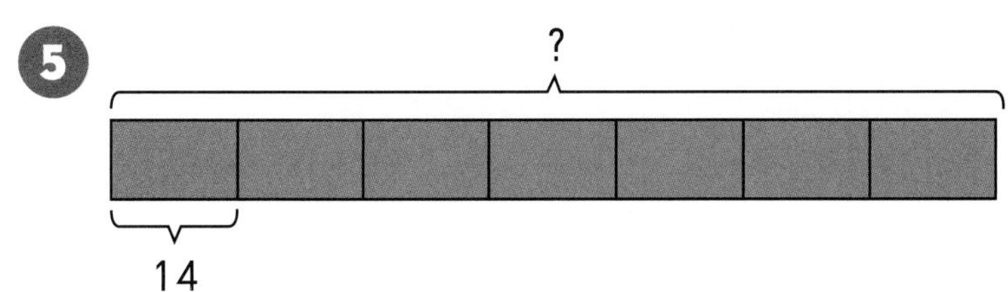

? = 7 ◯ 14

= ▭

6 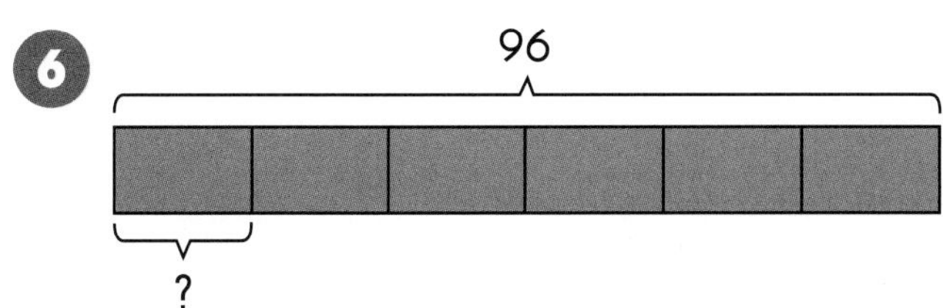

? = 96 ◯ 6

= ▭

7 135

5 - - - - - 5

? grupos

? = 135 ◯ 5

= ▭

Redondea al millar más cercano.

8. 750

9. 10,497

10. 14,568

Estima cada producto usando el redondeo.

11. 203×6

12. 792×4

13. 857×3

Estima cada producto usando la estimación por la izquierda.

14. 142×9

15. 967×5

16. 374×6

Estima cada cociente usando operaciones de multiplicación relacionadas.

17. $178 \div 3$

18. $265 \div 5$

19. $532 \div 6$

Lección 2.1 Usar una calculadora

Objetivo de la lección

- Usar una calculadora para sumar, restar, multiplicar y dividir números enteros.

Aprende Familiarízate con la calculadora.

Enciende la calculadora.

Sigue los pasos para ingresar los números en la calculadora.

Para ingresar 12,345, pulsa: [1] [2] [3] [4] [5]

Para borrar la pantalla de la calculadora, pulsa: [C]

Pantalla
0
12345
0

Manos a la obra

Ingresen estos números en la calculadora. Borren la pantalla de la calculadora antes de ingresar el número siguiente.

1. 735
2. 9,038
3. 23,104
4. 505,602

Comprueba cada número que ingresaste con el número de tu compañero. ¿Se ve el mismo número en la pantalla de las dos calculadoras?

Aprende

Usa la calculadora para sumar.

Suma 417 y 9,086.

Pulsa	Pantalla
C	0
4 1 7	417
+ 9 0 8 6	9086
=	9503

La suma es 9,503.

Halla la suma de $1,275 y $876.

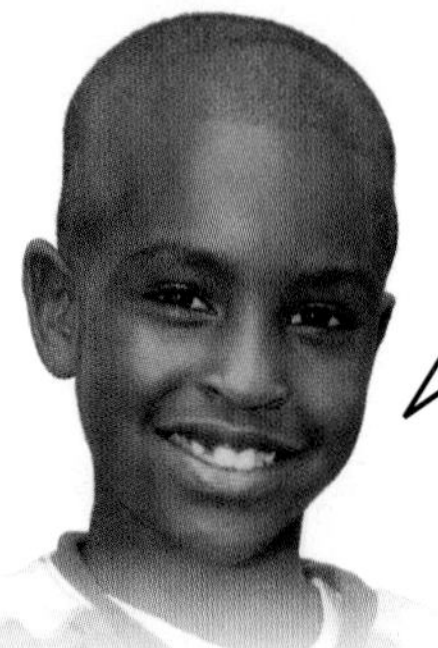

Acuérdate de escribir la unidad correcta en tu respuesta.

Pulsa	Pantalla
C	0
1 2 7 5	1275
+ 8 7 6	876
=	2151

La suma de $1,275 y $876 es $2,151.

Aprende

Usa la calculadora para restar.

Resta 6,959 de 17,358.

Pulsa	Pantalla
C	0
1 7 3 5 8	17358
− 6 9 5 9	6959
=	10399

La diferencia es 10,399.

Halla la diferencia entre 1,005 libras y 248 libras.

Acuérdate de escribir libras en tu respuesta.

Pulsa	Pantalla
C	0
1 0 0 5	1005
− 2 4 8	248
=	757

La diferencia entre 1,005 libras y 248 libras es 757 libras.

Manos a la obra

Halla la suma o la diferencia.

1. 7,064 + 2,378
2. 3,675 − 1,976
3. 734 km + 9,868 km
4. $3,250 − $1,865

Piensa en una operación de suma y una de resta.
Pídele a tu compañero que halle la suma o la diferencia usando una calculadora.
Comprueba sus respuestas usando la calculadora.

Usa la calculadora para multiplicar.

Multiplica 253 por 127.

Pulsa	Pantalla
C	0
2 5 3	253
× 1 2 7	127
=	32131

El producto es 32,131.

Halla el área de un rectángulo con una longitud de 36 metros y un ancho de 24 metros.

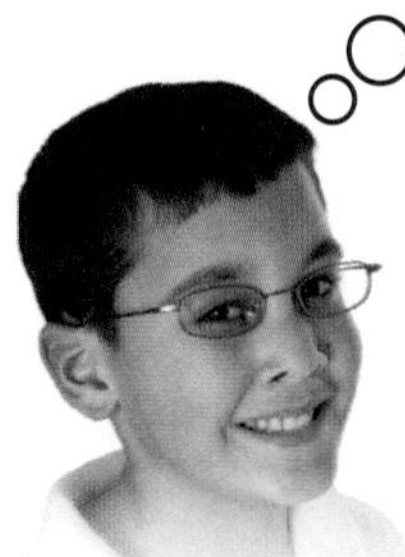

Área = longitud × ancho
Recuerda que las unidades para el área son metros cuadrados, pulgadas cuadradas y así sucesivamente.

Pulsa	Pantalla
C	0
3 6	36
× 2 4	24
=	864

El rectángulo tiene un área de 864 metros cuadrados.

Usa la calculadora para dividir.

Divide 4,572 entre 36.

Pulsa	Pantalla
C	0
4 5 7 2	4572
÷ 3 6	36
=	127

El cociente es 127.

Divide 168 cuartos entre 16.

Pulsa	Pantalla
C	0
1 6 8	168
÷ 1 6	16
=	10.5

168 cuartos divididos entre 16 es 10.5 cuartos.

Manos a la obra

TRABAJAR EN PAREJAS

Acuérdate de pulsar C antes de comenzar cada operación.

Halla el producto o cociente.

1. 1,065 × 97
2. 13,674 × 7
3. 1,075 ÷ 25
4. 10,840 ÷ 40
5. 25 m × 48 m
6. 406 oz ÷ 28

Piensa en una operación de multiplicación y una de división. Pídele a tu compañero que halle el producto o cociente usando la calculadora. Comprueba sus respuestas en tu calculadora.

POR TU CUENTA

Ver Cuaderno de actividades A: Práctica 1, págs. 27 a 28

Lección 2.2 Multiplicar por decenas, centenas o millares

Objetivos de la lección

- Multiplicar los números por 10, 100 ó 1,000 usando patrones.
- Multiplicar números de hasta 4 dígitos por múltiplos de 10, 100 ó 1,000.
- Usar el redondeo para estimar los productos.

Vocabulario
producto
factor

Aprende Halla patrones en productos si 10 es un factor.

10	10	10	10	10	10	10

$7 \times 10 = 70$

10	10	10	10	10	10	10	10	10

$9 \times 10 = 90$

10	10	10	10	10	10	10	10	10	10

$10 \times 10 = 100$

10	10	10	10	10	10	10	10	10	10	10	10

$12 \times 10 = 120$

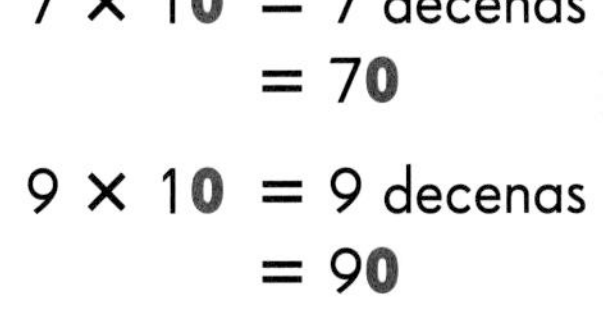

7×10 = 7 decenas
= 70

9×10 = 9 decenas
= 90

10×10 = 10 decenas
= 100

12×10 = 12 decenas
= 120

Observa la tabla de valor posicional.

	Centenas	Decenas	Unidades
7			○○○○○○○
7 × 10		●●●●●●●	
9			○○○○○○○○○
9 × 10		●●●●●●●●●	
10		●	
10 × 10	○		
12		●	○○
12 × 10	○	●●	

¿Cuál es el patrón cuando cada número se multiplica por 10?

	Centenas	Decenas	Unidades
7			7
7 × 10		7	0
9			9
9 × 10		9	0
10		1	0
10 × 10	1	0	0
12		1	2
12 × 10	1	2	0

Cada dígito se mueve un lugar a la izquierda cuando el número se multiplica por 10.

Manos a la obra

Copia y completa la tabla.

	Centenas de millar	Decenas de millar	Millares	Centenas	Decenas	Unidades
231				2	3	1
231 × 10			2	3	1	0
2,345			2	3	4	5
2,345 × 10						
4,108			4	1	0	8
4,108 × 10						

Escribe los productos.

1. 231 × 10
2. 2,345 × 10
3. 4,108 × 10

¿Qué regla puedes usar cuando multiplicas un número entero por 10?

Práctica con supervisión

Multiplica.

1. 60 × 10
2. 135 × 10
3. 503 × 10
4. 2,876 × 10
5. 6,082 × 10
6. 6,010 × 10

Halla los factores que faltan.

7. $8 \times$ ___ $= 80$

8. $22 \times$ ___ $= 220$

9. ___ $\times 10 = 5{,}280$

10. ___ $\times 10 = 74{,}600$

Aprende

Puedes descomponer un número como ayuda para multiplicar por decenas.

6×20

20		20		20		20		20		20	
10	10	10	10	10	10	10	10	10	10	10	10

$$\begin{aligned} 6 \times 20 &= 6 \times 2 \text{ decenas} \\ &= (6 \times 2) \times 10 \\ &= 12 \times 10 \\ &= 120 \end{aligned}$$

$$\begin{aligned} 27 \times 30 &= 27 \times 3 \text{ decenas} \\ &= (27 \times 3) \times 10 \\ &= 81 \times 10 \\ &= 810 \end{aligned}$$

Multiplicar un número por 20 es lo mismo que multiplicarlo por 2 y luego por 10.

Multiplicar un número por 30 es lo mismo que multiplicarlo por 3 y luego por 10.

Manos a la obra

Copia y completa la tabla multiplicando cada número por 6 y por 60. Se da un ejemplo.

	× 6	× 60
42	252	2,520
65		
861		

Observa las respuestas de la tabla. Halla los números que faltan.

1. 42 × 60 = (42 × 6) × ___
2. 65 × 60 = (65 × ___) × ___
3. 861 × 60 = (861 × ___) × ___

Práctica con supervisión

Halla los números que faltan.

11. 62 × 40 = (62 × 4) × 10
    = ___ × 10
    = ___

12. 307 × 80 = (307 × ___) × 10
    = ___ × 10
    = ___

Multiplica.

13. 274 × 50

14. 1,970 × 90

15. 8,145 × 40

Halla patrones en productos si 100 ó 1,000 es un factor.

100	100	100	100	100

5 × 1**00** = 5**00**

5 × 1**00** = 5 centenas
= 5**00**

11 × 1**00** = 11 centenas
= 1,1**00**

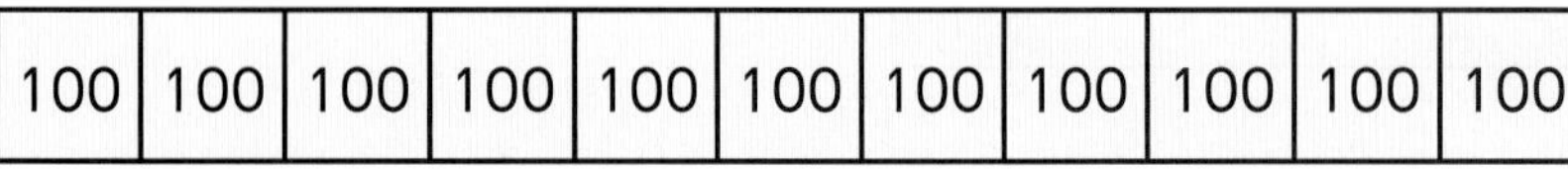

100	100	100	100	100	100	100	100	100	100	100

11 × 1**00** = 1,1**00**

1,000	1,000	1,000	1,000	1,000

5 × 1,**000** = 5,**000**

5 × 1,**000** = 5 millares
= 5,**000**

11 × 1,**000** = 11 millares
= 11,**000**

1,000	1,000	1,000	1,000	1,000	1,000	1,000	1,000	1,000	1,000	1,000

11 × 1,**000** = 11,**000**

Observa la tabla de valor posicional.

	Decenas de millar	Millares	Centenas	Decenas	Unidades
5					○○○○○
5 × 100			○○○○○		
11				●	○
11 × 100		●	○		
5					○○○○○
5 × 1,000		○○○○○			
11				●	○
11 × 1,000	●	○			

	Decenas de millar	Millares	Centenas	Decenas	Unidades
5					5
5 × 100			5	0	0
11				1	1
11 × 100		1	1	0	0
5					5
5 × 1,000		5	0	0	0
11				1	1
11 × 1,000	1	1	0	0	0

Cada dígito se mueve dos lugares a la izquierda cuando el número se multiplica por 100.
Cada dígito se mueve tres lugares a la izquierda cuando el número se multiplica por 1,000.

Manos a la obra

Copia y completa la tabla.

	Millones	Centenas de millar	Decenas de millar	Millares	Centenas	Decenas	Unidades
174					1	7	4
174 × 100			1	7	4	0	0
174 × 1,000		1	7	4	0	0	0
3,298				3	2	9	8
3,298 × 100		■	■	■	■	■	■
3,298 × 1,000	■	■	■	■	■	■	■

Escribe los productos.

1. 174 × 100
2. 174 × 1,000
3. 3,298 × 100
4. 3,298 × 1,000

Práctica con supervisión

Multiplica.

16 27×100

17 615×100

18 $9{,}670 \times 100$

19 $18 \times 1{,}000$

20 $487 \times 1{,}000$

21 $5{,}346 \times 1{,}000$

Halla los factores que faltan.

22 $26 \times \square = 2{,}600$

23 $195 \times \square = 195{,}000$

24 $\square \times 100 = 49{,}000$

25 $\square \times 1{,}000 = 168{,}000$

Aprende

Puedes descomponer un número como ayuda para multiplicar por centenas o millares.

7 × 200

200		200		200		200		200		200		200	
100	100	100	100	100	100	100	100	100	100	100	100	100	100

$$\begin{aligned} 7 \times 200 &= 7 \times 2 \text{ centenas} \\ &= (7 \times 2) \times 100 \\ &= 14 \times 100 \\ &= 1{,}400 \end{aligned}$$

$$\begin{aligned} 67 \times 5{,}000 &= 67 \times 5 \text{ millares} \\ &= (67 \times 5) \times 1{,}000 \\ &= 335 \times 1{,}000 \\ &= 335{,}000 \end{aligned}$$

Multiplicar un número por 200 es lo mismo que multiplicarlo por 2 y luego por 100.

Multiplicar un número por 5,000 es lo mismo que multiplicarlo por 5 y luego por 1,000.

Manos a la obra

Copia y completa la tabla multiplicando cada número por 7, 700 y 7,000. Se da un ejemplo.

	× 7	× 700	× 7,000
78	546	54,600	546,000
113			
251			

Observa las respuestas de la tabla. Halla los números que faltan.

1. 78 × 700 = (78 × 7) × ▢
2. 113 × 700 = (113 × ▢) × ▢
3. 251 × 700 = (251 × ▢) × ▢
4. 78 × 7,000 = (78 × 7) × ▢
5. 113 × 7,000 = (113 × ▢) × ▢
6. 251 × 7,000 = (251 × ▢) × ▢

Práctica con supervisión

Halla los números que faltan.

26. 72 × 400 = (72 × 4) × 100
 = ▢ × 100
 = ▢

27. 123 × 700 = (123 × ▢) × ▢
 = ▢ × 100
 = ▢

Halla los números que faltan.

28. $6 \times 5{,}000 = (6 \times 5) \times 1{,}000$
$= \_\_\_ \times 1{,}000$
$= \_\_\_$

29. $18 \times 6{,}000 = (18 \times \_\_\_) \times \_\_\_$
$= \_\_\_ \times 1{,}000$
$= \_\_\_$

Multiplica.

30. 81×500

31. 932×800

32. $6{,}455 \times 900$

33. $6{,}007 \times 800$

34. $73 \times 4{,}000$

35. $905 \times 8{,}000$

36. $654 \times 3{,}000$

37. $807 \times 9{,}000$

Aprende

Estima productos redondeando factores a la decena o a la centena más cercana.

Estima el producto de 632 y 26.

Redondea 632 a la centena más cercana.

Redondea 26 a la decena más cercana.

632 se redondea a 600, y 26 se redondea a 30.

$600 \times 30 = (600 \times 3) \times 10$
$= 1{,}800 \times 10$
$= 18{,}000$

El producto es 18,000, aproximadamente.

Práctica con supervisión

Estima.

38 Estima el producto de 228 y 57.

Redondea 228 a la centena más cercana.
Redondea 57 a la decena más cercana.
228 se redondea a ___ y 57 se redondea a 60.

___ × 60 = (___ × 6) × 10
= ___ × 10
= ___

39 702 × 15

40 27 × 364

41 38 × 246

42 851 × 19

43 511 × 62

44 35 × 424

Estima productos redondeando factores a la decena o al millar más cercano.

La tienda de regalos del museo vendió 1,215 juegos de modelos de dinosaurios.
Había 26 modelos de dinosaurios en cada juego.
Estima el número total de modelos de dinosaurios que vendió la tienda.

Redondea 1,215 al millar más cercano.
Redondea 26 a la decena más cercana.
1,215 se redondea a 1,000, y 26 se redondea a 30.

1,000 × 30 = (1,000 × 3) × 10
= 3,000 × 10
= 30,000

La tienda vendió aproximadamente 30,000 modelos de dinosaurios.

Práctica con supervisión

Estima.

45 Estima el producto de 1,238 y 56.

Redondea 1,238 al millar más cercano.
Redondea 56 a la decena más cercana.
1,238 se redondea a 1,000, y 56 se redondea a ____.

1,000 × ____ = (1,000 × ____) × ____
= ____ × ____
= ____

46 99 × 38

47 67 × 439

48 9,281 × 32

49 2,065 × 41

Practiquemos

Multiplica.

1 412 × 10

2 792 × 100

3 740 × 1,000

4 703 × 60

5 815 × 700

6 169 × 3,000

Estima cada producto.

7 3,711 × 9

8 2,087 × 37

9 1,985 × 302

Resuelve.

10 Una fábrica produce 452 cuentas en un minuto.
Estima el número de cuentas que la fábrica produce en 56 minutos.

POR TU CUENTA

Ver Cuaderno de actividades A: Práctica 2, págs. 29 a 36

Lección

2.3 Multiplicar por números de 2 dígitos

Objetivo de la lección

- Multiplicar un número de 2, 3 ó 4 dígitos por un número de 2 dígitos.

Aprende

Multiplica números de 2 dígitos por decenas.

Multiplica 12 por 30.

Método 1

$$12 \times 30 = (12 \times 3) \times 10$$
$$= 36 \times 10$$
$$= 360$$

12 × 30 es lo mismo que 12 × 3 decenas.

$12 \times 3 \text{ decenas} = 36 \text{ decenas}$
$= 36 \times 10$
$= 360$

12 × 3 = 36	36	36	36	36
36	36	36	36	36

Método 2

$$\begin{array}{r} 1\ 2 \\ \times \quad 3\ \mathbf{0} \\ \hline 3\ 6\ \mathbf{0} \end{array}$$

← multiplica 12 por 3 decenas

$$\begin{array}{r} 1\ 2 \\ \times \quad 3 \\ \hline 3\ 6 \end{array}$$

← multiplica 12 por 3

Multiplica 60 por 20.

Método 1

$$\begin{aligned}60 \times 20 &= (60 \times 2) \times 10\\ &= 120 \times 10\\ &= 1{,}200\end{aligned}$$

Método 2

$$\begin{array}{r} 6\;0 \\ \times \quad 2\;\mathbf{0} \\ \hline 1,\;2\;0\;\mathbf{0} \end{array}$$

60 × 20 es lo mismo que 60 × 2 decenas.

$$\begin{aligned}60 \times 2 \text{ decenas} &= 120 \text{ decenas}\\ &= 120 \times 10\\ &= 1{,}200\end{aligned}$$

$$\begin{array}{r} 6\;0 \\ \times \quad 2 \\ \hline 1\;2\;0 \end{array}$$

Aprende

Multiplica números de 2 dígitos por números de 2 dígitos.

Multiplica 63 por 28.

$$\begin{array}{rl} \overset{2}{6}\;3 & \\ \times \quad 2\;8 & \\ \hline 5\;0\;4 & \leftarrow \text{multiplica 63 por 8 unidades} \\ 1,\;2\;6\;0 & \leftarrow \text{multiplica 63 por 2 decenas} \\ \hline 1,\;7\;6\;4 & \leftarrow \text{suma} \end{array}$$

¡Comprobar!

Estima el valor de 63 × 28.
63 se redondea a 60 y 28 se redondea a 30.
60 × 30 = 1,800
La estimación muestra que la respuesta 1,764 es razonable.

Práctica con supervisión

Multiplica. Muestra el proceso.

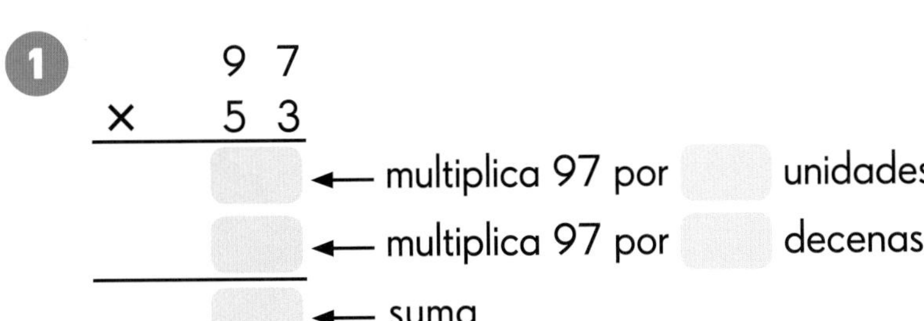

1

$$\begin{array}{rl} 9\;7 & \\ \times \quad 5\;3 & \\ \hline \square & \leftarrow \text{multiplica 97 por } \square \text{ unidades} \\ \square & \leftarrow \text{multiplica 97 por } \square \text{ decenas} \\ \hline \square & \leftarrow \text{suma} \end{array}$$

¡Comprobar!

Estima el valor de 97 × 53.
97 se redondea a ☐ y
53 se redondea a ☐.
☐ × ☐ = ☐
La estimación muestra que la respuesta ☐ es ☐.

Multiplica. Estima para comprobar si tus respuestas son razonables.

2. 72 × 90
3. 25 × 40
4. 34 × 70
5. 19 × 12
6. 65 × 44
7. 38 × 72
8. 99 × 95
9. 91 × 85

Aprende

Multiplica números de 3 dígitos por decenas.

Multiplica 520 por 30.

Método 1

$$520 \times 30 = (520 \times 3) \times 10$$
$$= 1{,}560 \times 10$$
$$= 15{,}600$$

520 × 30 es lo mismo que 520 × 3 decenas.

520 × 3 decenas = 1,560 decenas
= 1,560 × 10
= 15,600

Método 2

$$\begin{array}{r} 5\ 2\ 0 \\ \times \quad 3\ \mathbf{0} \\ \hline 1\ 5,\ 6\ 0\ \mathbf{0} \end{array}$$

$$\begin{array}{r} 5\ 2\ 0 \\ \times \quad 3 \\ \hline 1,\ 5\ 6\ 0 \end{array}$$

Aprende

Multiplica números de 3 dígitos por números de 2 dígitos.

Multiplica 623 por 32.

```
        6 2 3
×         3 2
-------------
     1, 2 4 6  ← multiplica 623 por 2 unidades
   1 8, 6 9 0  ← multiplica 623 por 3 decenas
-------------
   1 9, 9 3 6  ← suma
```

Estima el valor de 623 × 23.
Usando la estimación por la izquierda:
623 → 600
32 → 30
600 × 30 = 18,000
La estimación muestra que la respuesta 19,936 es razonable.

Cuando ambos factores se **redondean hacia abajo**, la estimación será **menor** que el producto real.

Cuando ambos factores se **redondean hacia arriba**, la estimación será **mayor** que el producto real.

¿Qué sucede cuando uno de los factores se redondea hacia arriba y el otro se redondea hacia abajo?

Práctica con supervisión

Multiplica. Muestra el proceso.

10

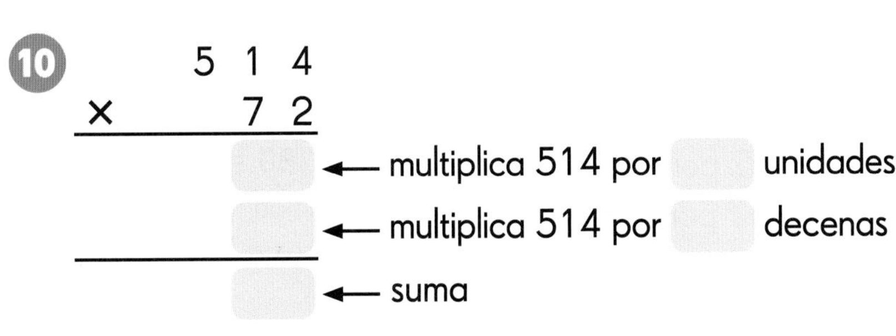

Estima el valor de 514 × 72.
Usa la estimación por la izquierda:
514 → 500
72 → 70
___ × ___ = ___
La estimación muestra que la respuesta ___ es ___.

Multiplica. Estima para comprobar si tus respuestas son razonables.

11. 681 × 60
12. 210 × 80
13. 651 × 70
14. 413 × 12
15. 516 × 21
16. 294 × 48

Multiplica números de 4 dígitos por decenas.

Multiplica 7,360 por 20.

Método 1

$$
\begin{aligned}
7{,}360 \times 20 &= (7{,}360 \times 2) \times 10 \\
&= 14{,}720 \times 10 \\
&= 147{,}200
\end{aligned}
$$

7,360 × 20 es lo mismo que 7,360 × 2 decenas.

$$
\begin{aligned}
7{,}360 \times 2 \text{ decenas} &= 14{,}720 \text{ decenas} \\
&= 14{,}720 \times 10 \\
&= 147{,}200
\end{aligned}
$$

Método 2

$$
\begin{array}{r}
7{,}36\mathbf{0} \\
\times \quad 2\mathbf{0} \\
\hline
147{,}2\mathbf{00}
\end{array}
\qquad
\begin{array}{r}
\scriptstyle 1 \quad \\
7{,}360 \\
\times \quad 2 \\
\hline
14{,}720
\end{array}
$$

Aprende

Multiplica números de 4 dígitos por números de 2 dígitos.

Multiplica 5,362 por 76.

$$
\begin{array}{rl}
\scriptstyle 2\ 4\ 1\ \ & \\
\scriptstyle 2\ 3\ 1\ \ & \\
5{,}362 & \\
\times \quad 76 & \\
\hline
32{,}172 & \leftarrow \text{multiplica 5,362 por 6 unidades} \\
375{,}340 & \leftarrow \text{multiplica 5,362 por 7 decenas} \\
\hline
407{,}512 & \leftarrow \text{suma}
\end{array}
$$

¡Comprobar!

Estima el valor de 5,362 × 76.
5,362 se redondea a 5,000.
76 se redondea a 80.
5,000 × 80 = 400,000
La estimación muestra que la respuesta 407,512 es razonable.

Práctica con supervisión

Multiplica. Muestra el proceso.

17

```
     9 2 0 5
×        2 4
-----------
       [  ]  ← multiplica 9,205 por [  ] unidades
       [  ]  ← multiplica 9,205 por [  ] decenas
-----------
       [  ]  ← suma
```

¡Comprobar!

Estima el valor de 9,205 × 24.
9,205 se redondea a ___
y 24 se redondea a ___.
___ × ___ = ___
La estimación muestra que
la respuesta ___ es ___.

Multiplica. Estima para comprobar si tus respuestas son razonables.

18 1,246 × 50 **19** 5,913 × 60 **20** 3,352 × 14

21 9,540 × 36 **22** 1,598 × 72 **23** 2,535 × 47

Practiquemos

Multiplica. Estima para comprobar si tus respuestas son razonables.

1 20 × 30 **2** 41 × 70 **3** 300 × 50

4 430 × 80 **5** 413 × 90 **6** 2,000 × 70

7 3,700 × 40 **8** 2,550 × 60 **9** 56 × 32

10 26 × 76 **11** 589 × 77 **12** 817 × 69

13 3,438 × 81 **14** 1,256 × 45

POR TU CUENTA

Ver Cuaderno de actividades A: Práctica 3, págs. 37 a 42

Lección

2.4 Dividir entre decenas, centenas o millares

Objetivos de la lección

- Dividir números entre 10, 100 ó 1,000 usando patrones.
- Dividir números de hasta 4 dígitos entre múltiplos de 10, 100 ó 1,000.
- Usar el redondeo y operaciones de multiplicación relacionadas para estimar cocientes.

Vocabulario
cocientes
dividendo
divisor

Aprende

Halla patrones para dividir entre 10.

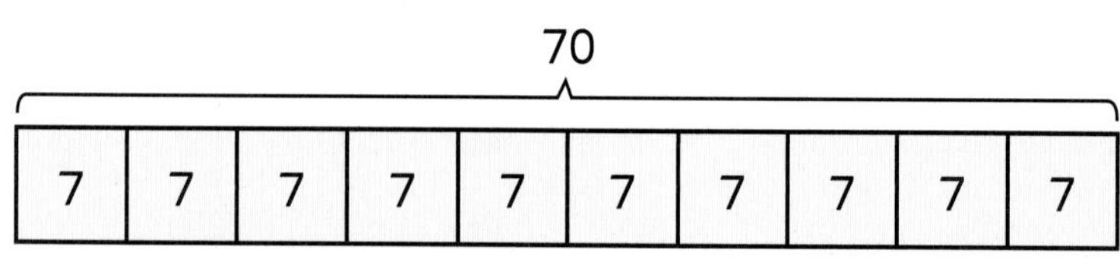

70 ÷ 10 = 7

$7 \times 10 = 70$
Entonces, 70 ÷ 10 = 7.

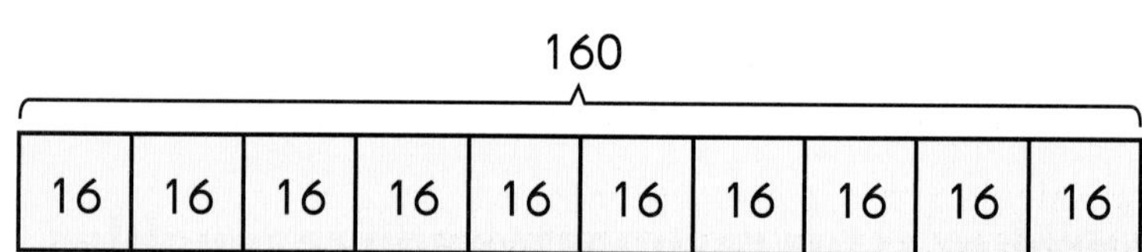

160 ÷ 10 = 16

$16 \times 10 = 160$
Entonces, 160 ÷ 10 = 16.

1,800

180	180	180	180	180	180	180	180	180	180

1,800 ÷ 10 = 180

$180 \times 10 = 1{,}800$
Entonces, 1,800 ÷ 10 = 180.

Observa la tabla de valor posicional.

	Millares	Centenas	Decenas	Unidades
70			●●●●●●●	
70 ÷ 10				○○○○○○○
160		○	●●●●●●	
160 ÷ 10			●	○○○○○○
1,800	●	○○○○○○○○		
1,800 ÷ 10		○	●●●●●●●●	

	Millares	Centenas	Decenas	Unidades
70			7	0
70 ÷ 10				7
160		1	6	0
160 ÷ 10			1	6
1,800	1	8	0	0
1,800 ÷ 10		1	8	0

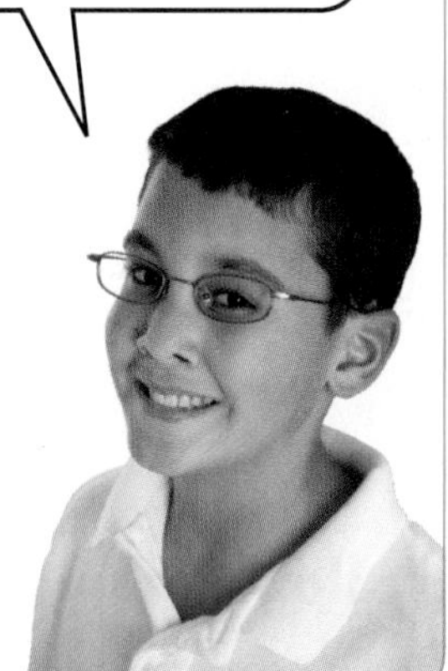

Manos a la obra

Copia y completa la tabla.

	Millares	Centenas	Decenas	Unidades
360		3	6	0
360 ÷ 10			3	6
1,580	1	5	8	0
1,580 ÷ 10				

Escribe los cocientes.

1. 360 ÷ 10
2. 1,580 ÷ 10

Práctica con supervisión

Para dividir entre 10 un número entero que tiene 0 en el lugar de las unidades, simplemente elimina el cero. 3,74**0** ÷ 1**0** = 374

Divide.

1. 90 ÷ 10
2. 380 ÷ 10
3. 1,900 ÷ 10
4. 43,650 ÷ 10
5. 23,040 ÷ 10
6. 53,600 ÷ 10

Halla los números que faltan.

7. 2,600 ÷ ▢ = 260
8. 19,500 ÷ ▢ = 1,950
9. ▢ ÷ 10 = 4,900
10. ▢ ÷ 10 = 1,680

Puedes descomponer un número como ayuda para dividir entre decenas.

$60 \div 30 = (60 \div 10) \div 3$
$= 6 \div 3$
$= 2$

Dividir un número entre 30 es igual que dividirlo entre 10 y luego entre 3.

$420 \div 70 = (420 \div 10) \div 7$
$= 42 \div 7$
$= 6$

Manos a la obra

Copia y completa la tabla dividiendo cada número entre 9 y entre 90. Se da un ejemplo.

	÷9	÷90
540	60	6
720		
810		

Observa las respuestas de la tabla. Halla los números que faltan.

1. $540 \div 90 = (540 \div \square) \div 9$
2. $720 \div 90 = (720 \div \square) \div \square$
3. $810 \div 90 = (810 \div \square) \div \square$

Práctica con supervisión

Halla los números que faltan.

11. $850 \div 50 = (850 \div 10) \div 5$
$= \square \div 5$
$= \square$

12. $7{,}200 \div 80 = (7{,}200 \div \square) \div \square$
$= \square \div 8$
$= \square$

Divide.

13. $160 \div 40$

14. $700 \div 50$

15. $6{,}320 \div 20$

16. $8{,}400 \div 60$

Aprende

Halla patrones para dividir entre 100 ó 1,000.

$9 \times 100 = 900$

Entonces, $900 \div 100 = 9$.

$14 \times 100 = 1{,}400$

Entonces, $1{,}400 \div 100 = 14$.

$9 \times 1{,}000 = 9{,}000$

Entonces, $9{,}000 \div 1{,}000 = 9$.

$14 \times 1{,}000 = 14{,}000$

Entonces, $14{,}000 \div 1{,}000 = 14$.

Observa la tabla de valor posicional.

	Decenas de millar	Millares	Centenas	Decenas	Unidades
900			○○○○○ ○○○○		
900 ÷ 100					○○○○○ ○○○○
1,400		●	○○○○		
1,400 ÷ 100				●	○○○○
9,000		●●●●● ●●●●			
9,000 ÷ 1,000					○○○○○ ○○○○
14,000	●	○○○○			
14,000 ÷ 1,000				●	○○○○

	Decenas de millar	Millares	Centenas	Decenas	Unidades
900			9	0	0
900 ÷ 100					9
1,400		1	4	0	0
1,400 ÷ 100				1	4
9,000		9	0	0	0
9,000 ÷ 1,000					9
14,000	1	4	0	0	0
14,000 ÷ 1,000				1	4

Manos a la obra

Copia y completa la tabla.

	Decenas de millar	Millares	Centenas	Decenas	Unidades
700			7	0	0
700 ÷ 100					7
3,600		3	6	0	0
3,600 ÷ 100					
8,000		8	0	0	0
8,000 ÷ 1,000					
54,000	5	4	0	0	0
54,000 ÷ 1,000					

Escribe los cocientes.

1. 700 ÷ 100
2. 3,600 ÷ 100
3. 8,000 ÷ 1,000
4. 54,000 ÷ 1,000

¿Qué regla puedes usar cuando divides un múltiplo de 100 entre 100?

¿Qué regla puedes usar cuando divides un múltiplo de 1,000 entre 1,000?

Práctica con supervisión

Divide.

17. $400 \div 100$
18. $1{,}500 \div 100$
19. $20{,}500 \div 100$
20. $10{,}000 \div 1{,}000$
21. $124{,}000 \div 1{,}000$
22. $3{,}230{,}000 \div 1{,}000$

Aprende

Puedes descomponer un número como ayuda para dividir entre centenas o millares.

$$600 \div 300 = (6\mathbf{00} \div 1\mathbf{00}) \div 3$$
$$= 6 \div 3$$
$$= 2$$

$$6{,}000 \div 2{,}000 = (6{,}\mathbf{000} \div 1{,}\mathbf{000}) \div 2$$
$$= 6 \div 2$$
$$= 3$$

Dividir un número entre 300 es igual que dividirlo entre 100 y luego entre 3.

Dividir un número entre 2,000 es igual que dividirlo entre 1,000 y luego entre 2.

Manos a la obra

Copia y completa la tabla dividiendo cada número entre 6 y entre 600. Se da un ejemplo.

	÷6	÷600
1,200	200	2
4,200		
5,400		

Observa las respuestas de la tabla. Halla los números que faltan.

1. 1,200 ÷ 600 = (1,200 ÷ ___) ÷ 6
2. 4,200 ÷ 600 = (4,200 ÷ ___) ÷ ___
3. 5,400 ÷ 600 = (5,400 ÷ ___) ÷ ___

Copia y completa la tabla dividiendo cada número entre 8 y entre 8,000. Se da un ejemplo.

	÷8	÷8,000
32,000	4,000	4
48,000		
64,000		

Observa las respuestas de la tabla. Halla los números que faltan.

1. 32,000 ÷ 8,000 = (32,000 ÷ ___) ÷ 8
2. 48,000 ÷ 8,000 = (48,000 ÷ ___) ÷ ___
3. 64,000 ÷ 8,000 = (64,000 ÷ ___) ÷ ___

Práctica con supervisión

Halla los números que faltan.

23 2,400 ÷ 400
= (2,400 ÷ 100) ÷ 4
= ☐ ÷ 4
= ☐

24 35,000 ÷ 7,000
= (35,000 ÷ 1,000) ÷ 7
= ☐ ÷ 7
= ☐

Divide.

25 800 ÷ 200

26 5,400 ÷ 600

27 7,200 ÷ 900

28 18,000 ÷ 3,000

29 45,000 ÷ 5,000

30 102,000 ÷ 2,000

Aprende

Redondea números para estimar cocientes.

Estima 1,728 ÷ 38.

divisor → 38)1,728 ← dividendo

El número que se divide es el **dividendo**.
El número entre el cual se divide el dividendo es el **divisor**.

Para estimar 1,728 ÷ 38, redondea el divisor 38 a 40, y elige un número cercano al dividendo 1,728 que se pueda dividir exactamente entre 40.

38 se redondea a 40.
1,728 se acerca más a 1,600 que a 2,000.
1,600 ÷ 40 = (1,600 ÷ 10) ÷ 4
= 160 ÷ 4
= 40

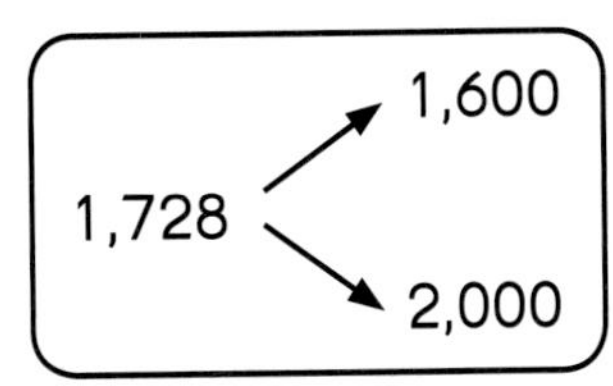

1,728 ÷ 38 se aproxima a 40.

Práctica con supervisión

Estima.

4,367 → 4,200
4,367 → 4,900

31. Estima el cociente de 4,367 dividido entre 670.
670 se redondea a 700.
4,367 se acerca más a 4,200 que a 4,900.

___ ÷ 700 = (___ ÷ ___) ÷ 7

= ___

32. 987 ÷ 17

33. 6,106 ÷ 28

34. 4,932 ÷ 96

35. 3,785 ÷ 379

Manos a la obra

Halla tres números enteros que puedan dividir exactamente cada uno de los siguientes números. Los números enteros o divisores deben ser múltiplos de diez, cien o mil. Usa divisores diferentes para cada número de la lista.

4,500 | 420 | 2,000 | 40 | 88,000

Se da un ejemplo.

Número	Se puede dividir entre	Respuesta
4,500	10	4,500 ÷ 10 = 450
4,500	30	4,500 ÷ 30 = 150
4,500	500	4,500 ÷ 500 = 9

Exploremos

Comenta con tu pareja cómo pueden hallar estos cocientes.

1. $43 \div 10$
2. $735 \div 100$

Usa la siguiente tabla.

Millares	Centenas	Decenas	Unidades	Décimos	Centésimos

Practiquemos

Divide.

1. $870 \div 10$
2. $9{,}000 \div 10$
3. $7{,}100 \div 100$
4. $82{,}000 \div 100$
5. $3{,}000 \div 1{,}000$
6. $97{,}000 \div 1{,}000$
7. $500 \div 20$
8. $7{,}070 \div 70$
9. $8{,}100 \div 300$
10. $65{,}600 \div 800$
11. $6{,}000 \div 3{,}000$
12. $54{,}000 \div 9{,}000$

Estima.

13. $6{,}726 \div 19$
14. $4{,}008 \div 12$

POR TU CUENTA

Ver Cuaderno de actividades A: Práctica 4, págs. 43 a 48

Lección

2.5 Dividir entre números de 2 dígitos

Objetivo de la lección

- Dividir un número de 2, 3 ó 4 dígitos entre un número de 2 dígitos.

Vocabulario
residuo

Usa diferentes métodos para dividir entre decenas.

Divide 180 entre 20.

Método 1

$18\not{0} \div 2\not{0} = 9$

18 decenas ÷ 2 decenas
= 18 ÷ 2
= 9

Método 2

$$\begin{array}{r} 9 \\ 20\overline{)180} \\ \underline{180} \leftarrow 9 \times 20 \\ 0 \end{array}$$

Usa el Método 2 cuando el dividendo no se pueda dividir exactamente entre el divisor. En 180 ÷ 40, al eliminar los ceros da un **residuo** incorrecto.

Incorrecto

el residuo es 2.
$18\not{0} \div 4\not{0} = 4 \text{ R } 2$

$$\begin{array}{r} 4 \\ 4\overline{)18} \\ \underline{16} \\ 2 \end{array}$$

Correcto

el residuo es 20.
180 ÷ 40 = 4 R 20

$$\begin{array}{r} 4 \\ 40\overline{)180} \\ \underline{160} \\ 20 \end{array}$$

Práctica con supervisión

Divide.

1. 240 ÷ 80 = ☐
2. 4,000 ÷ 50 = ☐
3. 5,200 ÷ 90 = ☐

Aprende

Divide números de 2 dígitos entre números de 2 dígitos.

Divide 83 entre 15.

15 se redondea a 20.

Estima el cociente.
$4 \times 20 = 80$

```
      4
20 ) 83
```

```
      4
15 ) 83
     60
     23  ← Debe ser menor que 15.
```

El cociente estimado es demasiado pequeño. Prueba con 5.

```
      5 R8
15 ) 83
     75
      8
```

El cociente es 5 y el residuo es 8.

Divide 88 entre 23.

23 se redondea a 20.

Estima el cociente.
$4 \times 20 = 80$

```
      4
20 ) 88
```

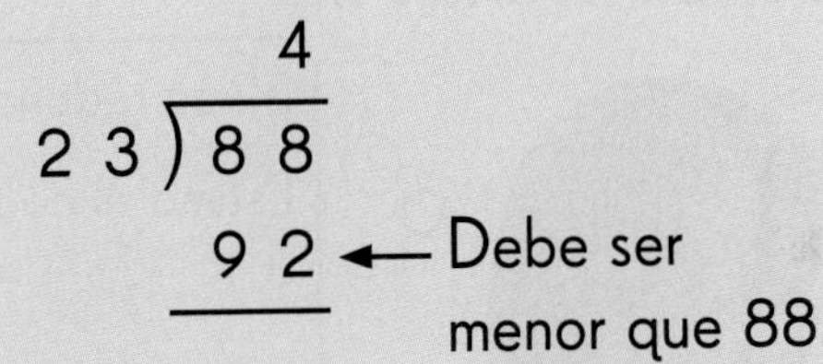

```
      4
23 ) 88
     92  ← Debe ser menor que 88.
```

El cociente estimado es demasiado grande. Prueba con 3.

```
      3 R19
23 ) 88
     69
     19
```

El cociente es 3 y el residuo es 19.

Práctica con supervisión

4 **Divide 65 entre 16.**

$$\begin{array}{r} 3 \\ 16\overline{)65} \\ \underline{\square} \\ \square \end{array}$$

$$\begin{array}{r} \square \text{ R } \square \\ 16\overline{)65} \\ \underline{\square} \\ \square \end{array}$$

El cociente es ___ y el residuo es ___.

5 **Divide 94 entre 32.**

$$\begin{array}{r} 3 \\ 32\overline{)94} \\ \underline{\square} \end{array}$$

$$\begin{array}{r} \square \text{ R } \square \\ 32\overline{)94} \\ \underline{\square} \\ \square \end{array}$$

El cociente es ___ y el residuo es ___.

Práctica con supervisión

Divide.

6. 65 ÷ 16
7. 69 ÷ 17
8. 64 ÷ 12

Divide números de 3 dígitos entre números de 2 dígitos.

Divide 235 entre 32.

$$\begin{array}{r} 7 \text{ R } 11 \\ 32\overline{)235} \\ 224 \leftarrow 7 \times 32 \\ \hline 11 \end{array}$$

El cociente es 7 y el residuo es 11.

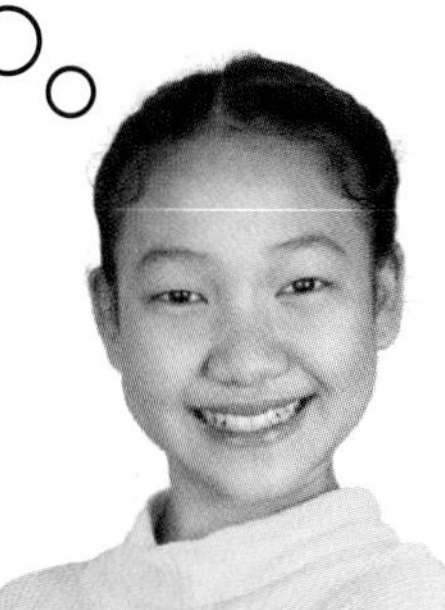

Práctica con supervisión

Divide. Muestra el proceso.

9.
$$\begin{array}{r} \square \text{ R } \square \\ 75\overline{)6\ 1\ 2} \\ \square\ \square\ \square \\ \hline \square\ \square \end{array}$$

El cociente es ___ y el residuo es ___.

Divide.

10. 153 ÷ 27
11. 270 ÷ 39
12. 661 ÷ 74
13. 802 ÷ 92

Aprende

Divide las decenas antes de dividir las unidades.

Divide 765 entre 23.

```
      3 3 R 6
2 3 ) 7 6 5
      6 9    ← 23 × 3 decenas
      ---
        7 5
        6 9  ← 23 × 3
        ---
          6
```

7 centenas 6 decenas = 76 decenas
76 decenas ÷ 23 = 3 decenas
R 7 decenas

7 decenas 5 unidades = 75 unidades
75 ÷ 23 = 3 R 6

El cociente es 33 y el residuo es 6.

Práctica con supervisión

Divide. Muestra el proceso.

14

```
        ___ ___ R ___
2 1 ) 3   1   7
      ___ ___      ← 21 × ___ decenas
      -----------
      ___ ___ ___
      ___ ___ ___  ← 21 × ___
      -----------
              ___
```

El cociente es ___ y el residuo es ___.

Divide.

15 153 ÷ 11

16 271 ÷ 14

17 837 ÷ 67

18 963 ÷ 27

Aprende

Divide números de 4 dígitos entre números de 2 dígitos.

Divide 6,118 entre 75.

```
        8 1  R 43
7 5 ) 6 , 1 1 8
      6 0 0      ← 75 × 8 decenas
      -------
        1 1 8
          7 5    ← 75 × 1
      -------
          4 3
```

6 millares 1 centena 1 decena = 611 decenas
611 decenas ÷ 75 = 8 decenas R 11 decenas

11 decenas 8 unidades = 118 unidades
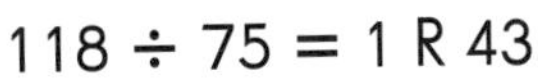
118 ÷ 75 = 1 R 43

El cociente es 81 y el residuo es 43.

Práctica con supervisión

Divide. Muestra el proceso.

19

```
              ▢ ▢  R ▢
5 6 ) 5,  1   4   9
      ▢   ▢   ▢       ← 56 × ▢ decenas
      -------------
          ▢   ▢   ▢
              ▢   ▢   ← 56 × ▢
      -------------
              ▢   ▢
```

El cociente es ▢ y el residuo es ▢.

Divide.

20 4,531 ÷ 50

21 2,304 ÷ 29

22 3,650 ÷ 82

23 8,432 ÷ 96

Aprende

Divide las centenas, luego las decenas y después las unidades.

Divide 5,213 entre 15.

```
       3 4 7 R 8
1 5 ) 5 , 2 1 3
      4 5        ← 15 × 3 centenas
      ---------
        7 1
        6 0      ← 15 × 4 decenas
      ---------
        1 1 3
        1 0 5    ← 15 × 7
      ---------
            8
```

5 millares 2 centenas = 52 centenas
52 centenas ÷ 15 = 3 centenas R 7 centenas

7 centenas 1 decena = 71 decenas
71 decenas ÷ 15 = 4 decenas R 11 decenas

11 decenas 3 unidades = 113 unidades
113 ÷ 15 = 7 R 8

El cociente es 347 y el residuo es 8.

Práctica con supervisión

Divide. Muestra el proceso.

24

```
         ___ ___ ___ R ___
3 6 ) 6,   4   7   9
      ___ ___            ← 36 × ___ centena
      -------------
      ___ ___ ___
      ___ ___ ___        ← 36 × ___ decenas
      -------------
          ___ ___ ___
          ___ ___ ___    ← 36 × ___
          ---------
              ___ ___
```

El cociente es ___ y el residuo es ___.

Divide.

25 6,025 ÷ 18

26 1,822 ÷ 11

27 5,283 ÷ 37

28 9,532 ÷ 81

LECTURA Y ESCRITURA

Diario de matemáticas

Ángela quiere resolver esta división:

187 ÷ 32

El primer paso de su proceso es el siguiente:

PASO 1 Redondea 32 a la decena más próxima.

¿Cómo debe continuar a partir de este punto? Muestra los pasos que faltan.

Practiquemos

Divide.

1. 90 ÷ 30
2. 60 ÷ 40
3. 56 ÷ 34
4. 270 ÷ 20
5. 720 ÷ 90
6. 981 ÷ 90
7. 105 ÷ 12
8. 600 ÷ 73
9. 6,300 ÷ 70
10. 3,541 ÷ 20
11. 6,400 ÷ 51
12. 5,283 ÷ 36

POR TU CUENTA

Ver Cuaderno de actividades A: Práctica 5, págs 49 a 54

Lección 2.6 Orden de las operaciones

Objetivo de la lección

- Usar el orden de las operaciones para simplificar expresiones numéricas

Vocabulario
expresiónes numéricas
orden de las operaciones

Aprende **Trabaja de izquierda a derecha con expresiones numéricas que solo usen la suma y la resta.**

Hay 96 pasajeros en un tren. En la siguiente estación, se bajan 26 pasajeros y se suben 48. ¿Cuántos pasajeros hay ahora en el tren?

Primera expresión **96** − **26** + 48 ← Trabaja de izquierda a derecha.

Segunda expresión **70** + 48

118

96 − 26 + 48 es una expresión numérica. Las expresiones numéricas contienen solo números y símbolos matemáticos. No tienen signo de igualdad.

Ahora hay 118 pasajeros en el tren.

Práctica con supervisión

Simplifica.

1. 37 + 8 − 25
2. 67 − 21 + 20
3. 32 − 12 + 26 − 15
4. 50 + 27 − 19 − 35

Trabaja de izquierda a derecha con expresiones numéricas que solo usen la multiplicación y la división.

Rogers & Co. ordena 40 cajas de toallas de papel de la Papelería Diego. Cada caja contiene 24 rollos de toallas de papel. Cada día, la papelería entrega 60 rollos de toallas de papel. ¿Cuántos días se necesitan para que la papelería entregue todas las toallas de papel?

Primera expresión $\mathbf{40 \times 24} \div 60$ ← Trabaja de izquierda a derecha.

Segunda expresión $\mathbf{960} \div 60$

16

Se necesitan 16 días para que la papelería entregue todas las toallas de papel.

Práctica con supervisión

Simplifica.

5. $12 \times 20 \div 6$
6. $63 \div 9 \times 12$
7. $28 \times 5 \div 10 \div 7$
8. $48 \div 8 \times 60 \div 3$

Trabaja siempre de izquierda a derecha. Primero, multiplica y divide. Luego, suma y resta.

En un parque hay 28 niños y 56 hombres. El número de hombres es 4 veces el número de mujeres. ¿Cuántos niños y mujeres hay en el parque?

Primera expresión $28 + \mathbf{56 \div 4}$ ← Primero, divide.

Segunda expresión $28 + \mathbf{14}$ ← Luego, suma.

42

$56 \div 4 = 14$
Hay 14 mujeres.

Hay 42 niños y mujeres en el parque.

Continúa

Sara tiene 900 estampillas en su colección. Ella coloca 25 en cada página de un álbum de estampillas. El álbum tiene 30 páginas. ¿Cuántas estampillas quedan?

Primera expresión $900 - \mathbf{30 \times 25}$ ← Primero, multiplica.

Segunda expresión $900 - \mathbf{750}$ ← Luego, resta.

150

Quedan 150 estampillas.

Práctica con supervisión

Simplifica.

9. $13 + 20 \times 7$
10. $70 - 75 \div 5$
11. $15 + 18 \times 5 \div 9$
12. $80 - 54 \div 9 \times 11$
13. $48 - 6 \times 6 + 34$
14. $33 + 210 \div 30 - 25$

Aprende

Resuelve primero todas las operaciones dentro del paréntesis.

Hay 670 niños y 530 niñas en un evento de atletismo. Cada estudiante participa en un evento. En cada evento participan 40 estudiantes. ¿Cuántos eventos hay?

Primera expresión $\mathbf{(670 + 530)} \div 40$ ← Primero, realiza las operaciones dentro del paréntesis.

Segunda expresión $\mathbf{1{,}200} \div 40$ ← Luego, divide.

30

Hay 30 eventos.

Práctica con supervisión

Simplifica.

15. 17 − (38 − 29)
16. 690 ÷ (15 × 2)
17. (44 − 33) × 7
18. 80 ÷ (40 − 32)

Aprende

Orden de las operaciones

PASO 1 Trabaja dentro del paréntesis.

PASO 2 Multiplica y divide de izquierda a derecha.

PASO 3 Suma y resta de izquierda a derecha.

Jimmy tiene 60 onzas de nueces y 64 onzas de macadamias. Las mezcla y las empaca en paquetes de 9 onzas. Empaca 8 paquetes. ¿Cuántas onzas de frutos secos le quedan?

Primera expresión	**(60 + 64)** − 8 × 9	← Primero, resuelve todas las operaciones dentro del paréntesis
Segunda expresión	**124** − **8** × **9**	← Luego, multiplica.
Tercera expresión	124 − **72**	← Por último, resta.
	52	

Le quedan 52 onzas de frutos secos.

Práctica con supervisión

Simplifica.

19. 107 + (44 − 33) × 7
20. 80 × (40 ÷ 5) ÷ 10
21. (64 + 32) ÷ 8 − 3
22. 98 − (34 − 26) × 7

Manos a la obra

Usa copias de las tarjetas para formar una expresión numérica con dos o más operaciones.

0 1 2 3 4 5 6 7 8 9

+ − × ÷ ( )

Ejemplo

3 2 8 × 5 4 ÷ 3 6

Simplifica la expresión y compara tu respuesta con la de tu compañero.

Exploremos

1 Para saber el valor de $350 \times 20 \div 4$, primero halla 350×20 en la calculadora. Luego, divide el resultado entre 4.
A continuación, halla $20 \div 4$ en la calculadora y luego, multiplica el resultado por 350. ¿Qué notas?
Prueba esta actividad con números y operaciones diferentes.

2 

TRABAJAR EN PAREJAS

Miren las cinco expresiones de la siguiente tabla. El primer compañero simplifica cada expresión de izquierda a derecha. El segundo compañero simplifica la expresión usando el orden de las operaciones. Usen una copia de esta tabla y anoten sus respuestas. Comenten sus resultados.

Enunciado numérico	Respuestas del compañero A	Respuestas del compañero B
$9 + 6 - 5$		
$48 \div 4 \times 2$		
$36 \div 6 - 3$		
$14 + 4 \times 2$		
$50 - 8 \div 2$		

Practiquemos

Simplifica.

1. $96 - 50 + 64$
2. $175 + 25 - 95$
3. $6 \times 40 \div 3$
4. $250 \div 5 \times 53$
5. $79 + 27 \times 2$
6. $280 - 72 \div 8$
7. $35 \times (560 \div 70)$
8. $540 \div (293 - 203)$

POR TU CUENTA

Ver Cuaderno de actividades A: Práctica 6, págs. 55 a 62

Lección

2.7 Problemas cotidianos: Multiplicación y división

Objetivos de la lección

- Usar estrategias eficientes para resolver problemas de varios pasos relacionados con la multiplicación y la división.
- Expresar e interpretar el producto o cociente de forma debida.

El residuo puede ser parte de una respuesta.

Rena tiene un rollo de cinta de 250 centímetros de largo.
Lo corta en trozos de 20 centímetros.
¿Cuántos trozos cortó?
¿Cuál es la longitud de la cinta restante?

Longitud de la cinta = 250 cm
Longitud de cada trozo = 20 cm
Número de trozos = 250 ÷ 20
= 12 R 10

```
      1 2 R 10
20 ) 2 5 0
     2 0
     ----
       5 0
       4 0
     ----
       1 0
```

Rena corta la cinta en 12 trozos.
La longitud de la cinta restante es de 10 centímetros.

Práctica con supervisión

Resuelve. Muestra el proceso.

1. Un contenedor de papas pesa 100 libras. Las papas se empacan en bolsas que pesan 15 libras cada una. ¿Cuántas bolsas de papas hay? ¿Cuántas libras quedan?

   Peso de las papas = 100 lb
   Peso de cada bolsa = 15 lb

   Número de bolsas = ___ ÷ ___
   = ___

   Hay ___ bolsas de papas. Quedan ___ libras de papas.

Aumenta el cociente cuando se incluya el residuo.

En una escuela hay 120 alumnos de quinto grado que van a una excursión en autobús. Cada bus lleva a 35 estudiantes. ¿Cuántos autobuses se necesitan?

Número de alumnos de quinto grado = 120

Número de alumnos de quinto grado en 1 autobús = 35

Número de autobuses = 120 ÷ 35

= 3 R 15

$$\begin{array}{r} 3\text{ R }15 \\ 35\overline{)120} \\ 105 \\ \hline 15 \end{array}$$

Los 15 alumnos restantes necesitarían 1 autobús más.

Suma 1 más al cociente: 3 + 1 = 4

Se necesitan 4 autobuses.

Práctica con supervisión

2 Julie tiene 172 estampillas y las quiere colocar en un álbum. En cada página del álbum caben 25 estampillas. ¿Cuántas páginas del álbum necesita Julie para pegar todas sus estampillas?

Número de estampillas = ____

Número de estampillas en 1 página = ____

Número de páginas = ____ ÷ ____

= ____ R ____

Julie necesita ____ página más para pegar las ____ estampillas restantes.

Sumar ____ más al cociente: ____ + ____ = ____

Julie necesita ____ páginas.

Algunos problemas se deben resolver en dos pasos.

La biblioteca de la Escuela Primaria Fairfield tiene forma de rectángulo. Mide 36 yardas por 21 yardas. El director de la escuela, el señor Jefferson, quiere alfombrar el piso de la biblioteca. Halla el costo de alfombrar completamente la biblioteca si 1 yarda cuadrada de alfombra cuesta $16.

Primero, halla el área del piso de la biblioteca.

Área = largo × ancho
= 36 × 21
= 756 yd^2

Estima la respuesta.
36 se redondea a 40.
21 se redondea a 20.
40 × 20 = 800
756 es una respuesta razonable.

El área del piso de la biblioteca mide 756 yardas cuadradas.

Luego, halla el costo de la alfombra.

Costo de la alfombra
= área × costo de 1 yd^2
= 756 × $16
= $12,096

Estima para comprobar si la respuesta es razonable.

Alfombrar completamente la biblioteca cuesta $12,096.

Práctica con supervisión

Resuelve. Muestra el proceso.

Rob llena tanques de combustible de 250 galones a $3 por galón, en una estación de servicio. ¿Cuánto dinero necesita para llenar 9 tanques iguales?

Cantidad total de combustible = 9 × 250 = ____

Costo del combustible = ____ × $3 = $____

Debe pagar $____.

Algunos problemas se deben resolver en más de dos pasos.

Un grupo de voluntarios compra 32 cajas de 40 manzanas. Los voluntarios empacan las manzanas en bolsas de 5 y venden cada bolsa a $4 para recaudar fondos para una obra de caridad. ¿Cuánto dinero recaudan después de vender todas las manzanas?

Primero, halla el número total de manzanas.

Número total de manzanas = número de cajas × número de manzanas en cada caja
= 32 × 40
= 1,280

Hay 1,280 manzanas.

A continuación, halla el número de bolsas.

Número de bolsas = número total de manzanas ÷ número de manzanas en cada bolsa
= 1,280 ÷ 5
= 256

Hay 256 bolsas de manzanas.

Número de bolsas:
(32 × 40) ÷ 5
= 256

Luego, halla la cantidad de dinero recaudada.

Dinero recaudado = número de bolsas × precio por bolsa
= 256 × $4
= $1,024

Los voluntarios recaudaron $1,024.

Algunos problemas se pueden resolver usando otras estrategias.

Mandy tiene 12 años y Nadia 15. ¿En cuántos años tendrá Nadia el doble de la edad de Mandy?

Método 1

12 + 15 = 27

En este momento Nadia tiene 27 años.

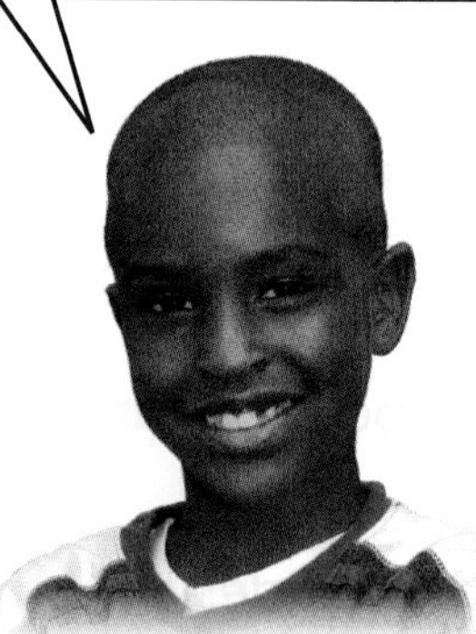

Edad de Mandy	Edad de Nadia	¿Es el doble?
12 (ahora)	27 (ahora)	No
13	28	No
14	29	No
15	30	Sí

Nadia tendrá el doble de la edad de Mandy en 3 años.

Método 2

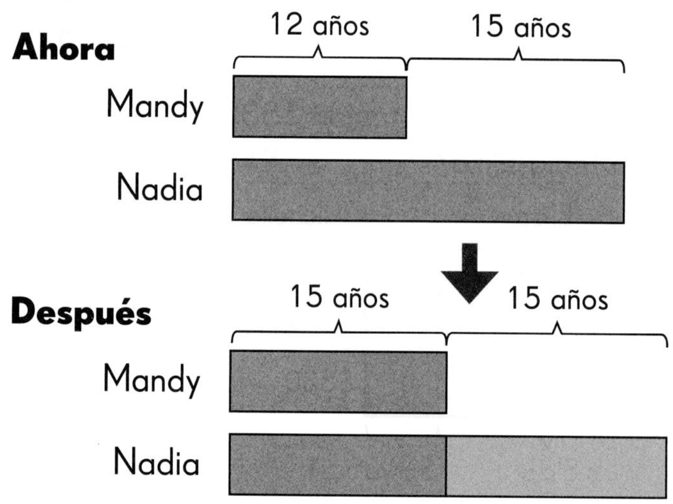

1 unidad → 15 años

15 − 12 = 3

Nadia tendrá el doble de la edad de Mandy en 3 años.

Práctica con supervisión

Resuelve. Muestra el proceso.

9 En un estacionamiento hay en total 20 carros y motocicletas. La cantidad total de ruedas es 50. ¿Cuántas motocicletas hay?

Usa los datos (número de vehículos y número de ruedas) para hacer una lista organizada.

Recuerda, el número de carros y motocicletas sumados siempre debe ser igual a 20.

Número de carros	Número de motocicletas	Número de ruedas	¿Hay 50 ruedas?
10	10	40 + 20 = 60	No (demasiadas)
9	11	36 + ___ = 58	No (demasiadas)
___	12	32 + 24 = 56	No (demasiadas)
5	15	20 + 30 = 50	___

Hay ___ motocicletas.

Practiquemos

Resuelve. Muestra el proceso.

1 La señora Atkins paga $1,800 por un refrigerador, una lavadora y una secadora nueva. El refrigerador cuesta $250 más que la lavadora. La secadora cuesta la mitad de lo que cuesta la lavadora. ¿Cuánto cuesta la lavadora?

2 En Super Rápido venden 3 manzanas por $2 . En Grandes Alimentos, las mismas manzanas se venden a 5 por $2. Kassim compra 15 manzanas en Grandes Alimentos en lugar de hacerlo en Super Rápido. ¿Cuánto ahorró?

3 Margaret pagó $87 por una falda y una blusa. La falda cuesta el doble de la blusa. ¿Cuánto cuesta la falda?

4 Un tendero vendió un total de 15 cajas de lápices de lunes a martes. El lunes vendió 3 cajas más que el martes. En cada caja había 12 lápices. ¿Cuántos lápices vendió el lunes?

5 Jane tenía $7 y su hermana $2. Sus padres le dieron a cada una una cantidad de dinero igual. Entonces, Jane tenía el doble de dinero que su hermana. ¿Cuánto le dieron sus padres a cada una?

6 En una granja hay varias vacas y gallinas. ¿Si entre los animales hay un total de 40 cabezas y 112 patas, cuántas vacas hay?

7 Naomi, Macy y Sebastian tienen 234 estampillas en total. Naomi le da 16 estampillas a Macy y 24 estampillas a Sebastián. Entonces, Naomi tiene 3 veces las estampillas de Macy y Macy tiene el doble de estampillas que Sebastian. ¿Cuántas estampillas tenía Naomi al principio?

8 Un grupo de personas paga $720 por los boletos a un parque de diversiones. Un boleto para adulto cuesta $15 y uno para niño cuesta $8. Hay 25 adultos más que niños. ¿Cuántos niños hay en el grupo?

9 Un tanque y un balde contienen un total de 5,136 mililitros de agua. Jacob vierte 314 mililitros de agua del balde al tanque. Ahora, la cantidad de agua en el tanque es 7 veces lo que queda en el balde. ¿Cuánta agua había en el balde al principio?

Ver Cuaderno de actividades A: Práctica 8, págs. 69 a 74

DESTREZAS DE RAZONAMIENTO CRÍTICO

¡Ponte la gorra de pensar!

RESOLUCIÓN DE PROBLEMAS

La tecla [9] de la calculadora no funciona.

Explica cómo puedes todavía usar la calculadora para resolver 1,234 × 79 en dos formas.

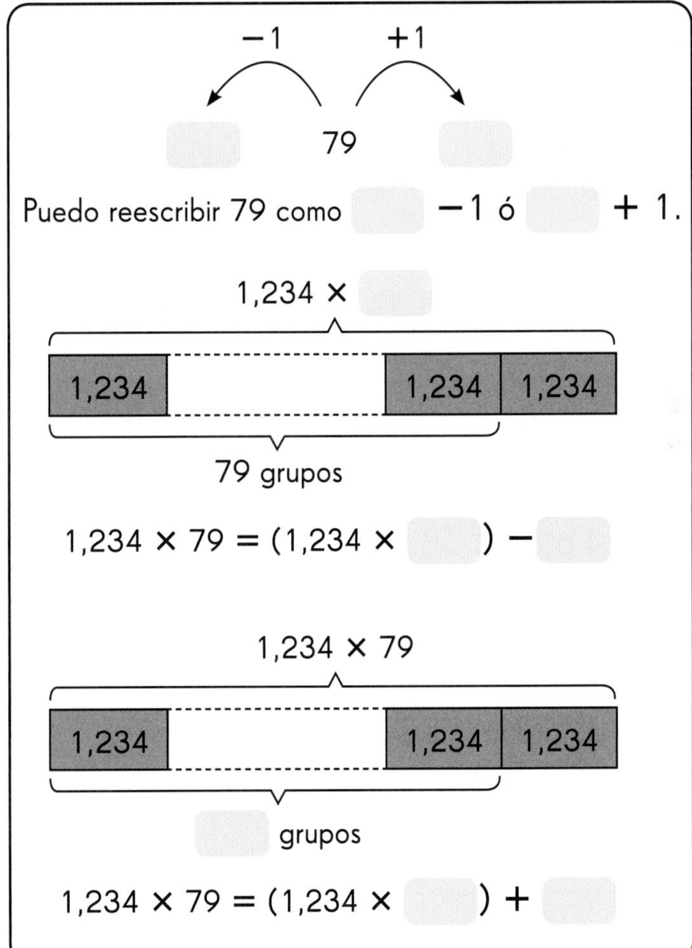

POR TU CUENTA

Ver Cuaderno de actividades A: Ponte la gorra de pensar, Págs. 75 a 78

Resumen del capítulo

Guía de estudio

Has aprendido...

Números enteros

Usando una calculadora

- Suma
- Resta
- Multiplica
- Divide

Multiplicación

Usa reglas para multiplicar números por 10, 100, ó 1,000.

Escribe uno, dos o tres ceros después del número para hallar el producto.

1,234 × 1**0** = 12,34**0**
1,234 × 1**00** = 123,4**00**
1,234 × 1,**000** = 1,234,**000**

Usa estrategias para multiplicar números de 2, 3 ó 4 dígitos por números de 2 dígitos.

Estimar el producto redondeando o estimando por la izquierda.

Redondeando:	Estimando por la izquierda:
4,694 × 58	1,259 × 26
5,000 × 60 = 300,000	1,000 × 20 = 20,000
4,694 × 58 se aproxima a 300,000.	1,259 × 26 se aproxima a 20,000.

- Puedes usar patrones como ayuda para multiplicar y dividir números.
- Las expresiones numéricas se pueden simplificar usando el orden de las operaciones.
- La multiplicación y la división se pueden usar para resolver problemas cotidianos.

División

Usa reglas para dividir números entre 10, 100 ó 1,000.

Elimina uno, dos o tres ceros después del número para hallar el cociente.

5,678,00**0** ÷ 1**0** = 567,800
5,678,0**00** ÷ 1**00** = 56,780
5,678,**000** ÷ 1**000** = 5,678

Usa estrategias para dividir números de 2, 3 ó 4 dígitos entre números de 2 dígitos.

Orden de operaciones

1. Trabaja dentro del paréntesis.
2. Multiplica y divide de izquierda a derecha.
3. Suma y resta de izquierda a derecha.

Estimar el cociente redondeando el divisor. Luego, hallar el múltiplo del divisor más cercano al dividendo.

3,310 ÷ 42

40 × 80 = 3,200
40 × 90 = 3,600
3,310 se acerca más a 3,200 que a 3,600.

3,200 ÷ 40 = 80
Entonces, 3,310 ÷ 42 se aproxima a 80.

Usar la multiplicación y la división para resolver problemas cotidianos.

Repaso/Prueba del capítulo

Vocabulario

Llena los espacios.

- producto
- factores
- dividendo
- divisor
- cociente
- residuo
- expresiones numéricas
- orden de operaciones

1. En $5{,}280 \times 63 = 332{,}640$,

   5,280 y 63 son los ___ y 332,640 es el ___.

2. En $9{,}472 \div 15 = 631$ R 7,

   9,472 es el ___, 15 es el ___,

   631 es el ___ y 7 es el ___.

3. $8{,}167 + 929$, y $1{,}597 \times 16$ son ejemplos de ___.

4. Una expresión numérica con más de dos operaciones se simplifica usando el ___.

Conceptos y destrezas

Multiplica.

5. 718×10
6. 502×100
7. $863 \times 1{,}000$
8. 548×60
9. 659×300
10. $935 \times 8{,}000$

Estima cada producto.

11. $4{,}734 \times 28$
12. $7{,}651 \times 46$
13. $9{,}470 \times 32$

Multiplica. Estima para comprobar si tus respuestas son razonables.

14. $2{,}757 \times 14$
15. $3{,}648 \times 27$
16. $8{,}359 \times 55$

Divide.

17 680 ÷ 10

18 7,000 ÷ 100

19 241,000 ÷ 1,000

20 1,200 ÷ 40

21 6,900 ÷ 300

22 64,000 ÷ 8,000

Estima cada cociente.

23 4,232 ÷ 18

24 8,267 ÷ 93

25 1,135 ÷ 84

Divide. Escribe el cociente y el residuo.

26 295 ÷ 31

27 4,135 ÷ 14

28 6,397 ÷ 28

Simplifica.

29 51 − 17 + 37

30 81 ÷ 9 × 24

31 66 − 16 ÷ 8

32 28 × (69 + 50)

Resolución de problemas

Resuelve.

  Elena compró 49 paquetes de globos rojos, 66 paquetes de globos azules y 35 paquetes de globos amarillos. Cada paquete contenía 12 globos. Ella los mezcló y regaló algunos. Luego, volvió a empacar el resto en paquetes de 25.

a ¿Cuántos globos había en total?

b Regaló 225 globos. ¿Cuántos paquetes grandes de 25 globos había?

a Pagó $3 por cada paquete de 12 globos. Vendió cada paquete nuevo de 25 globos a $10 cada uno. ¿Cuánto dinero ganó?

Capítulo 3

Fracciones y números mixtos

Lecciones

- **3.1** Sumar fracciones no semejantes
- **3.2** Restar fracciones no semejantes
- **3.3** Fracciones, números mixtos y expresiones de división
- **3.4** Escribir fracciones, expresiones de división y números mixtos en forma de decimal
- **3.5** Sumar números mixtos
- **3.6** Restar números mixtos
- **3.7** Problemas cotidianos: Fracciones y números mixtos

▶ Suma y resta fracciones no semejantes y números mixtos, expresando las fracciones en forma de fracciones semejantes.

Recordar conocimientos previos

Las fracciones semejantes tienen el mismo denominador.

Liam tenía $\frac{2}{5}$ de una galleta.

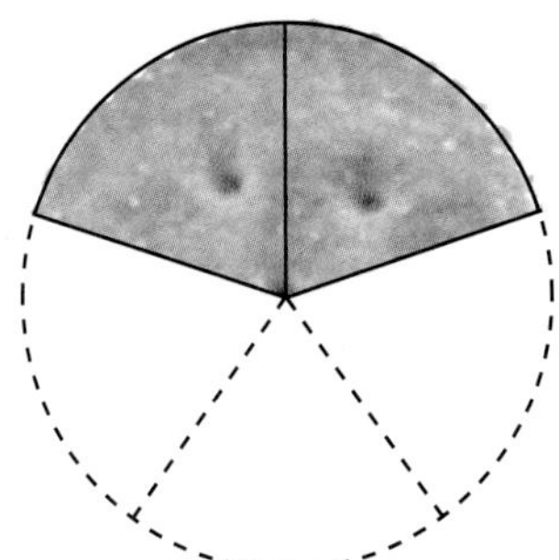

Walt tenía $\frac{3}{5}$ de una galleta.

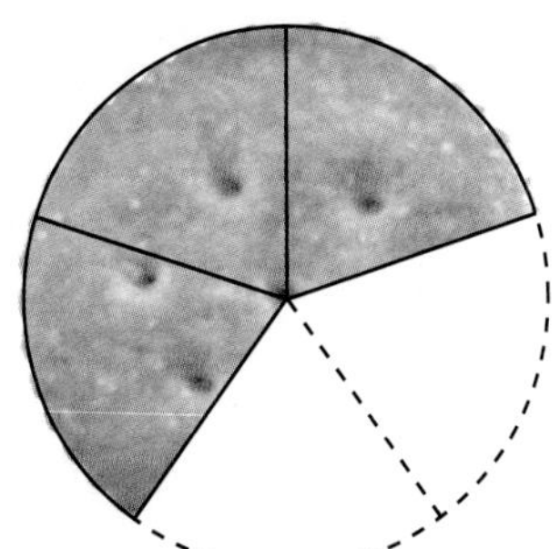

$\frac{2}{5}$ y $\frac{3}{5}$ son fracciones semejantes.

Tienen el mismo denominador, 5.

Las fracciones no semejantes tienen denominadores distintos.

En una caja, quedaban $\frac{3}{4}$ de una pizza.

En otra caja, quedaban $\frac{2}{5}$ de una pizza.

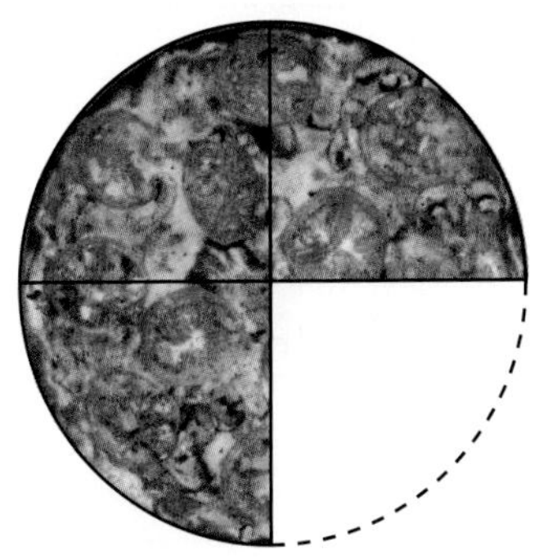

$\frac{3}{4}$ y $\frac{2}{5}$ son fracciones no semejantes.

Tienen denominadores diferentes, 4 y 5.

Un número mixto se compone de un número entero y una fracción.

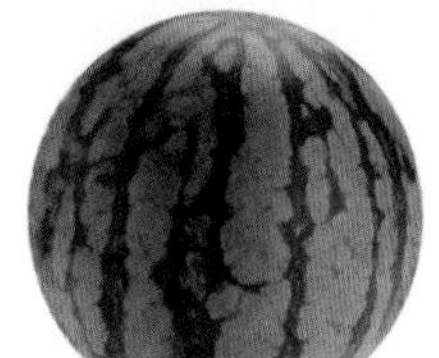
1 entero

1 entero

1 mitad

$$2 + \frac{1}{2} = 2\frac{1}{2}$$

número entero ↑ fracción ↑ número mixto ↑

Hallar fracciones equivalentes

$$\frac{3}{4} = \frac{6}{8} \quad (\times 2,\ \times 2)$$

$$\frac{8}{12} = \frac{4}{6} \quad (\div 2,\ \div 2)$$

Escribir fracciones en su mínima expresión

$$\frac{6}{9} = \frac{2}{3} \quad (\div 3,\ \div 3)$$

$$\frac{8}{12} = \frac{2}{3} \quad (\div 4,\ \div 4)$$

Divide el numerador y el denominador entre su máximo factor común.

Representar fracciones en una recta numérica

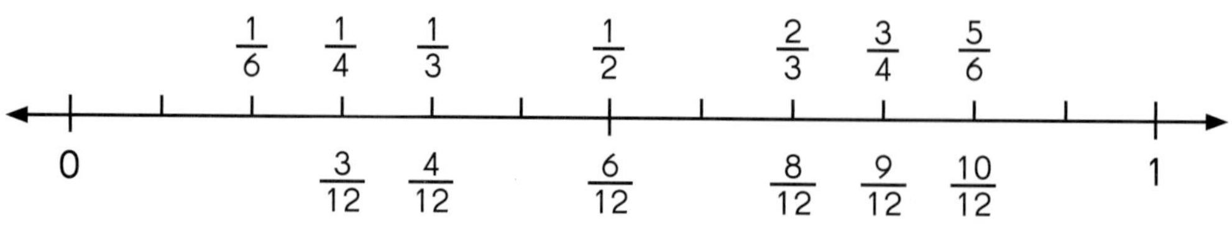

Identificar números primos y compuestos

2 y 5 son números primos. No tienen otros factores además de 1 y de sí mismos.

$2 = 2 \times 1$ $\qquad$ $5 = 5 \times 1$

8 y 24 son números compuestos. Tienen otros factores además de 1 y de sí mismos.

$$8 = 1 \times 8 \\ = 2 \times 4$$

$$24 = 1 \times 24 \\ = 2 \times 12 \\ = 3 \times 8 \\ = 4 \times 6$$

Expresar fracciones impropias en forma de números mixtos

Expresa $\frac{5}{3}$ en forma de número mixto.

Usa modelos:

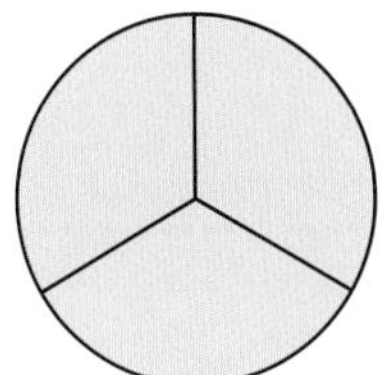

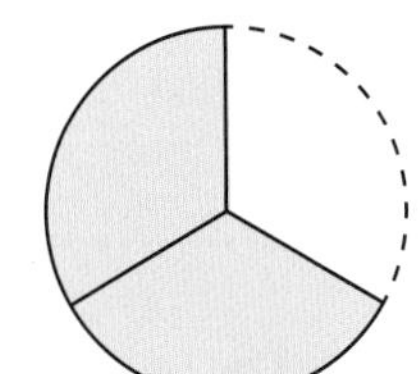

$\frac{5}{3}$ = 5 tercios

= 3 tercios + 2 tercios

$= \frac{3}{3} + \frac{2}{3}$

$= 1 + \frac{2}{3}$

$= 1\frac{2}{3}$

Usa la división:

$\frac{5}{3}$ significa 5 dividido entre 3.

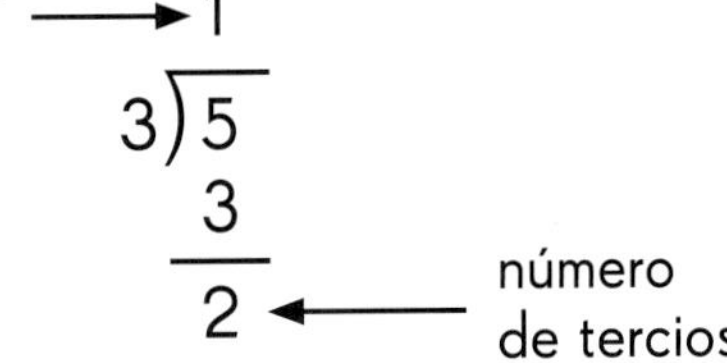

Divide el numerador entre el denominador.
5 ÷ 3 = 1 R 2
Esta es la regla de la división.

En $\frac{5}{3}$ hay 1 entero y 2 tercios.

$\frac{5}{3} = 1\frac{2}{3}$

Sumar y restar fracciones semejantes

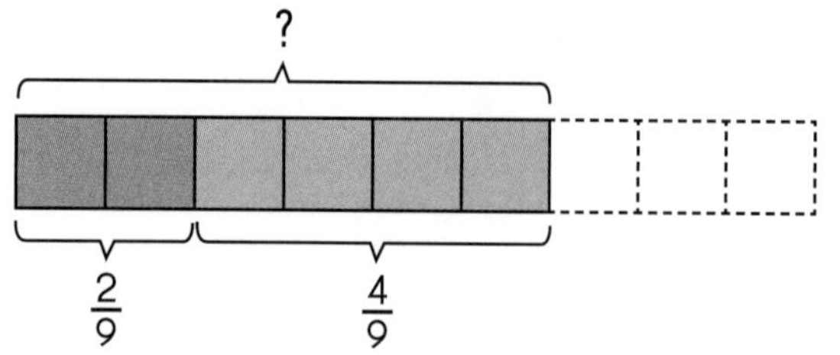

$$\frac{2}{9} + \frac{4}{9} = \frac{6}{9}$$
$$= \frac{2}{3}$$

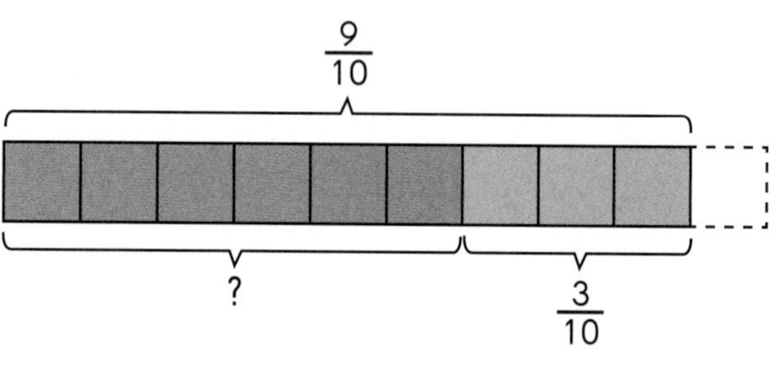

$$\frac{9}{10} - \frac{3}{10} = \frac{6}{10}$$
$$= \frac{3}{5}$$

Sumar y restar fracciones no semejantes

$$\frac{2}{3} + \frac{1}{6} = \frac{4}{6} + \frac{1}{6}$$
$$= \frac{5}{6}$$

$$\frac{1}{3} + \frac{4}{9} + \frac{2}{3} = \frac{3}{9} + \frac{4}{9} + \frac{6}{9}$$
$$= \frac{13}{9}$$
$$= 1\frac{4}{9}$$

$$\frac{3}{4} - \frac{5}{12} = \frac{9}{12} - \frac{5}{12}$$
$$= \frac{4}{12}$$
$$= \frac{1}{3}$$

$$1 - \frac{2}{9} - \frac{7}{18} = \frac{18}{18} - \frac{4}{18} - \frac{7}{18}$$
$$= \frac{7}{18}$$

$$2 - \frac{4}{5} - \frac{9}{10} = \frac{20}{10} - \frac{8}{10} - \frac{9}{10}$$
$$= \frac{3}{10}$$

Leer y escribir décimos y centésimos en forma de decimal y de fracción

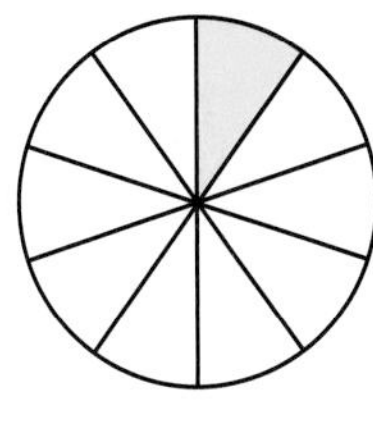

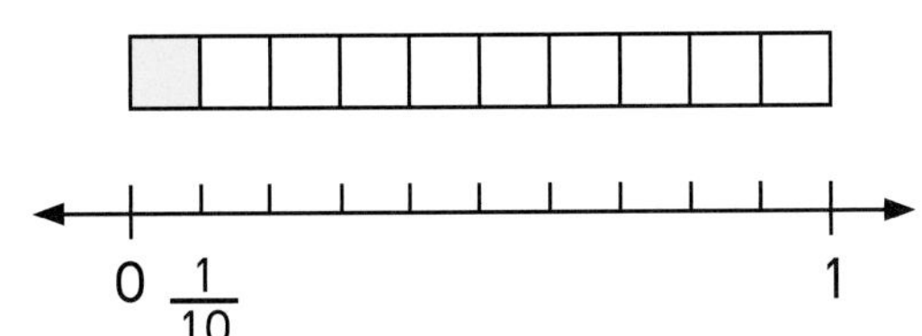

$\frac{1}{10}$ (un décimo) es 0.1 en forma de decimal. Lees 0.1 como un décimo.

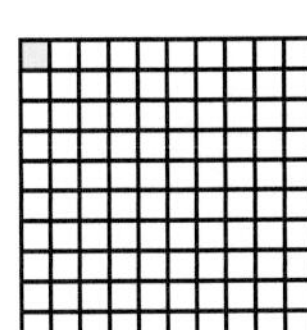

$\frac{1}{100}$

0 0.1 0.2 0.3 0.4 0.5 0.6 0.7 0.8 0.9 1

$\frac{1}{100}$ (un centésimo) es 0.01 en forma de decimal. Lees 0.01 como un centésimo.

Expresar fracciones en forma de decimal

Expresa $\frac{9}{10}$ en forma de decimal.

$\frac{1}{10}$ = 1 décimo

= 0.1

$\frac{9}{10}$ = 9 décimos

= 0.9

Expresa $\frac{17}{100}$ en forma de decimal.

10 centésimos = 1 décimo

$\frac{17}{100}$ = 17 centésimos

1 décimo 7 centésimos

$\frac{17}{100}$ = 1 décimo 7 centésimos

= 0.17

✔ Repaso rápido

Halla las fracciones semejantes en cada conjunto.

1. $\frac{3}{4}$, $\frac{1}{2}$, $\frac{2}{5}$, $\frac{1}{4}$

2. $\frac{5}{6}$, $\frac{5}{9}$, $\frac{9}{10}$, $\frac{7}{9}$

Halla las fracciones no semejantes en cada conjunto.

3 $\frac{1}{8}$, $\frac{2}{7}$, $\frac{3}{8}$, $\frac{1}{2}$

4 $\frac{5}{9}$, $\frac{5}{12}$, $\frac{1}{10}$, $\frac{7}{9}$

Halla el número de enteros y de partes que están sombreados. Luego escribe el número mixto.

5   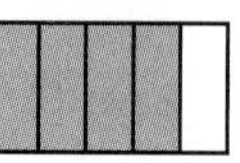

☐ enteros ☐ partes = ☐ $\frac{☐}{☐}$

Completa para mostrar las fracciones equivalentes.

6 $\frac{3}{5} = \frac{☐}{10}$

7 $\frac{15}{20} = \frac{☐}{4}$

Escribe cada fracción en su mínima expresión.

8 $\frac{8}{10}$ = ☐

9 $\frac{12}{16}$ = ☐

Halla las fracciones equivalentes que faltan en la recta numérica. Da las respuestas en su mínima expresión.

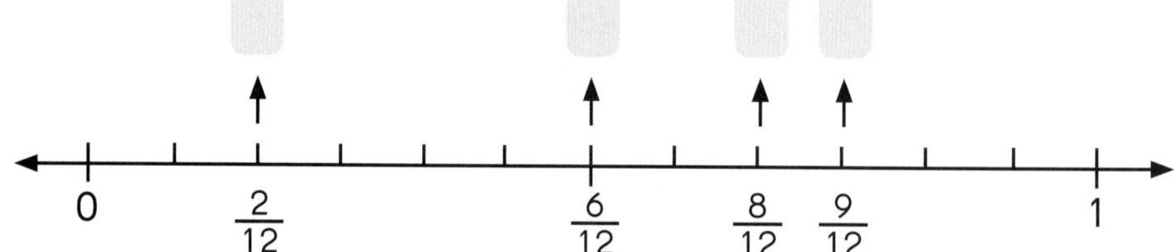

Halla los números primos.

11 12, 2, 8, 3, 7, 15

Halla los números compuestos.

12 2, 14, 18, 13, 5, 10

Expresa la fracción impropia en forma de número mixto.

13 $\frac{8}{3}$ = ☐ tercios

= ☐ tercios + ☐ tercios

= ☐ + ☐

= ☐ + ☐

= ☐

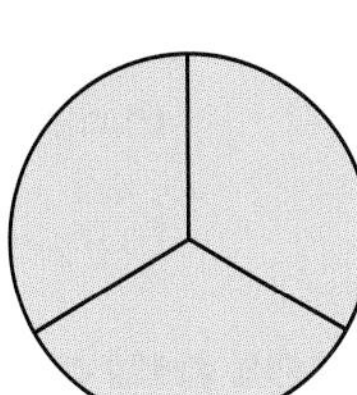
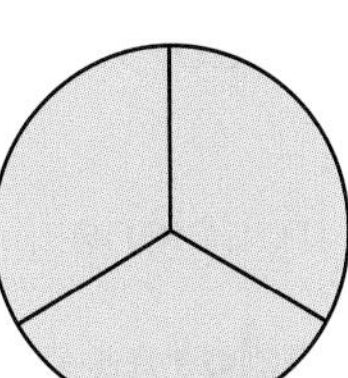
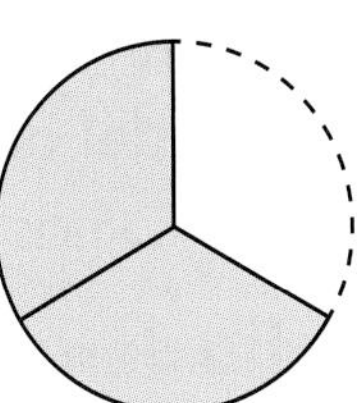

Expresa cada fracción impropia en forma de número mixto.
Usa la regla de la división.

14 $\frac{13}{4}$ = ☐

15 $\frac{19}{5}$ = ☐

Suma o resta. Escribe la suma o la diferencia en su mínima expresión.

16 $\frac{5}{8} + \frac{1}{8}$ = ☐

17 $\frac{3}{10} - \frac{1}{10}$ = ☐

18 $\frac{1}{2} + \frac{3}{8}$ = ☐

19 $\frac{2}{3} + \frac{3}{4} + \frac{10}{12}$ = ☐

20 $\frac{4}{5} - \frac{3}{10}$ = ☐

21 $\frac{6}{7} - \frac{11}{14}$ = ☐

22 $1 - \frac{1}{6} - \frac{11}{18}$ = ☐

23 $3 - \frac{1}{3} - \frac{2}{9}$ = ☐

Expresa cada fracción en forma de decimal.

24 $\frac{7}{10}$

25 $\frac{3}{100}$

26 $\frac{89}{100}$

Lección

3.1 Sumar fracciones no semejantes

Objetivos de la lección

- Sumar dos fracciones no semejantes cuando un denominador no es múltiplo del otro.
- Estimar sumas de fracciones.

Vocabulario
múltiplo
mínimo común múltiplo
fracciones equivalentes
mínimo común denominador
puntos de referencia

Aprende

Halla denominadores comunes para sumar fracciones no semejantes.

Se pinta un tablón $\frac{1}{2}$ de rojo y $\frac{1}{3}$ de verde. El resto se pinta de amarillo.

¿Qué fracción del tablón está pintado de rojo y verde?

$\frac{1}{2} + \frac{1}{3} = ?$

$\frac{1}{2}$ y $\frac{1}{3}$ son fracciones no semejantes. Para sumarlas, expresa $\frac{1}{2}$ y $\frac{1}{3}$ en forma de fracciones semejantes.

Haz una lista de los **múltiplos** de los denominadores, 2 y 3.

Múltiplos de 2: 2, 4, 6, 8, ... Múltiplos de 3: 3, 6, 9, 12, ...

El **mínimo común múltiplo** de 2 y 3 es 6.

Entonces, 6 es el **mínimo común denominador** de $\frac{1}{2}$ y $\frac{1}{3}$. Úsalo para expresar $\frac{1}{2}$ y $\frac{1}{3}$ en forma de fracciones semejantes.

$\frac{1}{2} = \frac{3}{6}$ (× 3) $\frac{1}{3} = \frac{2}{6}$ (× 2)

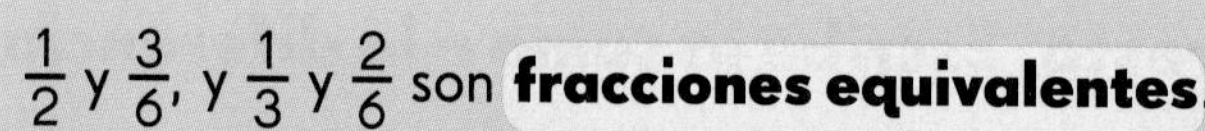

$\frac{1}{2}$ y $\frac{3}{6}$, y $\frac{1}{3}$ y $\frac{2}{6}$ son **fracciones equivalentes**.

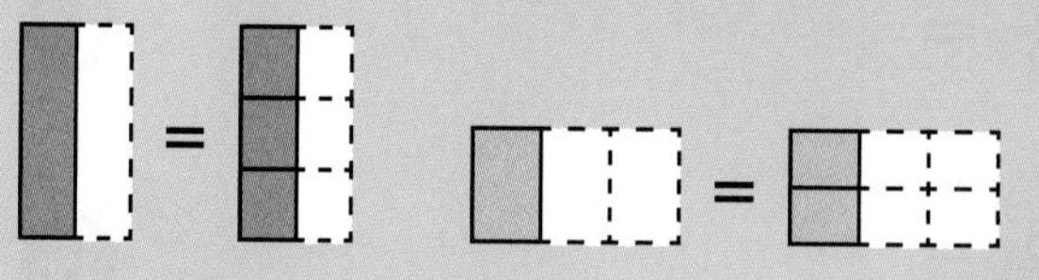

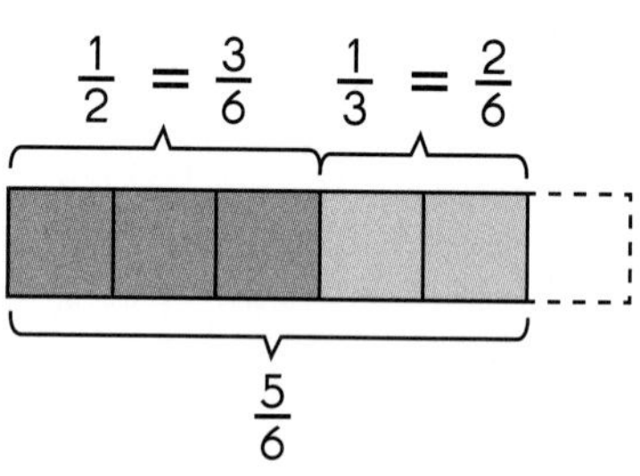

Como 6 es el mínimo común múltiplo, hago un modelo con 6 unidades.

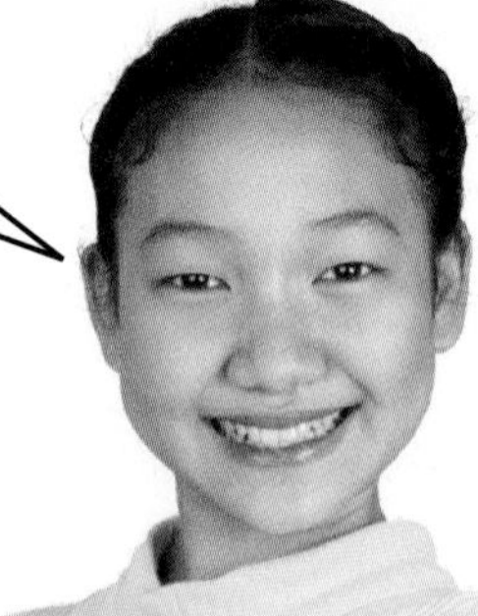

$$\frac{1}{2} + \frac{1}{3} = \frac{3}{6} + \frac{2}{6}$$
$$= \frac{5}{6}$$

$\frac{5}{6}$ del tablón están pintados de rojo y verde.

Práctica con supervisión

Suma las fracciones.

1 $\frac{1}{2} + \frac{2}{7}$

$\frac{1}{2} \xrightarrow{\times 7} \frac{7}{14}$ $\frac{2}{7} \xrightarrow{\times 2} \frac{4}{14}$

El mínimo común múltiplo de 2 y 7 es 14.

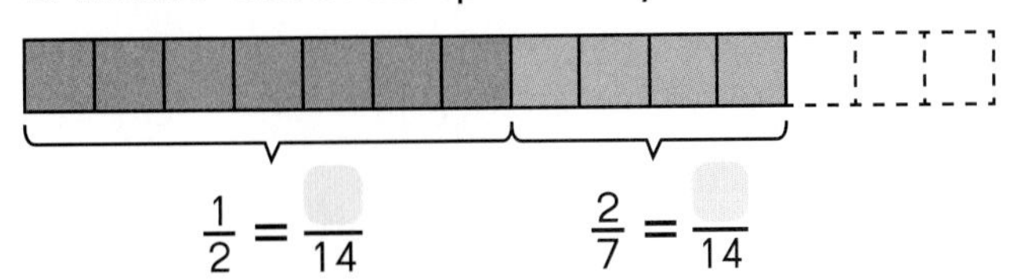

$\frac{1}{2} = \frac{\square}{14}$ $\frac{2}{7} = \frac{\square}{14}$

$\frac{1}{2} + \frac{2}{7} = \frac{\square}{14} + \frac{\square}{14}$

$= \frac{\square}{\square}$

2 $\frac{3}{4} + \frac{2}{3} = \frac{\square}{\square} + \frac{\square}{\square}$

$= \frac{\square}{\square}$

$= \frac{\square}{\square} + \frac{\square}{\square}$

$= \square$

$\frac{3}{4} \xrightarrow{\times 3} \frac{\square}{\square}$ $\frac{2}{3} \xrightarrow{\times 4} \frac{\square}{\square}$

Manos a la obra

Conexión con la tecnología

Usa una herramienta de dibujo para computadora para hacer modelos que muestren la suma de cada par de fracciones. Luego, halla la suma.

1 $\frac{1}{2} + \frac{1}{4}$ **2** $\frac{1}{5} + \frac{3}{4}$ **3** $\frac{1}{4} + \frac{2}{3}$

Aprende

Usa puntos de referencia para estimar sumas de fracciones.

Estima la suma de $\frac{11}{12}$, $\frac{2}{3}$ y $\frac{1}{6}$.

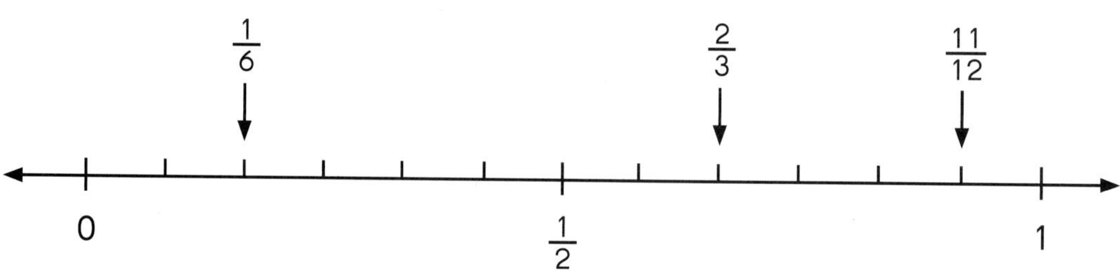

$\frac{11}{12}$ se aproxima a 1.

$\frac{2}{3}$ se aproxima a $\frac{1}{2}$.

$\frac{1}{6}$ se aproxima a 0.

$$\frac{11}{12} + \frac{2}{3} + \frac{1}{6}$$

$$\downarrow \quad \downarrow \quad \downarrow$$

$$1 + \frac{1}{2} + 0 = 1\frac{1}{2}$$

La suma de $\frac{11}{12}$, $\frac{2}{3}$ y $\frac{1}{6}$ se aproxima a $1\frac{1}{2}$.

Práctica con supervisión

Usa puntos de referencia para estimar cada suma.

3. $\frac{1}{10} + \frac{2}{5}$

4. $\frac{8}{9} + \frac{9}{10}$

5. $\frac{1}{6} + \frac{7}{12} + \frac{5}{6}$

Exploremos

1. Sin resolver, ¿crees que la suma de $\frac{1}{3}$ y $\frac{3}{8}$ es menor que 1? Explica tu razonamiento.
2. ¿Crees que la suma de $\frac{5}{9}$ y $\frac{6}{11}$ es mayor que 1? ¿Por qué?
3. ¿Puedes decir si la suma de $\frac{5}{11}$ y $\frac{4}{7}$ es mayor o menor que 1? ¿Por qué?

LECTURA Y ESCRITURA

Diario de matemáticas

Uno de los tres modelos muestra la suma de $\frac{1}{2}$ y $\frac{1}{7}$. Los otros dos modelos son incorrectos.

Modelo 1:

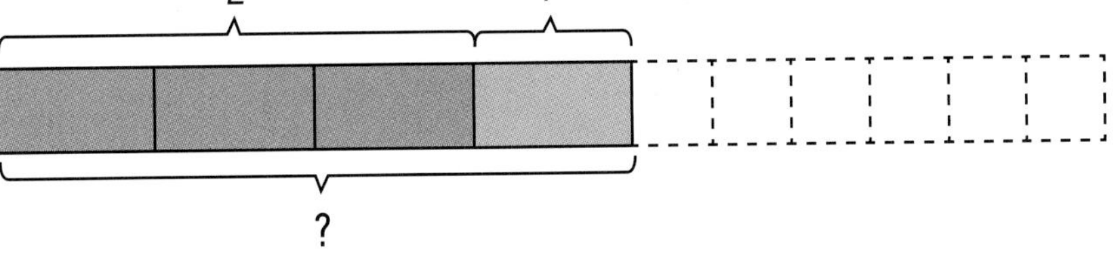

Modelo 2:

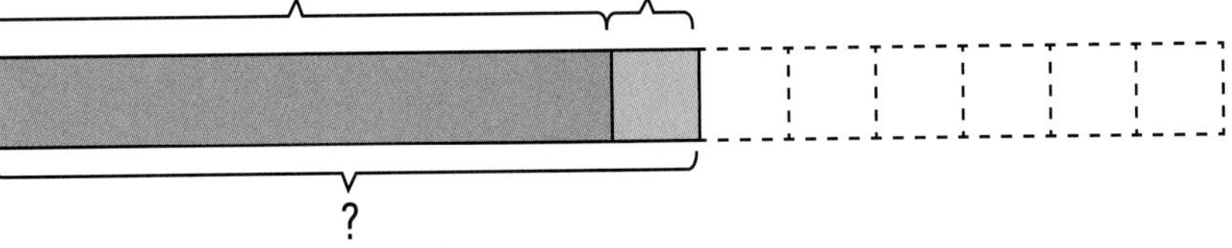

Modelo 3:

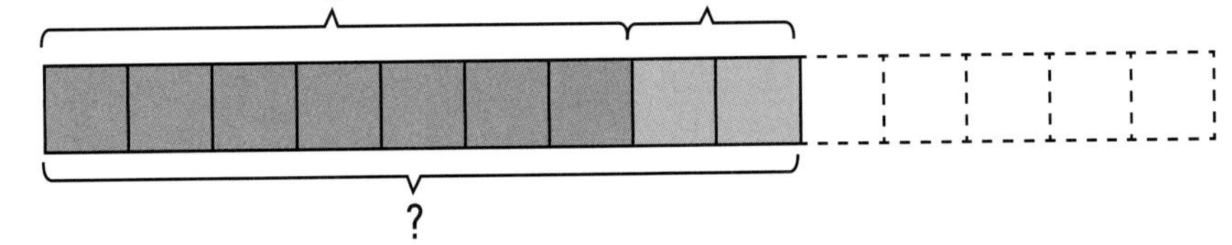

a. Identifica el modelo correcto entre los tres.

b. Explica por qué los otros dos modelos son incorrectos.

Practiquemos

Halla la parte del modelo que muestra las fracciones $\frac{1}{2}$, $\frac{2}{5}$ y $\frac{9}{10}$. Luego, escribe dos enunciados de suma usando las fracciones.

1. 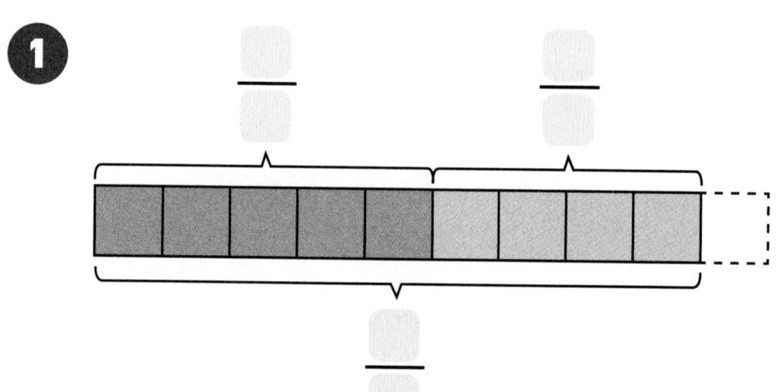

Haz un modelo para hallar cada suma.

2. $\frac{1}{3}$ y $\frac{1}{4}$

3. $\frac{3}{5}$ y $\frac{1}{3}$

Suma. Escribe cada suma en su mínima expresión.

4. $\frac{2}{3} + \frac{1}{8}$

5. $\frac{2}{3} + \frac{1}{12}$

6. $\frac{1}{5} + \frac{3}{10}$

7. $\frac{1}{4} + \frac{1}{6}$

8. $\frac{5}{9} + \frac{1}{2}$

9. $\frac{2}{5} + \frac{5}{6}$

10. $\frac{3}{4} + \frac{5}{12}$

11. $\frac{1}{6} + \frac{5}{8}$

Usa puntos de referencia para estimar cada suma.

12. $\frac{2}{5} + \frac{6}{7}$

13. $\frac{4}{9} + \frac{4}{10}$

14. $\frac{1}{8} + \frac{3}{5} + \frac{9}{10}$

POR TU CUENTA

Ver Cuaderno de actividades A: Práctica 1, págs. 93 a 98

Lección

3.2 Restar fracciones no semejantes

Objetivos de la lección

- Restar dos fracciones no semejantes cuando un denominador no es múltiplo del otro.
- Estimar diferencias entre fracciones.

Halla denominadores comunes para restar fracciones no semejantes.

Un envase contiene $\frac{3}{4}$ de un cuarto de galón de leche. Larry vierte $\frac{1}{3}$ del cuarto de galón de leche en una taza. ¿Cuánta leche queda en el envase?

$\frac{3}{4} - \frac{1}{3} = ?$

$\frac{1}{3}$ y $\frac{3}{4}$ son fracciones no semejantes. Para restar, expresa $\frac{1}{3}$ y $\frac{3}{4}$ en forma de fracciones semejantes.

Haz una lista de los múltiplos de los denominadores, 3 y 4.

Múltiplos de 3: 3, 6, 9, 12, ... Múltiplos de 4: 4, 8, 12, 16, ...

El mínimo común múltiplo de 3 y 4 es 12.

Entonces, 12 es el mínimo común denominador de $\frac{1}{3}$ y $\frac{3}{4}$. Úsalo para expresar $\frac{3}{4}$ y $\frac{1}{3}$ en forma de fracciones semejantes.

$\frac{3}{4} = \frac{9}{12}$ (× 3) $\frac{1}{3} = \frac{4}{12}$ (× 4)

$\frac{3}{4}$ y $\frac{9}{12}$, y $\frac{1}{3}$ y $\frac{4}{12}$ son fracciones equivalentes.

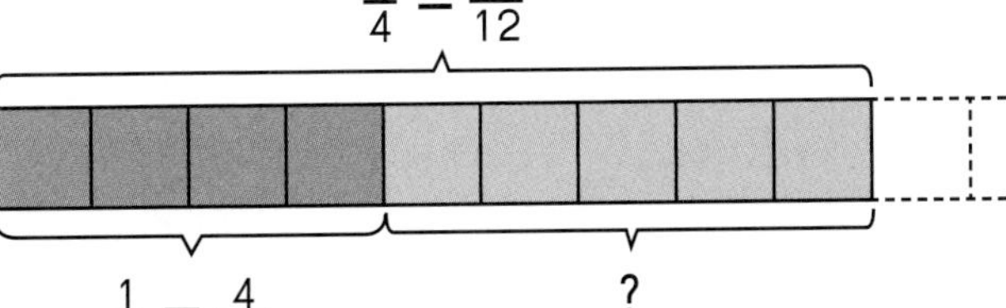

$$\frac{3}{4} - \frac{1}{3} = \frac{9}{12} - \frac{4}{12}$$
$$= \frac{5}{12}$$

Como 12 es el mínimo común múltiplo, hago un modelo con 12 unidades.

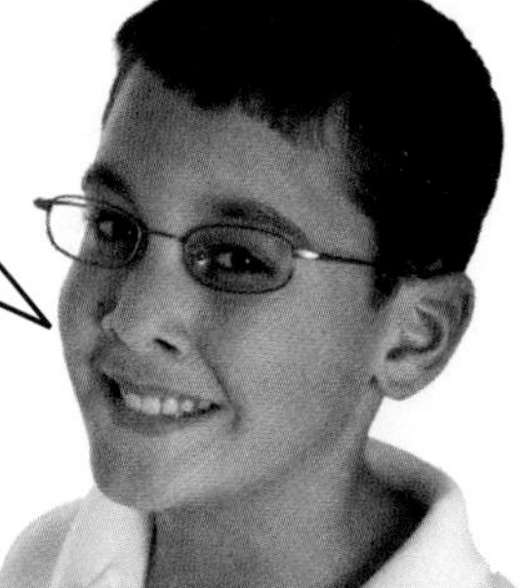

En el envase quedan $\frac{5}{12}$ del cuarto de galón de leche.

Práctica con supervisión

Resta las fracciones.

1. $\frac{2}{3} - \frac{1}{5}$

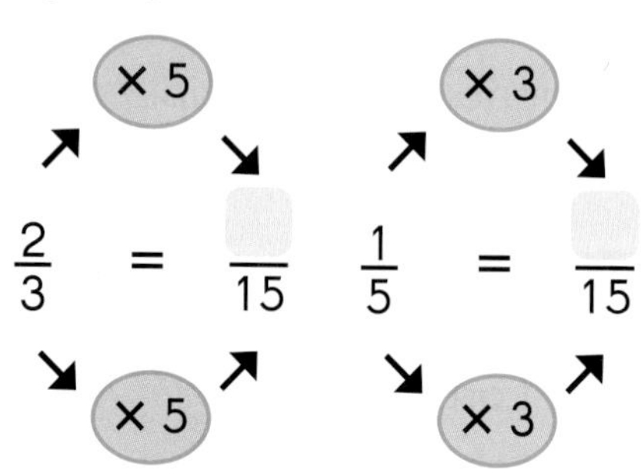

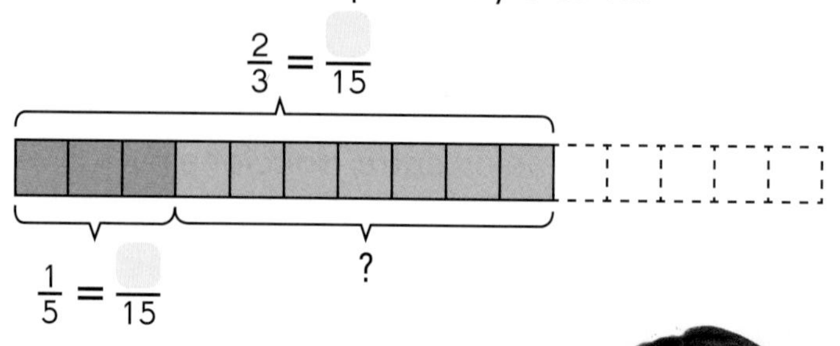

$\frac{2}{3} - \frac{1}{5} = \frac{\square}{15} - \frac{\square}{15}$

$= \frac{\square}{15}$

2. $1 - \frac{1}{4} - \frac{1}{6} = 1 - \frac{\square}{\square} - \frac{\square}{\square}$

$= \frac{\square}{\square} - \frac{\square}{\square} - \frac{\square}{\square}$

$= \frac{\square}{\square}$

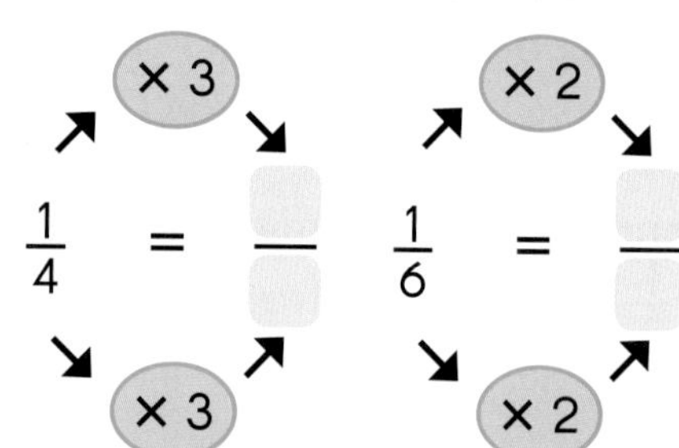

Manos a la obra

Conexión con la tecnología

Usa una herramienta de dibujo para computadora. Haz modelos que muestren la diferencia entre cada par de fracciones. Luego, halla la diferencia.

1. $\frac{1}{2} - \frac{2}{7}$
2. $\frac{5}{6} - \frac{4}{9}$
3. $\frac{3}{4} - \frac{3}{5}$

Aprende Usa puntos de referencia para estimar diferencias entre fracciones.

Estima la diferencia entre $\frac{8}{9}$ y $\frac{4}{10}$.

$\frac{8}{9}$ se aproxima a 1.

$\frac{4}{10}$ se aproxima a $\frac{1}{2}$.

$$\frac{8}{9} - \frac{4}{10}$$

$$1 - \frac{1}{2} = \frac{1}{2}$$

La diferencia entre $\frac{8}{9}$ y $\frac{4}{10}$ se aproxima a $\frac{1}{2}$.

Práctica con supervisión

Usa puntos de referencia para estimar cada diferencia.

3. $\frac{5}{6} - \frac{2}{5}$

4. $\frac{9}{10} - \frac{1}{8}$

5. $\frac{7}{12} - \frac{4}{9}$

Exploremos

1. Sin resolver, ¿crees que la diferencia entre 1 y $\frac{3}{7}$ es mayor que $\frac{1}{2}$? Explica tu razonamiento.
2. ¿Crees que la diferencia entre 1 y $\frac{7}{12}$ es menor que $\frac{1}{2}$? Explica tu razonamiento.
3. ¿Puedes decir si la diferencia entre $\frac{11}{12}$ y $\frac{1}{4}$ es mayor o menor que $\frac{1}{2}$? Explica tu razonamiento.

Practiquemos

Halla la parte del modelo que muestra las fracciones $\frac{1}{2}$, $\frac{3}{10}$ y $\frac{4}{5}$. Luego, escribe dos enunciados de resta usando las fracciones.

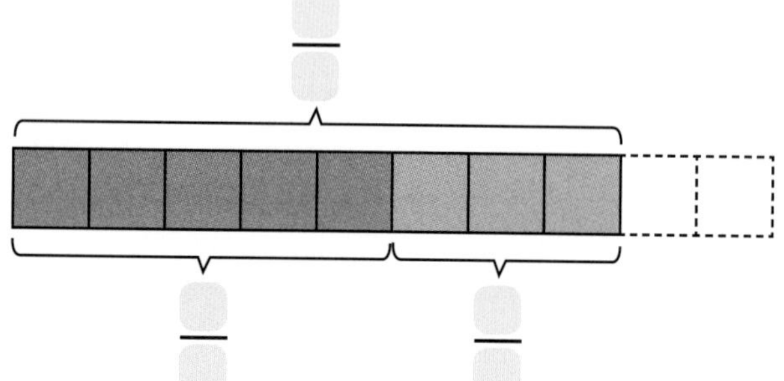

Haz un modelo para hallar cada diferencia.

2. $\frac{5}{8} - \frac{1}{2}$

3. $\frac{4}{5} - \frac{1}{4}$

Resta. Escribe cada diferencia en su mínima expresión.

4. $\frac{8}{9} - \frac{5}{6}$

5. $\frac{11}{12} - \frac{7}{8}$

6. $\frac{4}{5} - \frac{2}{7}$

7. $\frac{7}{9} - \frac{3}{4}$

8. $\frac{4}{7} - \frac{1}{6}$

9. $\frac{2}{3} - \frac{3}{8}$

10. $2 - \frac{1}{3} - \frac{9}{10}$

11. $4 - \frac{5}{6} - \frac{3}{8}$

Usa puntos de referencia para estimar cada diferencia.

12. $\frac{4}{5} - \frac{3}{7}$

13. $\frac{5}{8} - \frac{1}{9}$

14. $\frac{11}{12} - \frac{5}{6}$

POR TU CUENTA

Ver Cuaderno de actividades A: Práctica 2, págs. 99 a 102

Lección 3.3 Fracciones, números mixtos y expresiones de división

Objetivos de la lección

- Comprender y aplicar las relaciones entre fracciones, números mixtos y expresiones de división.

Vocabulario
expresión de división
número mixto

Aprende Convierte expresiones de división a fracciones.

Tres amigos se reparten 2 pizzas en partes iguales.
¿Qué fracción de pizza le toca a cada amigo?

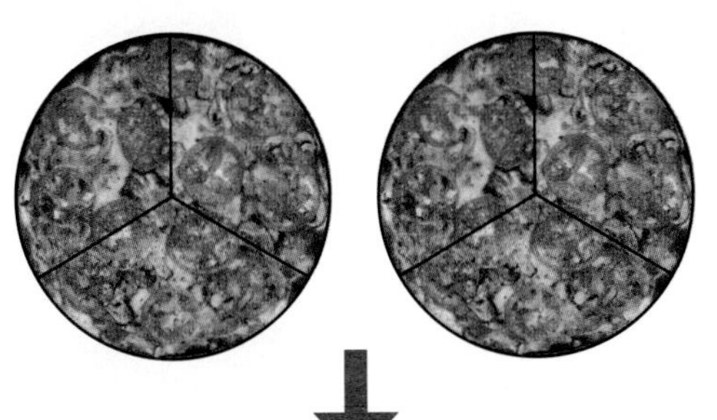

Cada pizza se divide en 3 partes iguales. Cada parte es $\frac{1}{3}$ de una pizza.

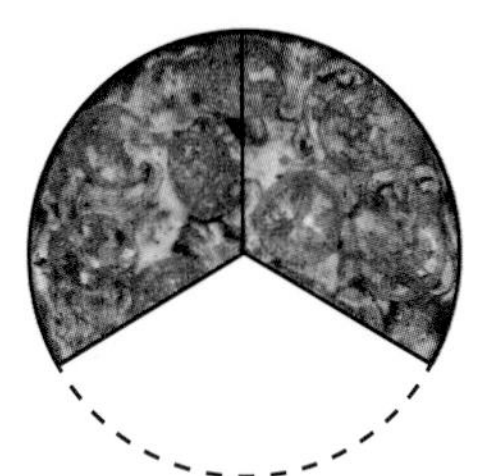

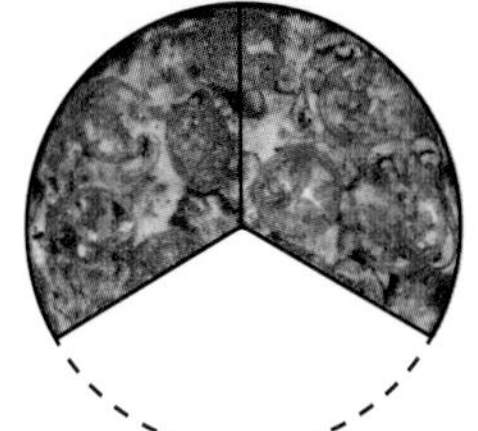

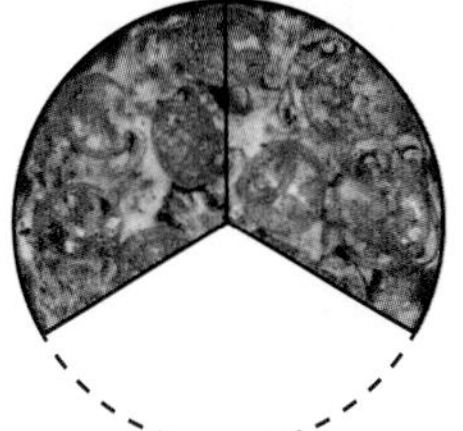

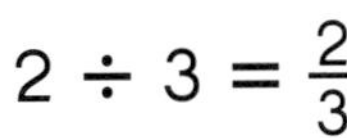

$2 \div 3 = \frac{2}{3}$

A cada amigo le tocan $\frac{2}{3}$ de pizza.

$2 \div 3$ es una expresión de división. Una expresión de división es una expresión que contiene solo números y el símbolo de división.

2 dividido entre 3 es lo mismo que $\frac{2}{3}$.

Práctica con supervisión

Resuelve.

1. El señor Sheldon corta 3 pasteles de fresa para repartir en partes iguales entre 4 niños. ¿Qué fracción de pastel de fresa le toca a cada niño?

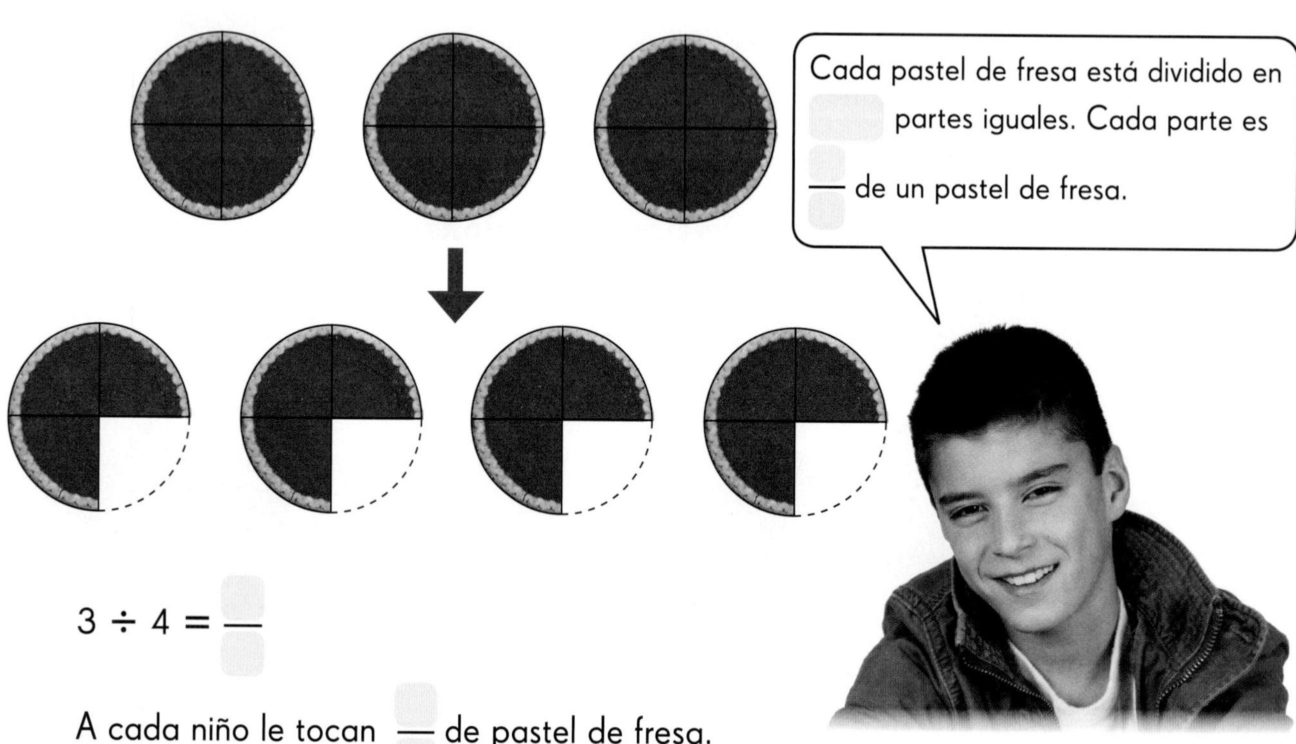

$3 \div 4 = \frac{\square}{\square}$

A cada niño le tocan $\frac{\square}{\square}$ de pastel de fresa.

Manos a la obra

TRABAJAR EN GRUPO

Usen tiras de papel del mismo tamaño y longitud. Usen menos tiras de papel que el número de estudiantes que hay en el grupo.

PASO 1 Corten las tiras en partes iguales para que cada estudiante tenga la misma cantidad de partes.

Ejemplo

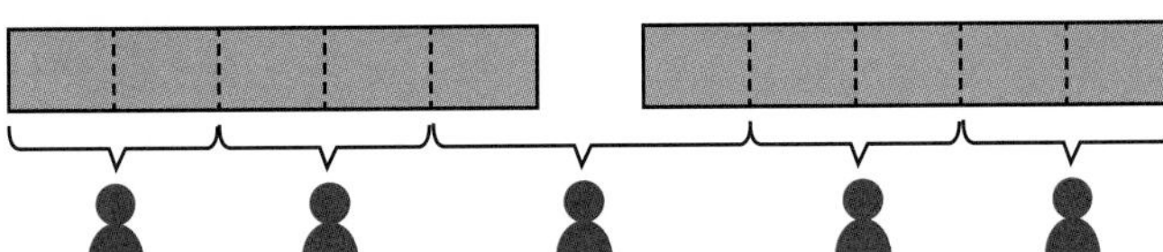

PASO 2 Escriban una expresión de división para indicar la fracción de tira que le corresponde a cada persona. Por ejemplo, en PASO 1, escriban $2 \div 5 = \frac{2}{5}$.

Práctica con supervisión

Convierte cada expresión de división a fracción.

2. $4 \div 5 = \frac{\square}{\square}$
3. $7 \div 9 = \frac{\square}{\square}$
4. $5 \div 8 = \frac{\square}{\square}$
5. $7 \div 11 = \frac{\square}{\square}$

Convierte cada fracción a expresión de división.

6. $\frac{3}{7} = \square \div \square$
7. $\frac{8}{12} = \square \div \square$
8. $\frac{3}{10} = \square \div \square$
9. $\frac{5}{6} = \square \div \square$

Convierte expresiones de división a **números mixtos.**

Katie usa un molde para hacer 5 pasteles del mismo tamaño. Luego divide los 5 pasteles en partes iguales entre 4 personas. ¿Cuántos pasteles le tocan a cada persona?

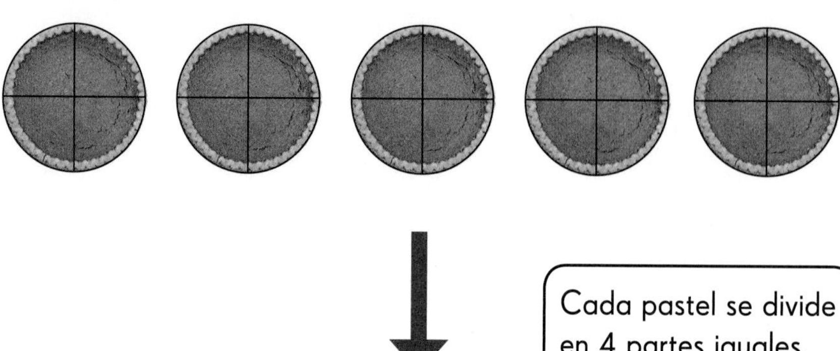

Cada pastel se divide en 4 partes iguales.

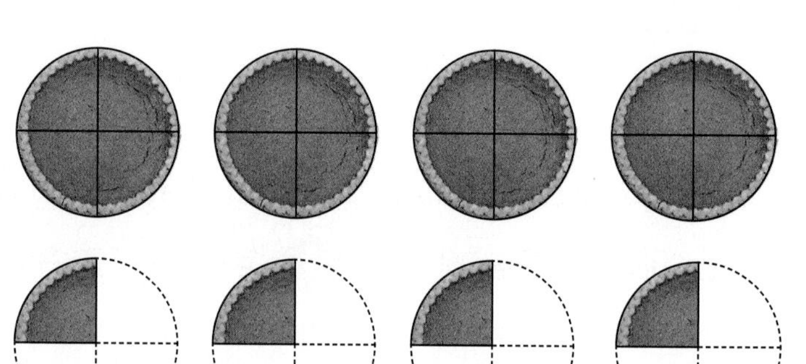

Método 1

$$5 \div 4 = \frac{5}{4}$$
$$= \frac{4}{4} + \frac{1}{4}$$
$$= 1\frac{1}{4}$$

5 dividido entre 4 es lo mismo que $\frac{5}{4}$ ó $1\frac{1}{4}$.

Método 2

$$\begin{array}{r} 1 \\ 4\overline{)5} \\ \underline{4} \\ 1 \end{array}$$

1 ← número de enteros

1 ← número de cuartos

$$5 \div 4 = 1\frac{1}{4}$$

A cada persona le toca $1\frac{1}{4}$ de pastel.

Manos a la obra

Usen tiras de papel del mismo tamaño y longitud. Usen más tiras de papel que el número de estudiantes que hay en el grupo.

PASO 1 Corten las tiras en partes iguales para que cada persona tenga la misma cantidad de partes.

Ejemplo

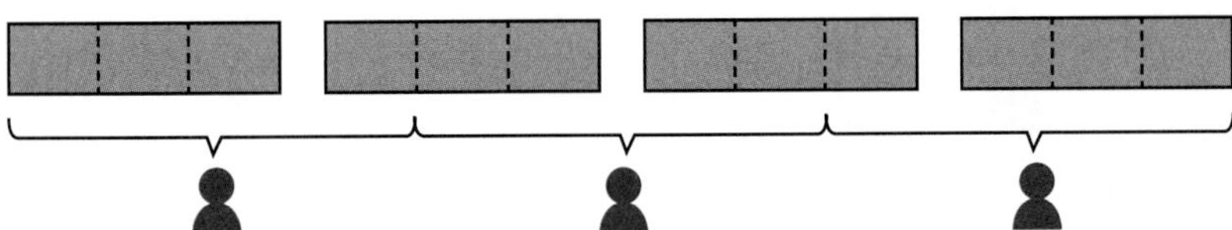

PASO 2 Escriban una expresión de división para indicar el número de tiras que le corresponde a cada persona. Luego, expresen la división en forma de fracción y de número mixto.

Por ejemplo, en PASO 1, escriban $4 \div 3 = \frac{4}{3} = 1\frac{1}{3}$.

Práctica con supervisión

Expresa 14 ÷ 4 en forma de fracción en su mínima expresión. Luego convierte la fracción a número mixto.

10. $14 \div 4 = \frac{\square \div \square}{\square \div \square}$

$= \frac{\square}{\square}$

$= \square\frac{\square}{\square}$

Escribe cada expresión de división en forma de fracción en su mínima expresión. Luego convierte la fracción a número mixto.

11 $19 \div 2$

12 $43 \div 4$

13 $49 \div 5$

14 $20 \div 8$

Practiquemos

Escribe cada fracción en forma de expresión de división.

1 $\frac{4}{7} = \square \div \square$

2 $\frac{5}{11} = \square \div \square$

3 $\frac{9}{13} = \square \div \square$

Escribe cada expresión de división en forma de fracción o de número mixto en su mínima expresión.

4 $10 \div 12 = \frac{\square}{\square}$

$= \frac{\square}{\square}$

5 $3 \div 2 = \frac{3}{2}$

$= \frac{\square}{\square} + \frac{\square}{\square}$

$= \square\frac{\square}{\square}$

$2\overline{)3}$

6 $7 \div 3$

7 $11 \div 4$

8 $25 \div 7$

Escribe cada expresión de división en forma de fracción en su mínima expresión. Luego convierte la fracción a número mixto.

9 $22 \div 4$

10 $32 \div 12$

POR TU CUENTA

Ver Cuaderno de actividades A: Práctica 3, págs. 103 a 106

Escribir fracciones, expresiones de división y números mixtos en forma de decimal

Objetivo de la lección

- Escribir fracciones, expresiones de división y números mixtos en forma de decimal.

Halla fracciones equivalentes para expresar fracciones en forma de decimal.

Expresa $\frac{2}{5}$ en forma de decimal.

Usa un denominador de 10.

$$\frac{2}{5} = \frac{2 \times 2}{5 \times 2} = \frac{4}{10} = 0.4$$

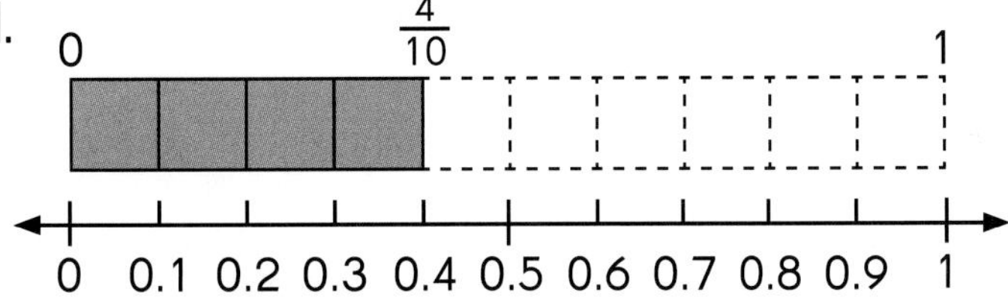

Lee 0.4 como cuatro décimos.

Expresa $\frac{9}{20}$ en forma de decimal.

Usa un denominador de 100.

$$\frac{9}{20} = \frac{9 \times 5}{20 \times 5} = \frac{45}{100} = 0.45$$

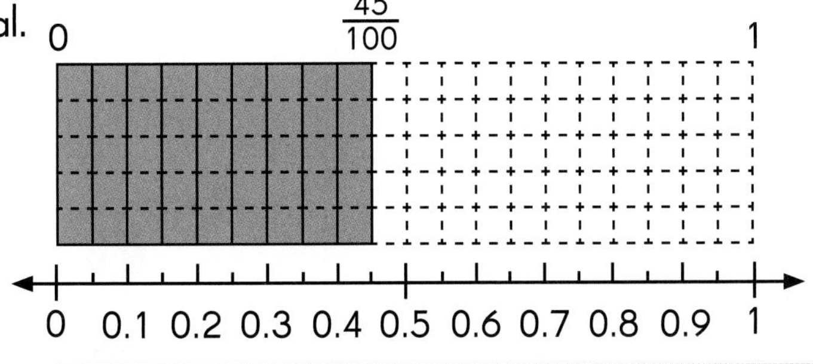

Lee 0.45 como cuarenta y cinco centésimos.

Práctica con supervisión

Expresa cada fracción en forma de decimal.

1. $\frac{4}{5} = \frac{\square}{10} = \square$

2. $\frac{7}{20} = \frac{\square}{100} = \square$

Aprende

Escribe expresiones de división en forma de decimal.

Expresa $9 \div 6$ en forma de decimal.

$$9 \div 6 = \frac{9}{6} = 1 + \frac{3}{6} = 1 + \frac{1}{2} = 1 + 0.5 = 1.5$$

$$\frac{1}{2} \overset{\times 5}{=} \frac{5}{10} = 0.5$$

Aprende

Expresa números mixtos en forma de decimal.

Expresa $2\frac{1}{4}$ en forma de decimal.

$$2\frac{1}{4} = 2 + \frac{1}{4} = 2 + 0.25 = 2.25$$

$$\frac{1}{4} \overset{\times 25}{=} \frac{25}{100} = 0.25$$

Práctica con supervisión

Expresa en forma de decimal.

3. $12 \div 5$
4. $67 \div 25$
5. $3\frac{3}{5}$
6. $5\frac{7}{20}$

Escribe una expresión de división para el problema y resuélvelo.

7. El señor Pérez tiene un rollo de tela que mide 6 yardas de longitud. Quiere dividirlo en 5 partes iguales. ¿Cuál debe ser la longitud de cada parte? Da tu respuesta en la forma que se indica.

   a. número mixto
   b. decimal

Practiquemos

Expresa cada fracción en forma de decimal.

1. $\frac{3}{5}$
2. $\frac{17}{20}$
3. $\frac{9}{25}$
4. $\frac{16}{25}$

Escribe una expresión de división para el problema y resuélvelo.

5. Jeff prepara 16 cuartos de galón de limonada. Luego divide la limonada en partes iguales entre 5 jarras. ¿Cuántos cuartos de galón de limonada hay en cada jarra?

   Da tu respuesta en la forma que se indica.

   a. número mixto
   b. decimal

6. Un patio cuadrado tiene un perímetro de 39 yardas. ¿Cuál es la longitud de cada uno de sus lados?

   Da tu respuesta en la forma que se indica.

   a. número mixto
   b. decimal

Expresa en forma de número mixto y de decimal.

7. $7 \div 4$
8. $13 \div 10$
9. $36 \div 30$
10. $\frac{14}{5}$
11. $\frac{45}{20}$
12. $\frac{37}{25}$

POR TU CUENTA

Ver Cuaderno de actividades A: Práctica 4, págs. 107 a 108

Lección 3.5 Sumar números mixtos

Objetivos de la lección

- Sumar números mixtos convirtiéndolos o sin convertirlos.
- Estimar sumas de números mixtos.

Aprende Suma sin convertir los números mixtos.

Maia compró $2\frac{1}{5}$ libras de naranjas. También compró $1\frac{1}{2}$ libras de uvas.

¿Cuál es el peso total de la fruta que compró?

$2\frac{1}{5} + 1\frac{1}{2} = ?$

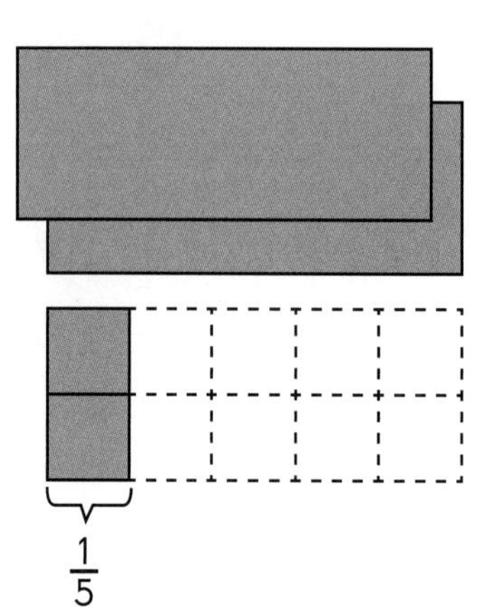

+

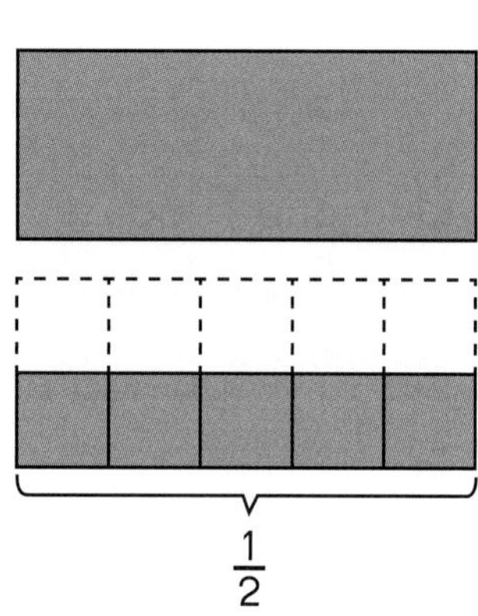

Para sumar, expresa primero las partes fraccionarias en forma de fracciones semejantes. Luego, suma las partes fraccionarias antes de sumar los números enteros.

$\frac{1}{5} \xrightarrow{\times 2} = \frac{2}{10}$ (×2 arriba y abajo)

$\frac{1}{2} \xrightarrow{\times 5} = \frac{5}{10}$ (×5 arriba y abajo)

$$2\frac{1}{5} + 1\frac{1}{2} = 2\frac{2}{10} + 1\frac{5}{10}$$

$$= 3\frac{7}{10}$$

Maia compró $3\frac{7}{10}$ libras de fruta.

Práctica con supervisión

Suma.

1 $3\frac{1}{2} + 2\frac{4}{9}$

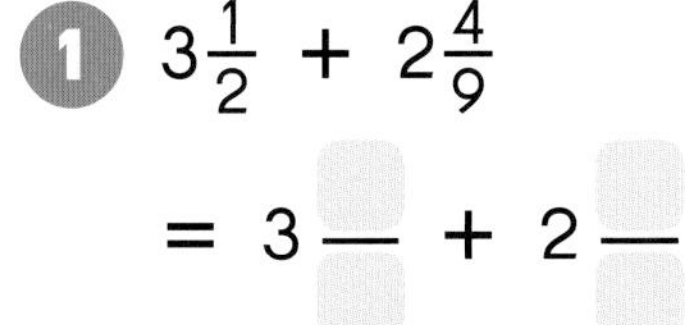

$= 3\frac{\square}{\square} + 2\frac{\square}{\square}$

$= \square\frac{\square}{\square}$

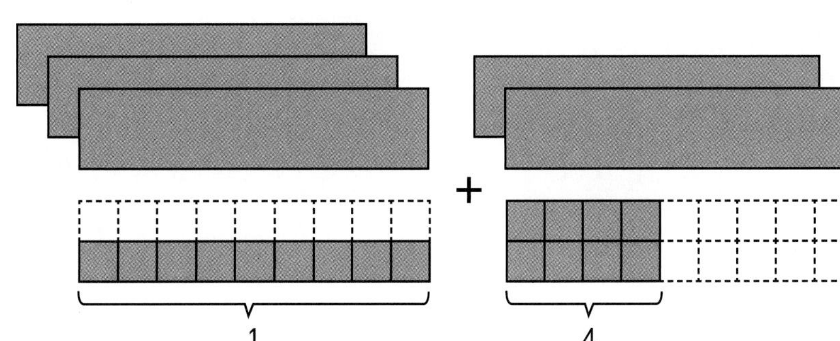

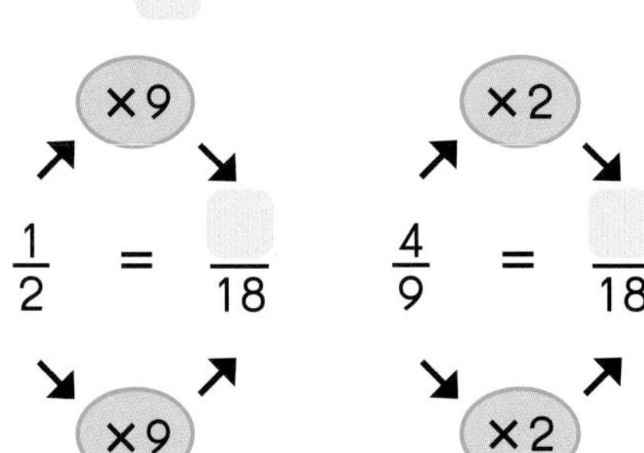

Aprende

Suma convirtiendo los números mixtos.

Serena trotó $2\frac{3}{4}$ millas y caminó $1\frac{1}{2}$ millas. ¿Cuántas millas trotó y caminó en total?

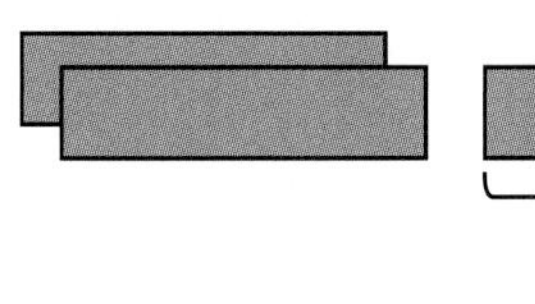

+

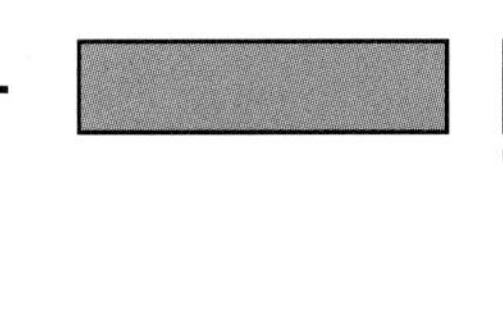

×2
$\frac{1}{2} = \frac{2}{4}$
×2

$$2\frac{3}{4} + 1\frac{1}{2} = 2\frac{3}{4} + 1\frac{2}{4}$$
$$= 3\frac{5}{4}$$
$$= 4\frac{1}{4}$$

$$3\frac{5}{4} = 3 + \frac{4}{4} + \frac{1}{4}$$
$$= 3 + 1 + \frac{1}{4}$$
$$= 4\frac{1}{4}$$

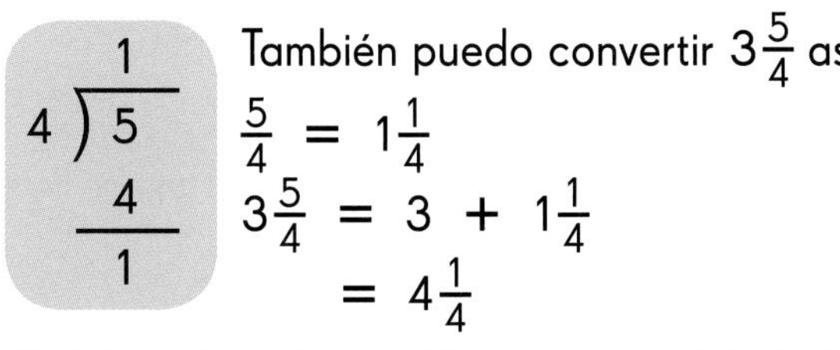

$4\overline{)5}$ = 1, $\frac{4}{1}$

También puedo convertir $3\frac{5}{4}$ así:

$\frac{5}{4} = 1\frac{1}{4}$

$3\frac{5}{4} = 3 + 1\frac{1}{4}$

$= 4\frac{1}{4}$

Serena trotó y caminó $4\frac{1}{4}$ millas en total.

Práctica con supervisión

Halla la suma de los números mixtos.

2 $2\frac{2}{3} + 3\frac{1}{2}$

$= 2\frac{\square}{\square} + 3\frac{\square}{\square}$

$= 5\frac{\square}{\square}$

$= \square\frac{\square}{\square}$

$\frac{2}{3}$ $\frac{1}{2}$

$\frac{2}{3} = \frac{\square}{6}$ (×2, ×2)

$\frac{1}{2} = \frac{\square}{6}$ (×3, ×3)

Aprende

Usa puntos de referencia para estimar sumas de números mixtos.

Estima la suma de $2\frac{1}{3}$ y $3\frac{2}{5}$.

Compara la parte fraccionaria de cada número mixto con los puntos de referencia, 0, $\frac{1}{2}$ y 1.

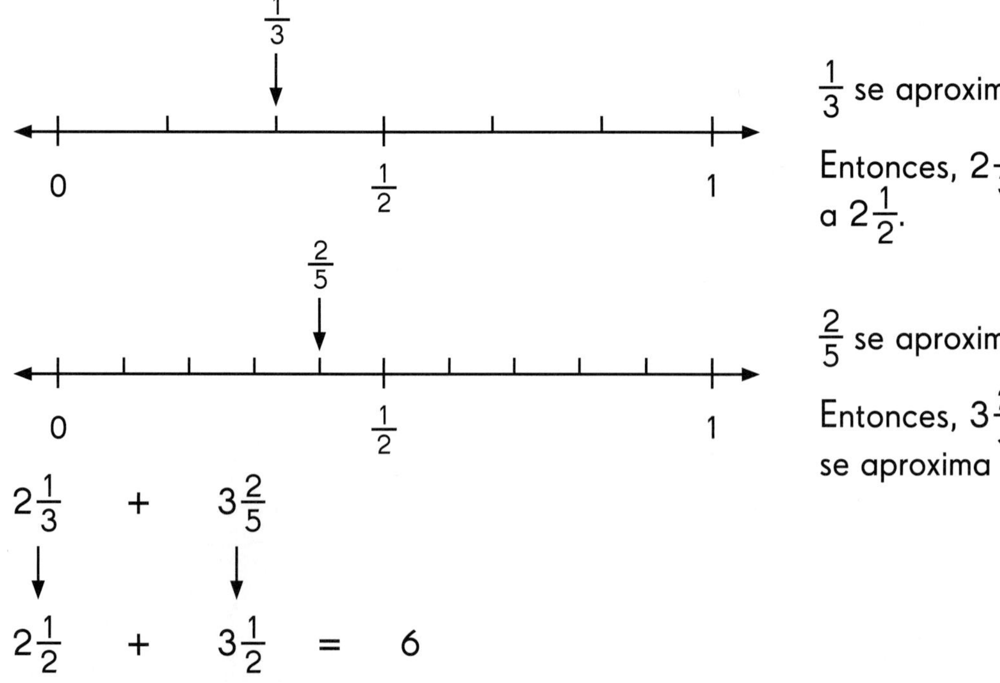

$\frac{1}{3}$ se aproxima a $\frac{1}{2}$.

Entonces, $2\frac{1}{3}$ se aproxima a $2\frac{1}{2}$.

$\frac{2}{5}$ se aproxima a $\frac{1}{2}$.

Entonces, $3\frac{2}{5}$ se aproxima a $3\frac{1}{2}$.

$2\frac{1}{3} + 3\frac{2}{5}$

$2\frac{1}{2} + 3\frac{1}{2} = 6$

La suma de $2\frac{1}{3}$ y $3\frac{2}{5}$ se aproxima a 6.

Práctica con supervisión

Usa puntos de referencia para estimar cada suma.

3. $6\frac{7}{12} + 9\frac{3}{8}$

4. $11\frac{5}{6} + 5\frac{5}{9}$

5. $8\frac{3}{7} + 10\frac{1}{9}$

6. $32\frac{1}{5} + 14\frac{9}{10}$

7. $16\frac{9}{11} + 37\frac{2}{5}$

Exploremos

1. Sin resolver, ¿crees que la suma de $1\frac{1}{4}$ y $3\frac{4}{9}$ es menor que 5? Explica tu razonamiento.

2. ¿Crees que la suma de $3\frac{5}{9}$ y $2\frac{7}{12}$ es mayor que 6? Explica tu razonamiento.

3. ¿Puedes decir si la suma de $3\frac{3}{8}$ y $5\frac{3}{5}$ es mayor o menor que 9 haciendo una estimación? Explica tu razonamiento.

Practiquemos

Suma. Escribe cada respuesta en su mínima expresión.

1. $1\frac{1}{4} + 2\frac{2}{5}$

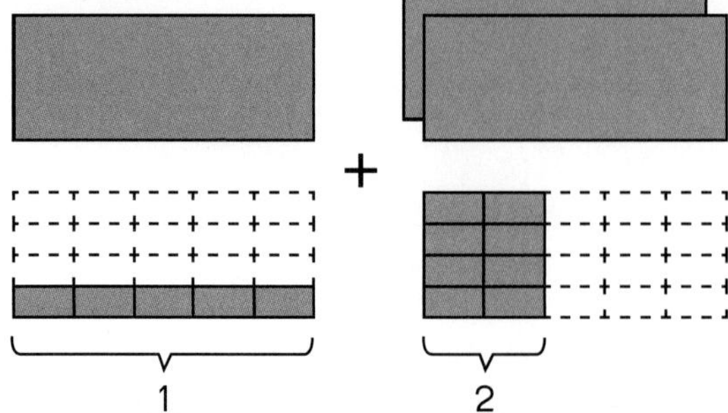

2. $3\frac{3}{8} + 4\frac{1}{3}$

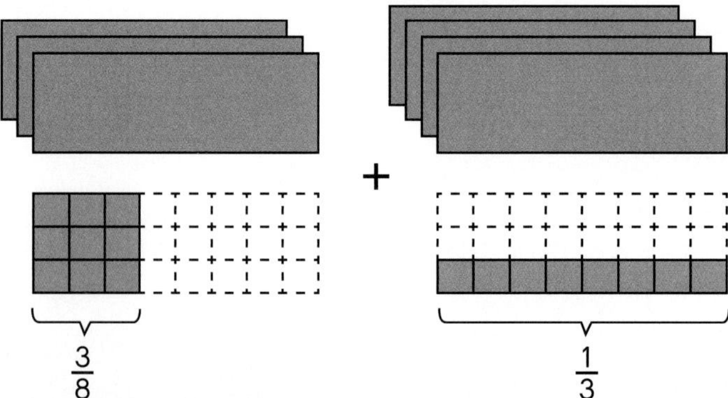

3. $5\frac{5}{6} + 3\frac{5}{12}$

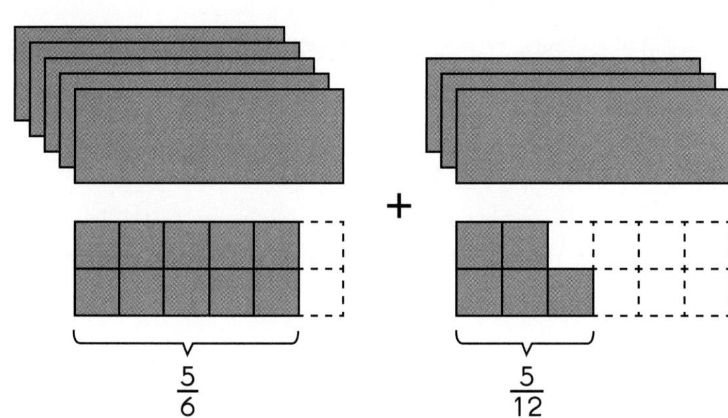

4. $1\frac{3}{5} + 2\frac{3}{8}$

5. $3\frac{3}{4} + 5\frac{2}{7}$

6. $5\frac{1}{6} + 2\frac{8}{9}$

Usa puntos de referencia para estimar cada suma.

7. $1\frac{3}{5} + 3\frac{4}{7}$

8. $5\frac{1}{8} + 7\frac{1}{12}$

9. $43\frac{5}{6} + 69\frac{5}{12}$

POR TU CUENTA

Ver Cuaderno de actividades A:
Práctica 5, págs. 109 a 112

Lección 3.6 Restar números mixtos

Objetivos de la lección

- Restar números mixtos convirtiéndolos o sin convertirlos.
- Estimar diferencias entre números mixtos.

Aprende — Resta sin convertir los números mixtos.

Kim compra $2\frac{3}{4}$ yardas de tela. Corta $1\frac{1}{8}$ yardas para hacer un vestido. ¿Cuánta tela le queda?

$2\frac{3}{4} - 1\frac{1}{8} = ?$

Para restar, expresa primero las partes fraccionarias en forma de fracciones semejantes. Luego, resta las partes fraccionarias antes de restar los números enteros.

$2\frac{3}{4} - 1\frac{1}{8} = 2\frac{6}{8} - 1\frac{1}{8}$

$= 1\frac{5}{8}$

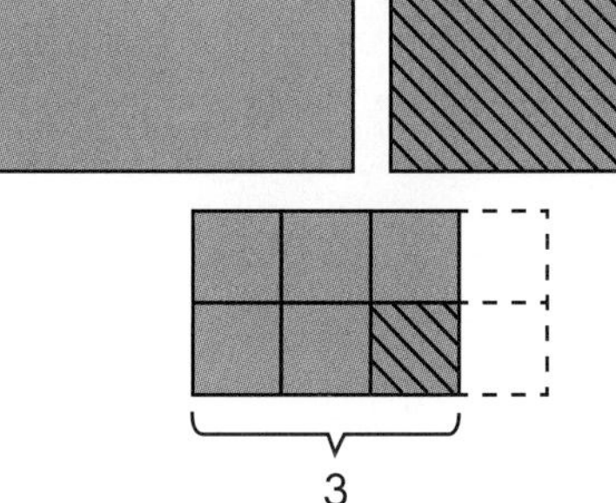

$\frac{3}{4} = \frac{6}{8}$ (×2, ×2)

Le quedan $1\frac{5}{8}$ yardas de tela.

Práctica con supervisión

Resta.

1 $5\frac{5}{9} - 2\frac{1}{3} = 5\frac{?}{9} - 2\frac{?}{?}$

$= ?\frac{?}{?}$

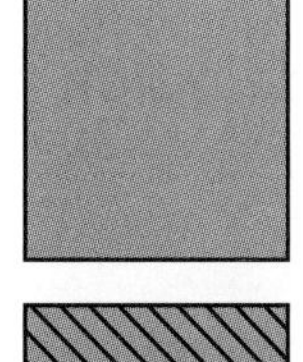
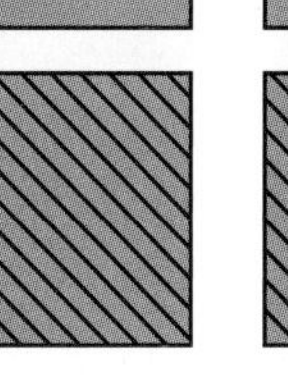
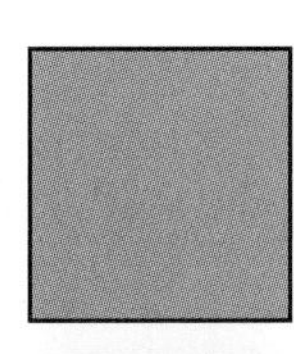
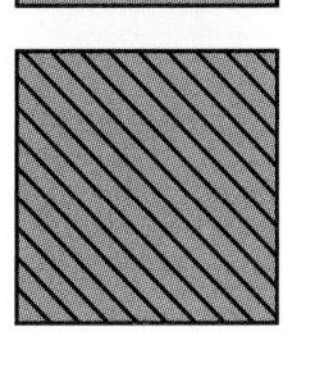

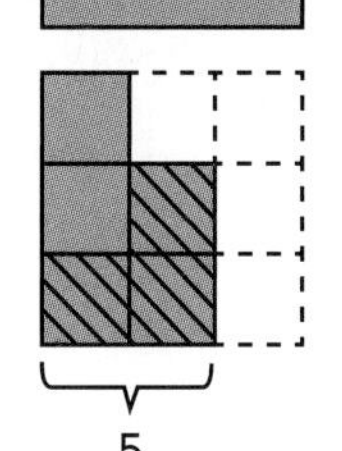

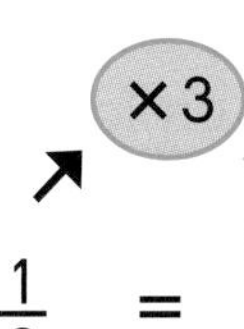
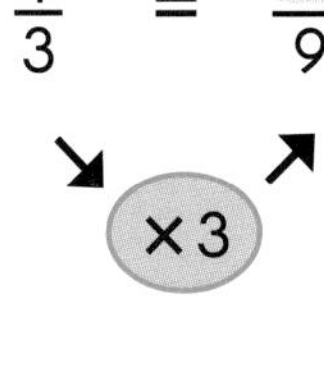

$\frac{1}{3} = \frac{?}{9}$ (×3, ×3)

2 $3\frac{4}{5} - 2\frac{1}{2} = \square\frac{\square}{\square} - \square\frac{\square}{\square}$

$= \square\frac{\square}{\square}$

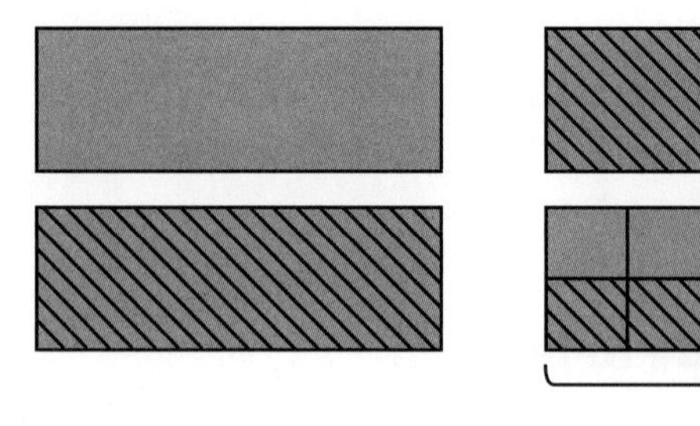

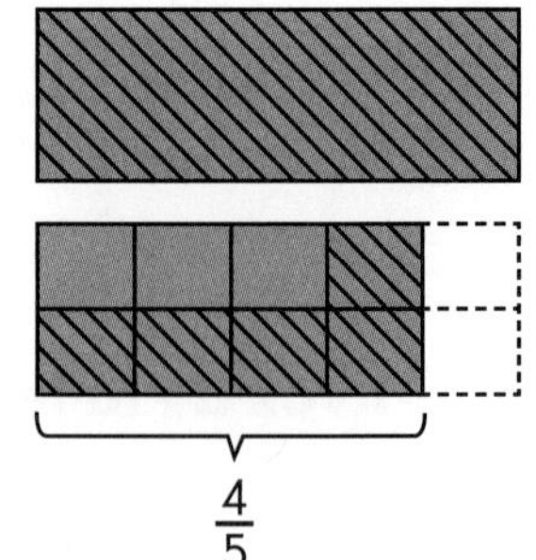

Aprende

Resta convirtiendo los números mixtos.

Una botella contiene $3\frac{1}{3}$ cuartos de galón de jugo. Margarita usa $1\frac{3}{8}$ cuartos de galón de jugo para hacer un jugo de frutas. ¿Cuánto jugo queda en la botella?

$3\frac{1}{3} - 1\frac{3}{8} = ?$

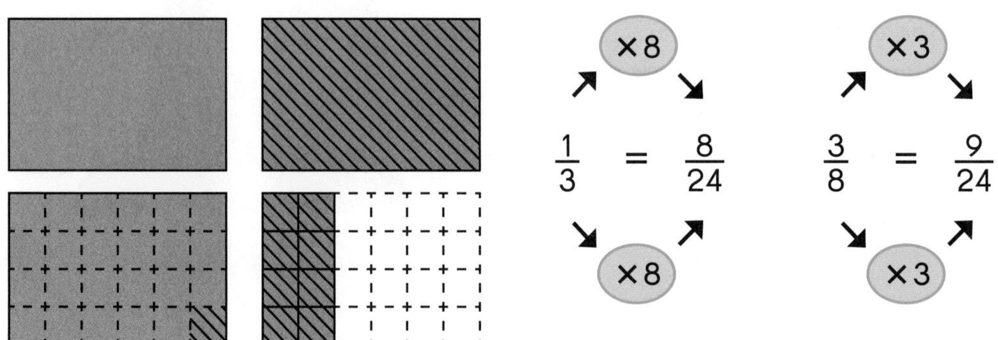

$3\frac{1}{3} - 1\frac{3}{8} = 3\frac{8}{24} - 1\frac{9}{24}$

$= 2\frac{32}{24} - 1\frac{9}{24}$

$= 1\frac{23}{24}$

No se puede restar $\frac{9}{24}$ de $\frac{8}{24}$. Convierte $3\frac{8}{24}$.

$3\frac{8}{24} = 2 + \frac{24}{24} + \frac{8}{24}$

$= 2\frac{32}{24}$

En la botella quedan $1\frac{23}{24}$ cuartos de galón de jugo.

Práctica con supervisión

Halla la diferencia entre los números mixtos.

3 $4\frac{5}{9} - 3\frac{5}{6}$

$= 4\frac{\square}{\square} - 3\frac{\square}{\square}$

$= \square\frac{\square}{\square} - \square\frac{\square}{\square}$

$= \frac{\square}{\square}$

$\frac{5}{9}$

$\frac{5}{9} = \frac{\square}{18}$ (×2)

$\frac{5}{6} = \frac{\square}{\square}$ (×3)

Aprende

Usa puntos de referencia para estimar diferencias entre números mixtos.

Estima la diferencia entre $4\frac{7}{8}$ y $3\frac{5}{12}$.

Compara la parte fraccionaria de cada número mixto con los puntos de referencia, 0, $\frac{1}{2}$ y 1.

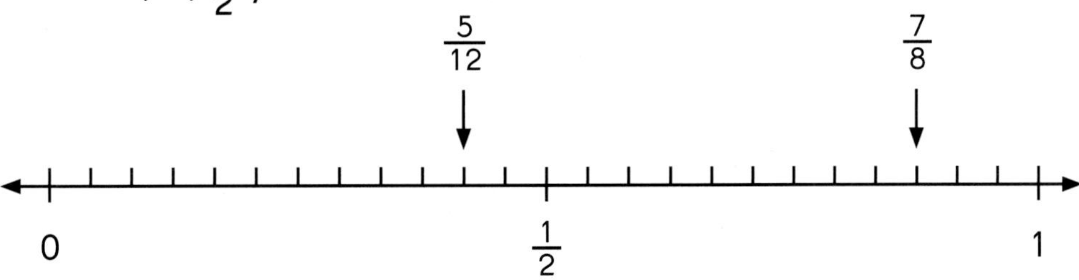

$\frac{7}{8}$ se aproxima a 1. Entonces, $4\frac{7}{8}$ se aproxima a 5.

$\frac{5}{12}$ se aproxima a $\frac{1}{2}$. Entonces, $3\frac{5}{12}$ se aproxima a $3\frac{1}{2}$.

$4\frac{7}{8} - 3\frac{5}{12}$

$5 - 3\frac{1}{2} = 1\frac{1}{2}$

La diferencia entre $4\frac{7}{8}$ y $3\frac{5}{12}$ se aproxima a $1\frac{1}{2}$.

Práctica con supervisión

Usa puntos de referencia para estimar cada diferencia.

4. $7\frac{7}{9} - 3\frac{4}{7}$

5. $23\frac{2}{5} - 17\frac{1}{6}$

Practiquemos

Resta. Escribe cada diferencia en su mínima expresión.

1. $3\frac{3}{4} - 1\frac{1}{2}$

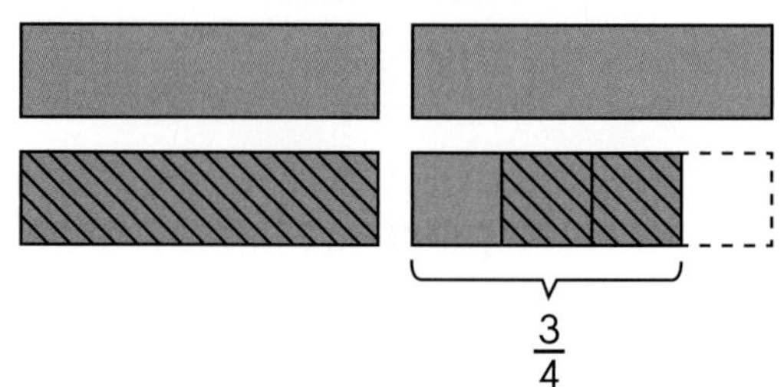

2. $5\frac{5}{6} - 2\frac{2}{3}$

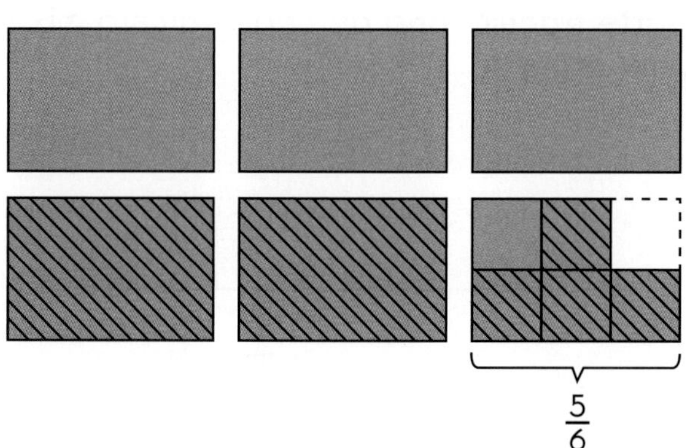

3. $4\frac{3}{8} - 1\frac{3}{4}$

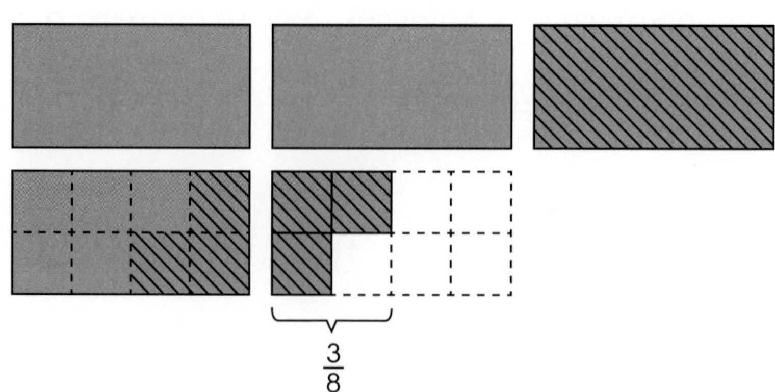

4 $3\frac{1}{4} - 1\frac{1}{3}$

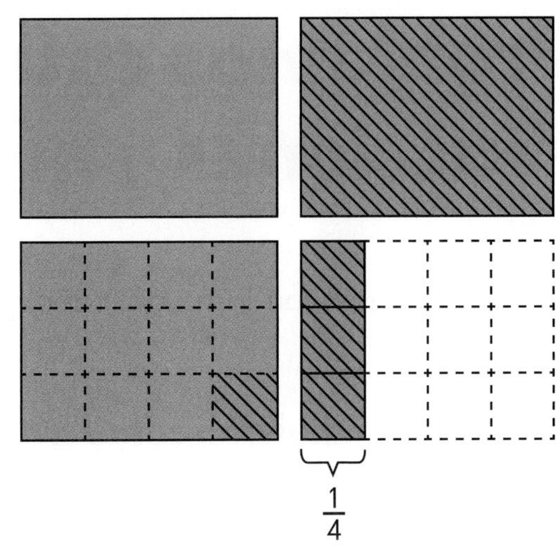

5 $4\frac{1}{6} - 3\frac{5}{8}$

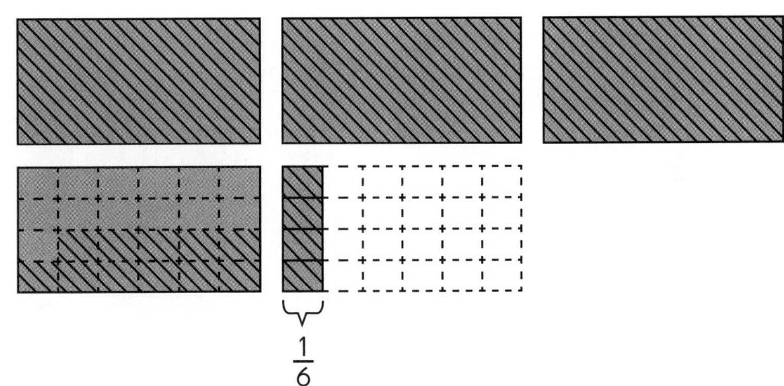

6 $7\frac{2}{3} - 4\frac{1}{2}$

7 $9\frac{4}{7} - 2\frac{1}{3}$

8 $6\frac{1}{10} - 3\frac{1}{5}$

9 $4\frac{1}{2} - 1\frac{7}{8}$

10 $5\frac{1}{4} - 2\frac{1}{3}$

11 $12\frac{7}{12} - 5\frac{8}{9}$

Usa puntos de referencia para estimar cada diferencia.

12 $6\frac{7}{10} - 4\frac{3}{5}$

13 $39\frac{4}{5} - 13\frac{5}{9}$

POR TU CUENTA

Ver Cuaderno de actividades A: Práctica 6, págs. 113 a 116

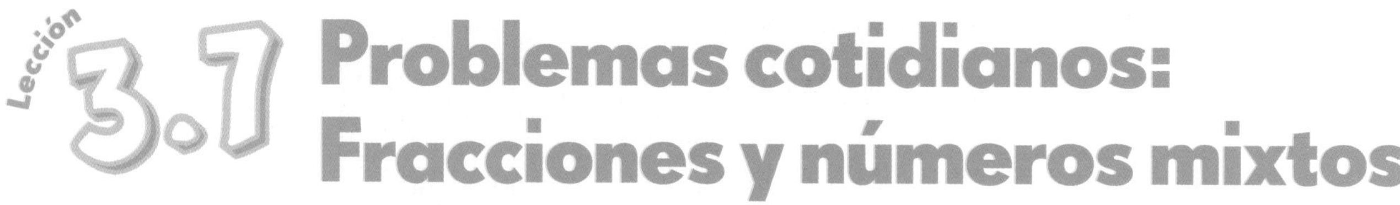

Lección 3.7 Problemas cotidianos: Fracciones y números mixtos

Objetivo de la lección

- Resolver problemas cotidianos que incluyan fracciones y números mixtos.

Aprende Escribe expresiones de división como fracciones y números mixtos.

Gina hornea 5 bandejas de lasaña. Divide cada una de las 5 bandejas en 3 porciones iguales. ¿Cuántas bandejas hay en cada porción?

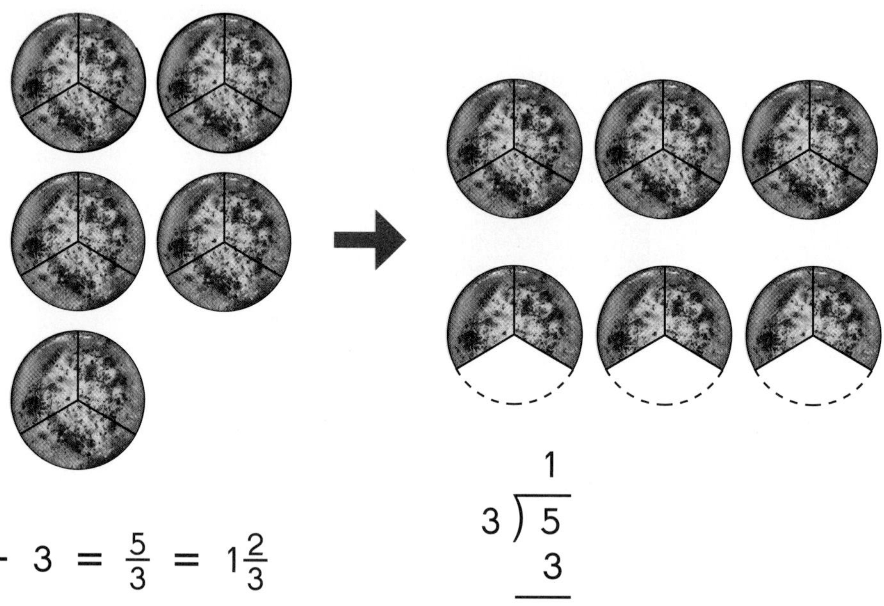

$$5 \div 3 = \frac{5}{3} = 1\frac{2}{3}$$

$$\begin{array}{r} 1 \\ 3\overline{)5} \\ \underline{3} \\ 2 \end{array}$$

En cada porción hay $1\frac{2}{3}$ bandejas.

Práctica con supervisión

Resuelve.

1. Jerry reparte 12 cuartos de galón de agua mineral en partes iguales en 5 botellas. ¿Cuánta agua hay en cada botella?

$\square \div \square = \frac{\square}{\square} = \square\frac{\square}{\square}$

En cada botella hay $\square\frac{\square}{\square}$ cuartos de galón de agua.

Haz un modelo para resolver problemas de un paso.

Adam esperaba hacer la tarea en $\frac{4}{5}$ de hora. La terminó en $\frac{3}{4}$ de hora. ¿Cuánto más rápido de lo que esperaba terminó Adam su tarea?

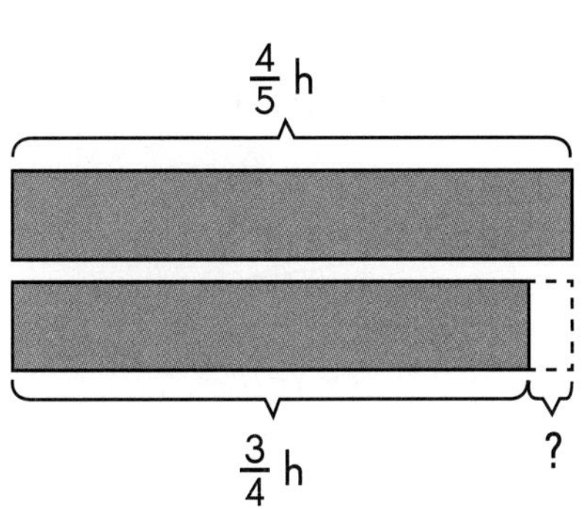

$$\frac{4}{5} - \frac{3}{4} = \frac{16}{20} - \frac{15}{20}$$
$$= \frac{1}{20}$$

Adam terminó su tarea $\frac{1}{20}$ de hora más rápido.

Práctica con supervisión

Resuelve.

2 Lisa tiene $1\frac{2}{9}$ libras de duraznos. Compra otras $2\frac{1}{6}$ libras de duraznos. ¿Cuántas libras de duraznos tiene Lisa ahora?

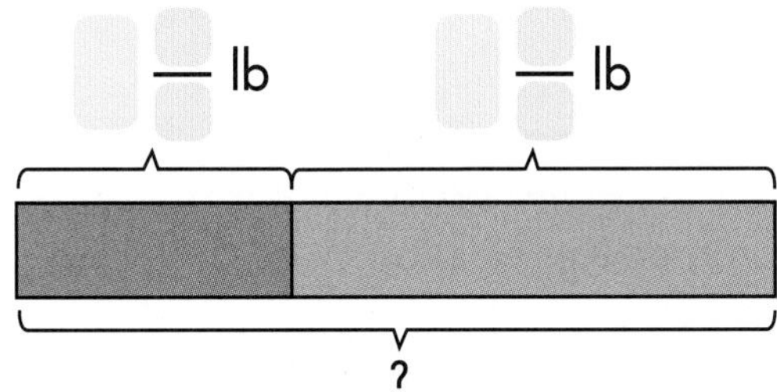

$\square\frac{\square}{\square} + \square\frac{\square}{\square} = \square\frac{\square}{\square} + \square\frac{\square}{\square}$

$= \square\frac{\square}{\square}$

Lisa tiene $\square\frac{\square}{\square}$ libras de duraznos.

Haz un modelo para resolver problemas de dos pasos.

Megan gastó $\frac{1}{6}$ de su dinero en comida y $\frac{5}{8}$ de su dinero en ropa nueva. ¿Qué fracción de dinero le queda a Megan?

$\frac{1}{6} = \frac{4}{24}$ $\frac{5}{8} = \frac{15}{24}$

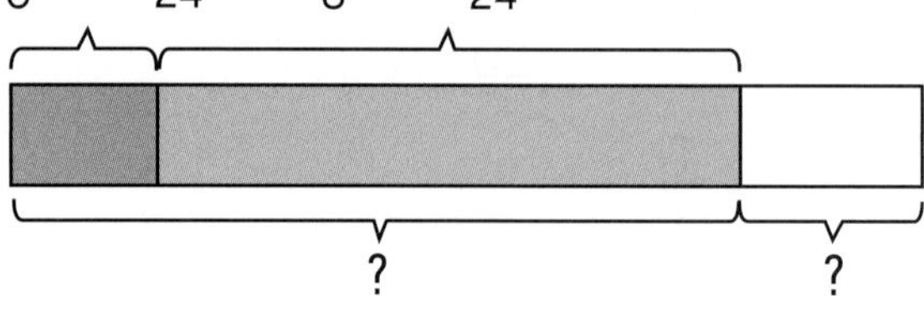

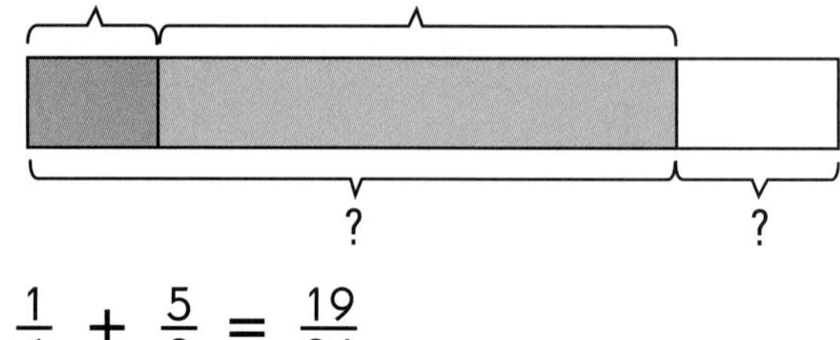

$\frac{1}{6} + \frac{5}{8} = \frac{19}{24}$

Megan gastó $\frac{19}{24}$ de su dinero en comida y en ropa nueva.

$1 - \frac{19}{24} = \frac{5}{24}$

Le quedan $\frac{5}{24}$ de dinero.

Práctica con supervisión

Resuelve.

3 Claire tardó $2\frac{3}{4}$ horas en leer un libro. Su hermano, Dani, tardó $\frac{2}{3}$ de hora menos en leer su libro. En total, ¿cuánto tiempo dedicaron a leer sus libros?

$2\frac{3}{4}$ h

Claire

Dani

? $\frac{2}{3}$ h

Primero, halla el tiempo que Dani tardó en leer el libro.

$2\frac{3}{4} - \frac{2}{3} = \square\frac{\square}{\square}$

Dani leyó su libro en $\square\frac{\square}{\square}$ horas.

$2\frac{3}{4} + \square\frac{\square}{\square} = \square\frac{\square}{\square}$

Claire y Dani dedicaron un total de $\square\frac{\square}{\square}$ horas a leer sus libros.

Practiquemos

Resuelve. Muestra el proceso.

1. La gerente de compras recibe 5 cajas de frijoles verdes. Cada caja pesa 7 libras. Ella divide la cantidad total de frijoles verdes en 3 montones de igual peso. ¿Cuánto pesa cada montón de frijoles?

2. Nisha gastó $\frac{1}{4}$ de su dinero el lunes y $\frac{7}{10}$ el martes. ¿Qué fracción de su dinero gastó Nisha en los dos días?

3. Hoy, Luis bebió $1\frac{2}{3}$ de cuarto de galón de agua. Bebió $\frac{2}{5}$ de cuarto de galón de agua menos que Sarita. ¿Cuántos cuartos de galón de agua bebió Sarita hoy?

4. Kathy usa $2\frac{5}{9}$ libras de harina para hornear alimentos. Usa $\frac{5}{6}$ libras más de harina que Diana. ¿Cuántas libras de harina usa Diana?

5. La familia Lido tiene $2\frac{1}{2}$ pintas de jugo de manzana. Beben $\frac{7}{8}$ de pinta de jugo el lunes y $\frac{5}{12}$ de pinta de jugo el martes. ¿Cuántas pintas de jugo de manzana quedan?

6. En un mercado venden $5\frac{2}{3}$ libras de arándanos por la mañana. Por la tarde venden $\frac{11}{12}$ de libra menos de los que vendieron por la mañana. ¿Cuántas libras de arándanos venden en total por la mañana y por la tarde?

POR TU CUENTA

Ver Cuaderno de actividades A: Prácticas 7 y 8, págs. 117 a 128

LECTURA Y ESCRITURA
Diario de matemáticas

Lina, Marta y Noé sumaron cada uno estas fracciones.

$$\frac{5}{6} + \frac{7}{9} = ?$$

Resultado de Lina: $\frac{12}{15}$ Resultado de Marta: $2\frac{9}{18}$ Resultado de Noé: $1\frac{11}{18}$

Dos de los tres resultados son incorrectos.

a ¿Quiénes obtuvieron resultados incorrectos?

b Explica por qué.

Para sumar $\frac{5}{6}$ y $\frac{7}{9}$, tengo que convertir las fracciones a fracciones semejantes.

6, 12, 18, 24, 30, ...
9, 18, 27, 36, 45, ...

El mínimo común múltiplo de 6 y 9 es ___.

El mínimo común denominador de $\frac{5}{6}$ y $\frac{7}{9}$ es ___.

$\frac{5}{6} + \frac{7}{9} = \frac{\square}{\square} + \frac{\square}{\square}$

$= \frac{\square}{\square}$

$= \square\frac{\square}{\square}$

El resultado correcto debería ser $\square\frac{\square}{\square}$.

Puedo comparar los resultados de Lina, Marta y Noé con $\square\frac{\square}{\square}$ para identificar los resultados incorrectos.

DESTREZAS DE RAZONAMIENTO CRÍTICO

¡Ponte la gorra de pensar!

RESOLUCIÓN DE PROBLEMAS

Jackie tiene dos botellas del mismo tamaño. La primera botella contiene 1 cuarto de galón de agua. La segunda botella contiene $\frac{5}{9}$ de cuarto de galón de agua. ¿Qué cantidad de agua debe verter Jackie de la primera botella a la segunda para que ambas botellas contengan la misma cantidad de agua? Expresa tu respuesta en forma de fracción. Usa modelos de barras para explicar tu respuesta.

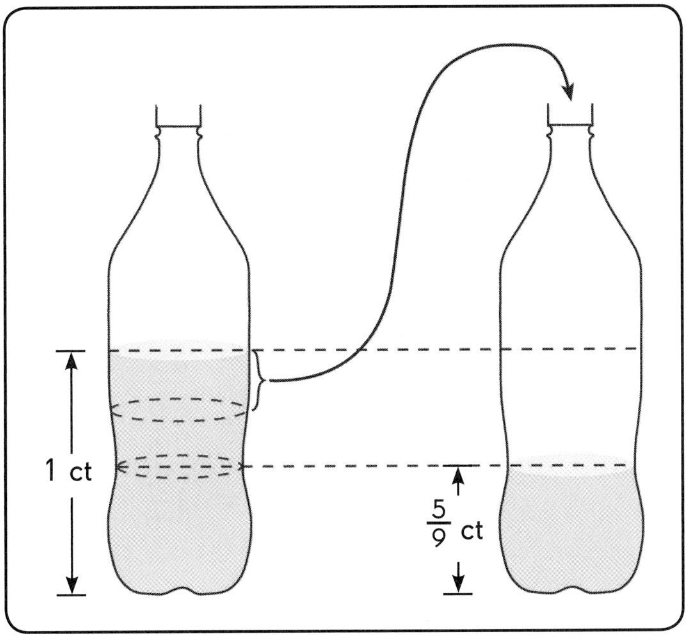

1 ct

$\frac{5}{9}$ ct

POR TU CUENTA

Ver Cuaderno de actividades A: ¡Ponte la gorra de pensar! págs. 129 a 130

Resumen del capítulo

Guía de estudio

Has aprendido...

Fracciones y números mixtos

Suma y resta fracciones no semejantes

Halla el mínimo común múltiplo de los denominadores. Úsalo para convertir las fracciones a fracciones semejantes. Luego suma o resta.

$\frac{1}{4} + \frac{1}{6} = ?$

Múltiplos de 4: 4, 8, 12, ...
Múltiplos de 6: 6, 12, ...
12 es el mínimo común múltiplo de 4 y 6.

$\frac{1}{4} + \frac{1}{6} = \frac{3}{12} + \frac{2}{12}$
$= \frac{5}{12}$

Suma y resta números mixtos

Primero convierte las partes fraccionarias a fracciones semejantes. Luego suma o resta las partes fraccionarias antes de sumar o restar los números enteros.

Sin convertir	Convirtiendo
$3\frac{1}{2} - 1\frac{1}{3}$	$3\frac{1}{2} - 1\frac{2}{3}$
$= 3\frac{3}{6} - 1\frac{2}{6}$	$= 3\frac{3}{6} - 1\frac{4}{6}$
$= 2\frac{1}{6}$	$= 2\frac{9}{6} - 1\frac{4}{6}$
	$= 1\frac{5}{6}$

Usa puntos de referencia para estimar sumas y diferencias

$\frac{4}{9} - \frac{7}{12}$	$2\frac{7}{8} + 2\frac{3}{5}$
↓ ↓	↓ ↓
$\frac{1}{2} - \frac{1}{2} = 0$	$3 + 2\frac{1}{2} = 5\frac{1}{2}$

Idea importante

▶ Suma y resta fracciones no semejantes y números mixtos, expresando las fracciones en forma de fracciones semejantes.

Fracciones, números mixtos y expresiones de división

Escribe las expresiones de división en forma de fracciones o números mixtos.

$$10 \div 6 = \frac{10 \div 2}{6 \div 2}$$
$$= \frac{5}{3}$$
$$= 1\frac{2}{3}$$

Escribe las fracciones en forma de expresiones de división.

$$\frac{4}{5} = 4 \div 5$$

Escribir fracciones, expresiones de división y números mixtos en forma de decimal

Expresa una fracción en forma de decimal hallando una fracción equivalente con un denominador de 10 ó 100.

$$\frac{20}{25} = \frac{20 \times 4}{25 \times 4}$$
$$= \frac{80}{100}$$
$$= 0.8$$

Escribe las expresiones de división y los números mixtos como decimales.

$$5 \div 4 = \frac{5}{4}$$
$$= 1 + \frac{1}{4}$$
$$= 1 + 0.25$$
$$= 1.25$$

Resolver problemas cotidianos

Repaso/Prueba del capítulo

Vocabulario

Elige la palabra correcta.

múltiplo	mínimo común múltiplo
mínimo común denominador	fracciones equivalentes
punto de referencia	expresión de división
número mixto	

1 El primer mútiplo que dos números tienen en común se llama ____.

2 $\frac{3}{4}$ y $\frac{6}{8}$ son ____. $2\frac{2}{3}$ es una ____.

3 Cuando estimas con fracciones, aproximas cada fracción al ____ más cercano.

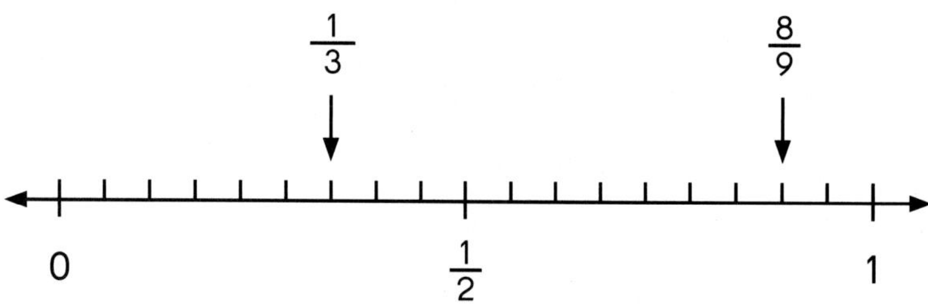

$\frac{1}{3}$ se aproxima a $\frac{1}{2}$ y $\frac{8}{9}$ se aproxima a 1.

$\frac{1}{3} + \frac{8}{9}$

$\rightarrow \frac{1}{2} + 1$

$= 1\frac{1}{2}$

La suma de $\frac{1}{3}$ y $\frac{8}{9}$ se aproxima a $1\frac{1}{2}$.

4 $7 \div 6$ es a ____.

Conceptos y destrezas

Suma o resta. Escribe cada suma o diferencia en su mínima expresión.

5 $\frac{1}{2} + \frac{3}{7}$

6 $\frac{1}{6} + \frac{3}{10}$

7 $\frac{7}{8} - \frac{1}{2}$

8 $\frac{7}{9} - \frac{1}{4}$

Usa puntos de referencia para estimar cada suma o diferencia.

9 $\frac{4}{9} - \frac{3}{7}$

10 $\frac{7}{9} + \frac{4}{7} + \frac{1}{6}$

Escribe cada expresión de división en forma de fracción o número mixto en su mínima expresión.

11. $6 \div 8$

12. $10 \div 3$

Expresa cada fracción en forma de decimal.

13. $\frac{1}{4}$

14. $\frac{18}{25}$

Expresa en forma de número mixto y en forma de decimal.

15. $21 \div 5$

16. $\frac{42}{8}$

Suma o resta. Escribe cada suma o diferencia en su mínima expresión.

17. $1\frac{2}{9} + 1\frac{1}{6}$

18. $3\frac{4}{5} + 2\frac{1}{2}$

19. $6\frac{3}{4} - 1\frac{1}{2}$

20. $5\frac{2}{9} - 3\frac{1}{3}$

Usa puntos de referencia para estimar cada suma o diferencia.

21. $4\frac{3}{5} + 2\frac{3}{8}$

22. $8\frac{11}{12} - 2\frac{11}{20}$

Resolución de problemas

Resuelve. Muestra el proceso.

23. Audrey compró 7 libras de manzanas cortadas en cubitos y las repartió en partes iguales entre 4 amigas.

a. ¿Cuántas libras de manzana recibió cada persona?

b. Dos de las amigas unieron sus porciones y las donaron al comedor comunitario. ¿Cuántas libras de manzanas donaron al comedor comunitario?

c. Audrey usó $1\frac{2}{3}$ de libra de las manzanas que las dos amigas donaron al comedor comunitario para hacer compota de manzana y usó el resto para hacer pasteles de manzana. ¿Cuántas libras de manzanas usó Audrey para hacer pasteles de manzana?

Multiplicar y dividir fracciones y números mixtos

Lecciones

4.1 Multiplicar fracciones propias

4.2 Problemas cotidianos: Multiplicar con fracciones propias

4.3 Multiplicar fracciones impropias por fracciones

4.4 Multiplicar números mixtos y números enteros

4.5 Problemas cotidianos: Multiplicar con números mixtos

4.6 Dividir una fracción entre un número entero

4.7 Problemas cotidianos: Multiplicar y dividir con fracciones

Idea importante

- Los números enteros, las fracciones y los números mixtos se pueden multiplicar o dividir en cualquier combinación.

Recordar conocimientos previos

Hallar fracciones equivalentes

$\frac{3}{4}$ es igual que $\frac{6}{8}$.

$$\frac{3}{4} = \frac{3 \times 2}{4 \times 2}$$
$$= \frac{6}{8}$$

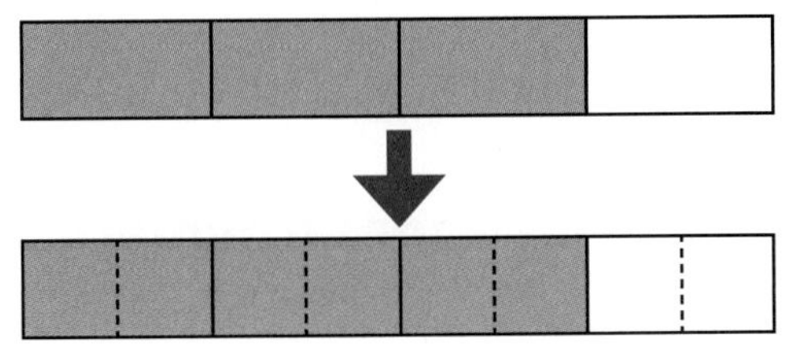

Simplificar fracciones

$$\frac{6}{8} = \frac{6 \div 2}{8 \div 2}$$
$$= \frac{3}{4}$$

← Divide el numerador y el denominador entre su máximo factor común.

Sumar y restar fracciones

$\frac{1}{4} + \frac{2}{4} = \frac{3}{4}$

$\frac{2}{5} + \frac{3}{10} = \frac{4}{10} + \frac{3}{10}$
$= \frac{7}{10}$

$\frac{4}{5} - \frac{3}{5} = \frac{1}{5}$

$\frac{7}{9} - \frac{2}{3} = \frac{7}{9} - \frac{6}{9}$
$= \frac{1}{9}$

$1 - \frac{3}{8} = \frac{8}{8} - \frac{3}{8}$
$= \frac{5}{8}$

Expresar fracciones impropias como números mixtos y números mixtos como fracciones impropias

$\frac{10}{3} = \frac{9}{3} + \frac{1}{3}$
$= 3 + \frac{1}{3}$
$= 3\frac{1}{3}$

$3\frac{1}{2} = 3 + \frac{1}{2}$
$= \frac{6}{2} + \frac{1}{2}$
$= \frac{7}{2}$

Expresar fracciones en forma de decimal

$$\frac{1}{4} = \frac{1 \times 25}{4 \times 25}$$
$$= \frac{25}{100}$$
$$= 0.25$$

Multiplicar fracciones por un número entero

$$\frac{2}{5} \times 7 = \frac{2 \times 7}{5}$$
$$= \frac{14}{5}$$
$$= 2\frac{4}{5}$$

Hallar el número de unidades para resolver un problema

Si 7 boletos cuestan \$49, ¿cuánto cuestan 6 boletos?

7 unidades → \$49
1 unidad → \$49 ÷ 7 = \$7
6 unidades → 6 × \$7 = \$42

6 boletos cuestan \$42.

Hacer un modelo para ilustrar lo que se afirma

Tres amigos comparten un sándwich de pavo de un pie de largo. Jeff se come $\frac{1}{2}$ del sándwich. Anne se come $\frac{1}{3}$ del sándwich. Andy se come el resto.

Mínimo común múltiplo: 2 × 3 = 6

$\frac{1}{2} = \frac{3}{6}$ $\frac{1}{3} = \frac{2}{6}$ $1 - \frac{3}{6} - \frac{2}{6} = \frac{1}{6}$

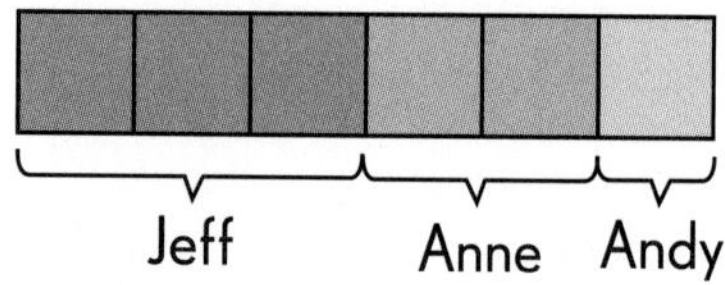

Usar el orden de las operaciones para simplificar expresiones

Simplifica $(32 + 40) - 8 \times 6$.

Primera expresión $\mathbf{(32 + 40)} - 8 \times 6$ ← Realiza las operaciones entre paréntesis primero.

Segunda expresión $\mathbf{72 - 8 \times 6}$ ← Luego multiplica.

Tercera expresión $72 - \mathbf{48}$ ← Por último, resta.

24

✔Repaso rápido

Halla una fracción equivalente.

1. $\frac{2}{3}$
2. $\frac{3}{4}$
3. $\frac{5}{6}$

Simplifica.

4. $\frac{5}{10}$
5. $\frac{15}{25}$
6. $\frac{18}{32}$

Resta.

7. $\frac{2}{3} - \frac{8}{15}$
8. $3 - \frac{5}{7}$
9. $4 - \frac{8}{11}$

Expresa cada fracción impropia en forma de número mixto en su mínima expresión.

10. $\frac{17}{4}$
11. $\frac{22}{6}$
12. $\frac{40}{9}$

Expresa cada número mixto en forma de fracción impropia.

13 $3\frac{3}{7}$

14 $6\frac{5}{9}$

15 $8\frac{2}{5}$

Expresa cada fracción en forma de decimal.

16 $\frac{3}{4}$

17 $\frac{13}{20}$

18 $\frac{21}{25}$

Halla el producto.

19 $\frac{1}{4} \times 12$

20 $\frac{3}{8} \times 10$

21 $\frac{5}{9} \times 24$

Resuelve.

22 Una tienda vende 5 CD por \$15. ¿Cuánto cuestan 3 CD?

5 CD → \$15

1 CD → \$15 ÷ ___ = \$___

3 CD → ___ × \$___ = \$___

3 CD cuestan \$___.

Haz un modelo para mostrar lo que se afirma.

23 Miguel tiene algunas tarjetas de colección. $\frac{1}{2}$ de las tarjetas son tarjetas de béisbol, $\frac{2}{5}$ son tarjetas de fútbol y el resto son tarjetas de básquetbol.

Simplifica.

24 $(60 + 6 \times 80) \div 20$

25 $27 \div (1 + 2) \times 5 - 9$

Multiplicar fracciones propias

Objetivo de la lección

- Multiplicar fracciones propias.

Vocabulario
producto
factor común

Aprende Usa modelos para multiplicar fracciones.

Halla $\frac{1}{2} \times \frac{2}{3}$.

Margie trazó un rectángulo. Sombreó de azul $\frac{2}{3}$ del rectángulo.

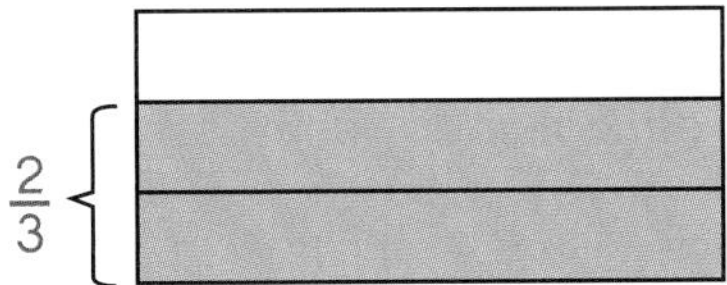

Luego trazó rayas en $\frac{1}{2}$ de las partes sombreadas.

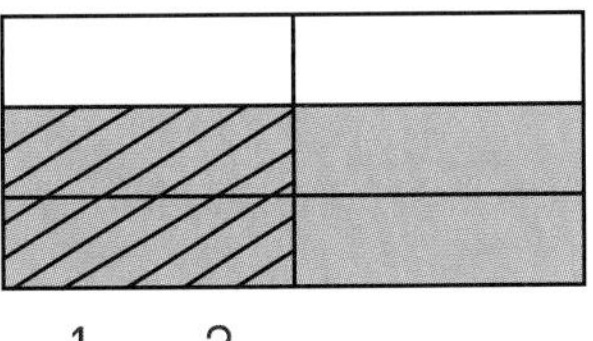

$\frac{1}{2}$ de $\frac{2}{3}$

$\frac{1}{2} \times \frac{2}{3} = \frac{1}{2}$ de $\frac{2}{3}$

$= \frac{2}{6}$ ← Número de partes con rayas / ← Número total de partes

$= \frac{1}{3}$

Paul trazó un rectángulo idéntico. Sombreó de azul $\frac{1}{2}$ del rectángulo.

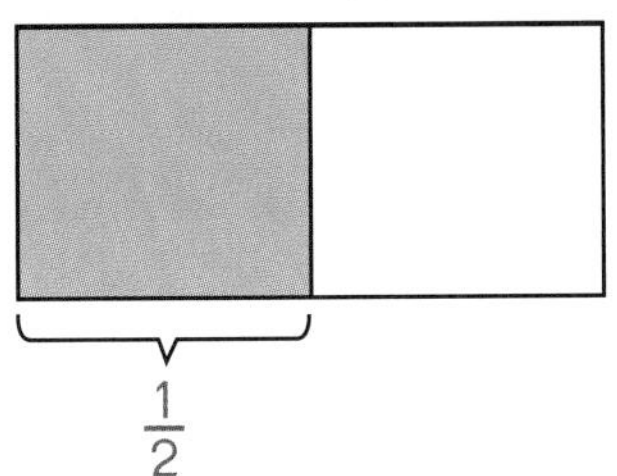

Luego trazó rayas en $\frac{2}{3}$ de la parte sombreada.

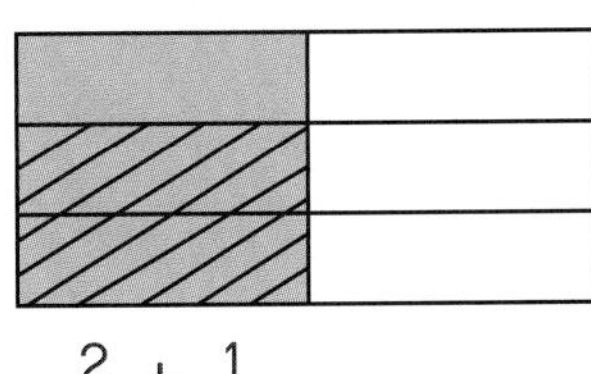

$\frac{2}{3}$ de $\frac{1}{2}$

$\frac{2}{3} \times \frac{1}{2} = \frac{2}{3}$ de $\frac{1}{2}$

$= \frac{2}{6}$ ← Número de partes con rayas / ← Número total de partes

$= \frac{1}{3}$

Margie y Paul obtienen el mismo **producto**: $\frac{1}{3}$.

Entonces, $\frac{1}{2} \times \frac{2}{3} = \frac{2}{3} \times \frac{1}{2}$.

Aprende

Multiplica fracciones sin usar modelos.

Halla $\frac{3}{4} \times \frac{8}{9}$.

Método 1

$\frac{3}{4} \times \frac{8}{9} = \frac{3 \times 8}{4 \times 9}$ ← Multiplica los numeradores. Multiplica los denominadores.

$= \frac{24}{36}$ ← Simplifica el producto.

$= \frac{2}{3}$

Método 2

$\frac{3}{4} \times \frac{8}{9} = \frac{3 \div 3}{4} \times \frac{8}{9 \div 3}$ ← Divide el numerador y el denominador entre el **factor común**, 3.

$= \frac{1}{4 \div 4} \times \frac{8 \div 4}{3}$ ← Divide el numerador y el denominador entre el factor común, 4.

$= \frac{1 \times 2}{1 \times 3}$ ← Multiplica los numeradores. Multiplica los denominadores.

$= \frac{2}{3}$

Regla de la división
Excepto por el cero, cualquier número dividido entre sí mismo dará un cociente de 1.

Entonces, $3 \div 3 = 1$

$4 \div 4 = 1$

Propiedad del 1 de la multiplicación
Cualquier número multiplicado por 1 dará un producto que es igual a sí mismo.

Entonces, $1 \times 2 = 2$

$1 \times 3 = 3$

Práctica con supervisión

Usa modelos para hallar cada producto. Escribe cada producto en su mínima expresión.

1. $\frac{1}{3} \times \frac{3}{4} = \frac{\square}{\square}$

2. $\frac{2}{5} \times \frac{5}{8} = \frac{\square}{\square}$

Halla cada producto en su mínima expresión.

3. $\frac{4}{10} \times \frac{5}{12} = \frac{\square}{\square}$

4. $\frac{3}{10} \times \frac{5}{9} = \frac{\square}{\square}$

Manos a la obra

Materiales:

- papel cuadriculado
- 1 crayola amarilla
- 1 crayola azul

Tracen un cuadrado de 4 × 4 en el papel cuadriculado.

Dividan el cuadrado en cuatro partes iguales con líneas horizontales. Sombreen de amarillo $\frac{3}{4}$ del cuadrado.

Dividan el cuadrado en cuatro partes iguales con líneas verticales. Tracen rayas en $\frac{1}{4}$ de las partes amarillas con una crayola azul.

Usen su modelo como referencia.

Completen: $\frac{1}{4} \times \frac{3}{4} = \frac{\square}{\square}$

Tracen otro cuadrado de 4 × 4.

Dividan el cuadrado en cuatro partes iguales con líneas horizontales. Sombreen de azul $\frac{1}{4}$ del cuadrado.

Dividan el cuadrado en cuatro partes iguales con líneas verticales. Tracen rayas en $\frac{3}{4}$ de las partes azules con una crayola amarilla.

Usen su modelo como referencia.

Completen: $\frac{3}{4} \times \frac{1}{4} = \frac{\square}{\square}$

¿Obtienen el mismo resultado en ambos casos?

¿Qué pueden decir sobre $\frac{1}{4} \times \frac{3}{4}$ y $\frac{3}{4} \times \frac{1}{4}$?

Exploremos

1 Halla el producto de cada par de números.

$3 \times 4 =$ ___ $5 \times 17 =$ ___

$9 \times 8 =$ ___ $12 \times 7 =$ ___

Observa que cada producto es mayor que cada uno de sus factores. Explica por qué.

2 Halla el producto de cada par de fracciones.

$\frac{1}{2} \times \frac{3}{4} = \frac{\square}{\square}$ $\frac{3}{4} \times \frac{4}{5} = \frac{\square}{\square}$

$\frac{2}{7} \times \frac{3}{4} = \frac{\square}{\square}$ $\frac{1}{6} \times \frac{5}{9} = \frac{\square}{\square}$

Observa que cada producto es menor que cada uno de sus factores. Explica por qué.

Practiquemos

Halla cada producto en su mínima expresión.

1 $\frac{1}{3} \times \frac{6}{7}$

2 $\frac{6}{8} \times \frac{4}{9}$

3 $\frac{10}{15} \times \frac{3}{4}$

4 $\frac{7}{10}$ de $\frac{5}{10}$

5 $\frac{3}{8}$ de $\frac{4}{6}$

6 $\frac{7}{12}$ de $\frac{9}{14}$

POR TU CUENTA

Ver Cuaderno de actividades A: Práctica 1, págs. 131 a 132

Problemas cotidianos: Multiplicar con fracciones propias

Objetivo de la lección

- Resolver problemas cotidianos que incluyan la multiplicación de fracciones propias.

Multiplica fracciones para resolver problemas cotidianos.

Maurice tiene $\frac{3}{4}$ cuartos de galón de caldo de pollo. Usa $\frac{2}{3}$ para hacer sopa.

a ¿Cuánto caldo de pollo usa para hacer la sopa?

b ¿Cuánto caldo de pollo le queda?

Método 1

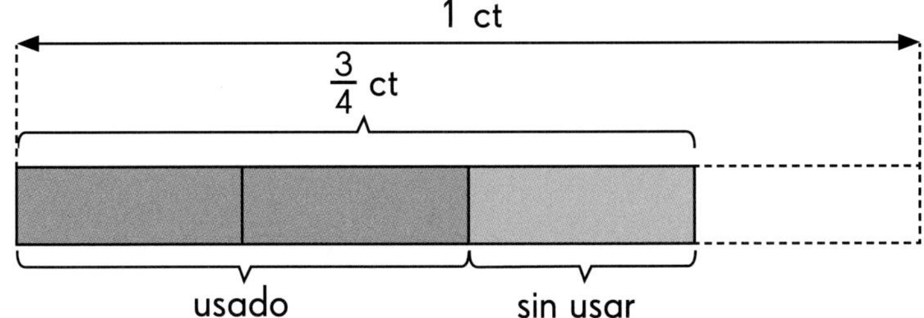

El modelo muestra que:

4 unidades → 1 ct

1 unidad → $\frac{1}{4}$ ct

2 unidades → $\frac{1}{2}$ ct

a Maurice usa $\frac{1}{2}$ cuarto de galón de caldo de pollo para hacer la sopa.

b Le queda $\frac{1}{4}$ cuarto de galón de caldo de pollo.

Método 2

a $\frac{2}{3} \times \frac{3}{4} = \frac{6}{12} = \frac{1}{2}$

Maurice usa $\frac{1}{2}$ cuarto de galón de caldo de pollo para hacer la sopa.

b $\frac{3}{4} - \frac{1}{2} = \frac{3}{4} - \frac{2}{4}$

$= \frac{1}{4}$

Le queda $\frac{1}{4}$ cuarto de galón de caldo de pollo.

Práctica con supervisión

Resuelve.

1 Michelle tiene $\frac{4}{5}$ de galón de pintura y usa $\frac{3}{4}$ para pintar una puerta.

a ¿Cuánta pintura usa?

b ¿Cuánta pintura le sobra?

Método 1

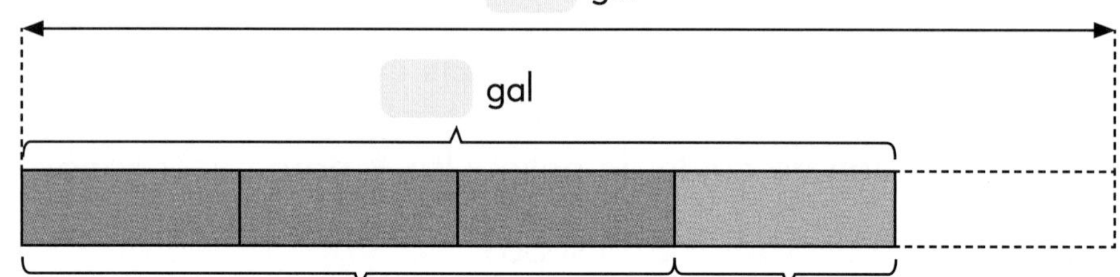

El modelo muestra que:

☐ unidades → ☐ gal

☐ unidad → $\frac{☐}{☐}$ gal

☐ unidades → $\frac{☐}{☐}$ gal

a Michelle usa $\frac{☐}{☐}$ de galón de pintura.

b Le sobra $\frac{☐}{☐}$ de galón de pintura.

Método 2

a $\frac{3}{4} \times \frac{☐}{☐} = \frac{12}{20}$

$= \frac{☐}{☐}$

Michelle usa $\frac{☐}{☐}$ de galón de pintura.

b $\frac{4}{5} - \frac{☐}{☐} = \frac{☐}{☐}$

Le sobra $\frac{☐}{☐}$ de galón de pintura.

Da la respuesta en forma de residuo fraccionario.

Len recibió dinero por un trabajo temporal. Ahorró $\frac{1}{4}$ del dinero, gastó $\frac{4}{9}$ del residuo en un DVD y gastó el resto en una camiseta.

a ¿Qué fracción de su dinero gastó en el DVD?

b ¿Qué fracción de su dinero gastó en la camiseta?

Método 1

$1 - \frac{1}{4} = \frac{3}{4}$

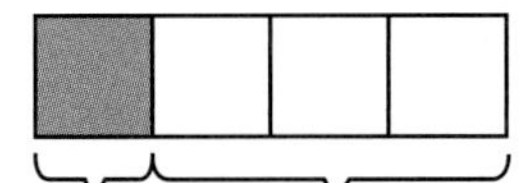

Residuo ⟶ 3 partes

Para mostrar que $\frac{4}{9}$ del residuo se gastaron en el DVD, también tengo que dividir el residuo en 9 partes.

Mínimo común múltiplo de 3 y 9 = 9

Usando fracciones equivalentes:

$$\frac{3}{4} = \frac{9}{12} \quad (\times 3)$$

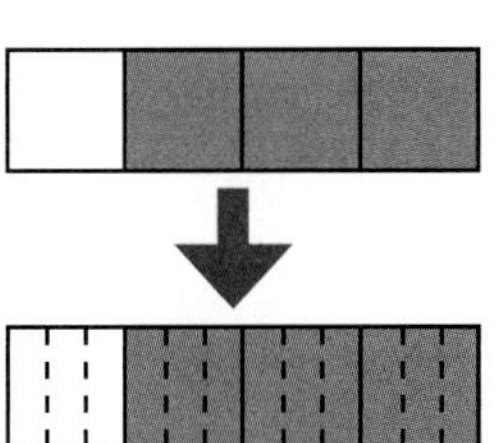

Necesito hacer un modelo con 12 unidades iguales para ilustrar el problema.

ahorrado | gastó en el DVD | gastó en la camiseta

$\frac{1}{4}$ de 12 unidades = 3 unidades

$\frac{4}{9}$ de 9 unidades = 4 unidades

El modelo muestra que:

Número de unidades que gastó en el DVD = 4

Número de unidades que gastó en la camiseta = 5

Número total de unidades en 1 entero = 12

a $\frac{4}{12} = \frac{1}{3}$

Len gastó $\frac{1}{3}$ de su dinero en el DVD.

b Len gastó $\frac{5}{12}$ de su dinero en la camiseta.

Método 2

a $1 - \frac{1}{4} = \frac{3}{4}$

A Len le quedan $\frac{3}{4}$ de su dinero después de ahorrar $\frac{1}{4}$ del mismo.

$\frac{4}{9} \times \frac{3}{4} = \frac{12}{36} = \frac{1}{3}$

Len gastó $\frac{1}{3}$ de su dinero en el DVD.

b $\frac{3}{4} - \frac{1}{3} = \frac{9}{12} - \frac{4}{12}$

$= \frac{5}{12}$

Len gastó $\frac{5}{12}$ de su dinero en la camiseta.

Práctica con supervisión.

Resuelve.

2 Janice toma algunas fresas de su huerto. Ella usa $\frac{3}{5}$ de las fresas para hacer mermelada.

Le da $\frac{3}{4}$ del residuo a su vecina.

a ¿Qué fracción de las fresas le da a su vecina?

b ¿Qué fracción de las fresas le queda?

$1 - \frac{3}{5} = \frac{2}{5}$

Residuo → 2 partes

mermelada residuo

Para mostrar que Janice le da a su vecina $\frac{3}{4}$ del residuo, también tengo que dividir el residuo en 4 partes.

Mínimo común múltiplo de 2 y 4 = 4

Usando fracciones equivalentes:

$\frac{2}{5} = \frac{4}{10}$ (× 2, × 2)

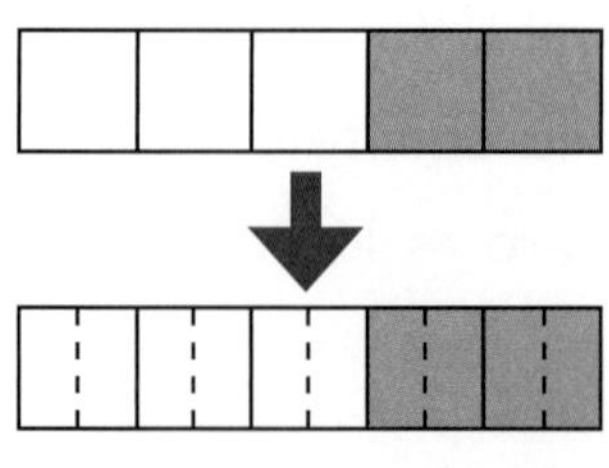

Necesito hacer un modelo con 10 unidades iguales para ilustrar el problema.

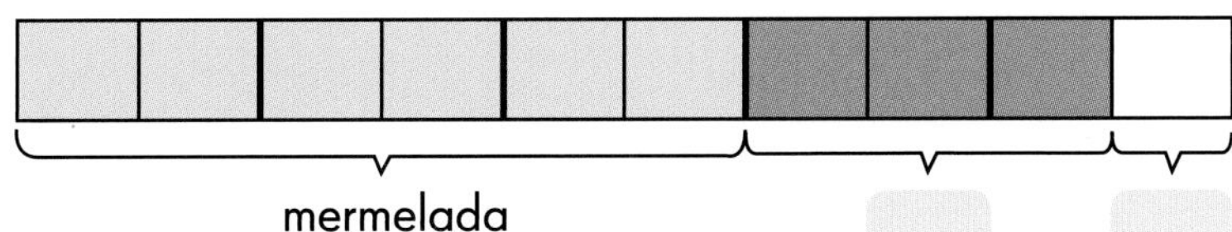

$\frac{3}{5}$ de 10 unidades
= 6 unidades
$\frac{3}{4}$ de 4 unidades
= 3 unidades

Método 1

El modelo muestra que:
Número de unidades dadas a la vecina = ___
Número total de unidades en 1 entero = ___

a) Ella le da $\frac{\square}{\square}$ de las fresas a su vecina.

b) Le queda $\frac{\square}{\square}$ de las fresas.

Método 2

a) $1 - \frac{\square}{\square} = \frac{\square}{\square}$

A Janice le quedan $\frac{\square}{\square}$ de las fresas después de usar $\frac{3}{5}$ para hacer mermelada.

$\frac{3}{4} \times \frac{\square}{\square} = \frac{6}{20}$

$= \frac{\square}{\square}$

Le da a su vecina $\frac{\square}{\square}$ de las fresas.

b) $\frac{\square}{\square} - \frac{\square}{\square} = \frac{\square}{\square} - \frac{\square}{\square}$

$= \frac{\square}{\square}$

Le queda $\frac{\square}{\square}$ de las fresas.

Practiquemos

Resuelve. Muestra el proceso.

1. La señora Smith tiene un terreno. Ella planta flores en $\frac{3}{4}$ del terreno. $\frac{2}{3}$ de las flores que planta son girasoles. ¿Qué fracción del terreno planta con girasoles?

2. Justin pasa $\frac{7}{9}$ del tiempo para hacer tareas trabajando en matemáticas y estudios sociales. Pasa $\frac{4}{7}$ de este tiempo trabajando en matemáticas. ¿Qué fracción del tiempo total pasa trabajando en estudios sociales?

3. Priya tiene un pedazo de cuerda de $\frac{5}{6}$ de yarda de largo. Corta $\frac{3}{5}$ del pedazo de la cuerda para hacer una obra de artesanía. ¿Qué longitud tiene la cuerda que le queda?

4. Jeff gasta $\frac{1}{2}$ de su salario. Luego, dona $\frac{1}{3}$ del residuo a obras de caridad y pone el resto en el banco. ¿Qué fracción de su salario pone en el banco?

5. La señora Kong usa $\frac{1}{3}$ de una barra de mantequilla en una salsa. Luego, usa $\frac{5}{8}$ del resto de la mantequilla para hacer pan de ajo. ¿Qué fracción de la barra de mantequilla le queda?

6. Gia gasta $\frac{2}{5}$ de su dinero en una camisa. Luego, gasta $\frac{4}{9}$ del dinero restante en un par de zapatos. ¿Qué fracción de su dinero le queda?

7. Ben vende $\frac{7}{12}$ de las cerámicas que hizo. De las cerámicas restantes, $\frac{3}{5}$ son jarrones y el resto son tazones. ¿Qué fracción de toda la cerámica sin vender corresponde a los tazones?

POR TU CUENTA

Ver Cuaderno de actividades A: Práctica 2, págs. 133 a 138

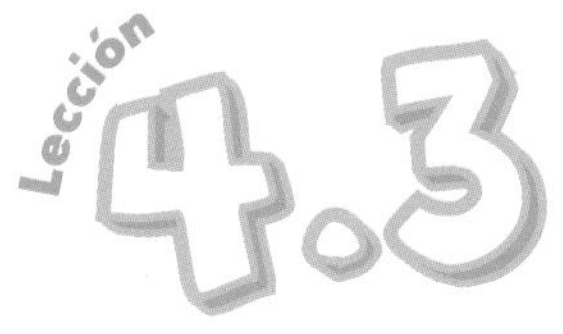

Multiplicar fracciones impropias por fracciones

Objetivo de la lección

- Multiplicar fracciones impropias por fracciones propias o impropias.

Vocabulario
fracción propia
fracción impropia

Multiplica fracciones impropias por fracciones propias.

Halla el producto de $\frac{6}{5}$ y $\frac{3}{4}$.

Método 1

$\frac{6}{5} \times \frac{3}{4}$

$= \frac{3}{4} \times \frac{6}{5}$

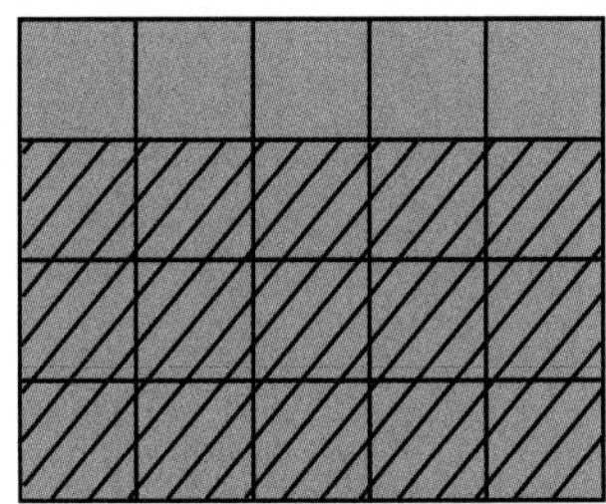

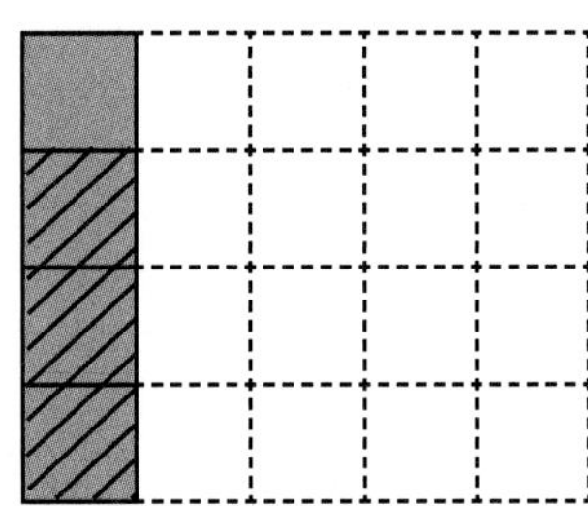

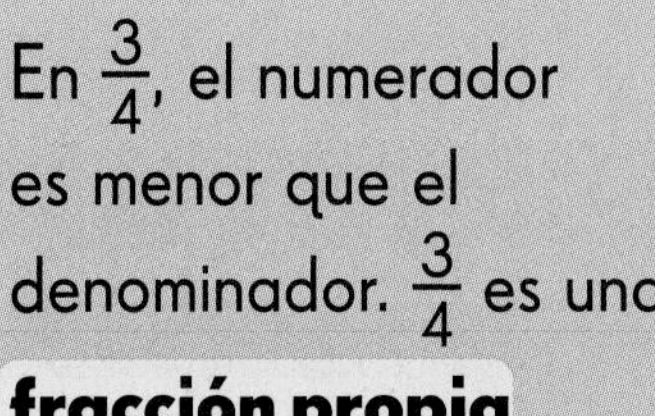

En $\frac{3}{4}$, el numerador es menor que el denominador. $\frac{3}{4}$ es una **fracción propia**.

En $\frac{6}{5}$, el numerador es mayor que el denominador. $\frac{6}{5}$ es una **fracción impropia**.

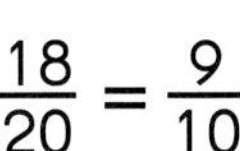

$\frac{18}{20} = \frac{9}{10}$

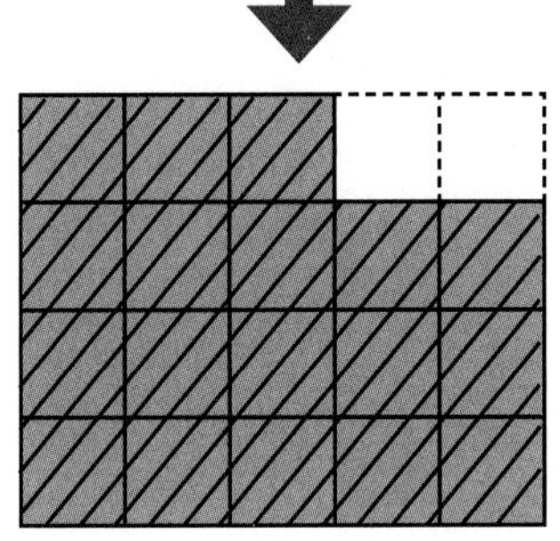

Método 2

$\frac{6}{5} \times \frac{3}{4} = \frac{6 \div 2}{5} \times \frac{3}{4 \div 2}$

$= \frac{3 \times 3}{5 \times 2}$

$= \frac{9}{10}$

Divide el numerador y el denominador entre el factor común, 2.

Práctica con supervisión

Multiplica. Expresa el producto en su mínima expresión.

1. $\frac{1}{3} \times \frac{7}{5}$
2. $\frac{2}{7} \times \frac{21}{12}$

Multiplica. Expresa el producto como un número entero o como un número mixto en su mínima expresión.

3. $\frac{3}{7} \times \frac{14}{5}$
4. $\frac{5}{9} \times \frac{24}{7}$
5. $\frac{9}{4} \times \frac{10}{3}$
6. $\frac{7}{5} \times \frac{9}{2}$
7. $\frac{27}{6} \times \frac{15}{8}$
8. $\frac{16}{3} \times \frac{9}{4}$

Practiquemos

Multiplica. Expresa el producto como un número entero o como un número mixto en su mínima expresión.

1. $\frac{22}{6} \times \frac{3}{11}$
2. $\frac{15}{6} \times \frac{4}{5}$
3. $\frac{21}{8} \times \frac{10}{7}$
4. $\frac{32}{12} \times \frac{15}{4}$
5. $\frac{17}{3} \times \frac{21}{5}$
6. $\frac{15}{9} \times \frac{11}{3}$
7. $\frac{28}{11} \times \frac{44}{12}$
8. $\frac{23}{10} \times \frac{11}{3}$

POR TU CUENTA

Ver Cuaderno de actividades A: Práctica 3, págs. 139 a 142

Lección 4.4 Multiplicar números mixtos y números enteros

Objetivo de la lección

- Multiplicar un número mixto por un número entero.

Vocabulario
número mixto

Multiplica números mixtos por números enteros.

En un grupo hay 6 estudiantes. Cada estudiante trabaja $1\frac{1}{2}$ horas en un proyecto del grupo. ¿Cuál es la cantidad total de tiempo que pasan trabajando en el proyecto?

Método 1

$6 \times 1\frac{1}{2}$

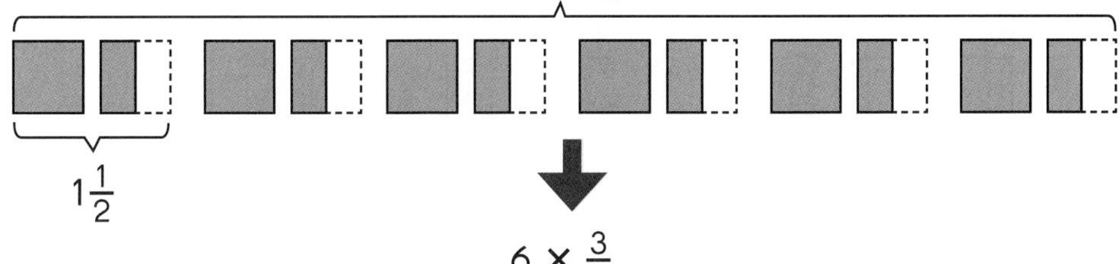

$1\frac{1}{2}$

$6 \times \frac{3}{2}$

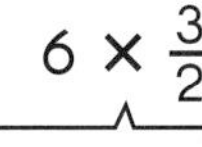

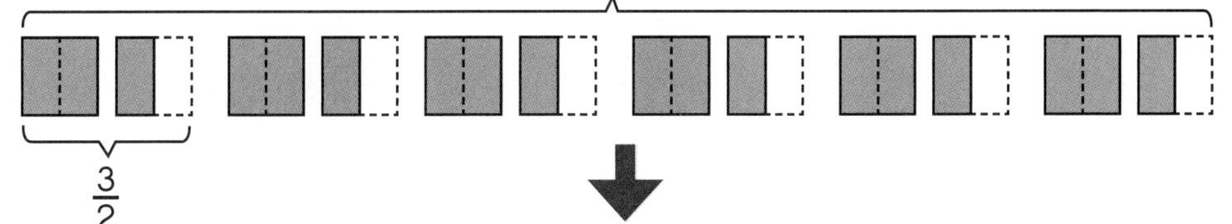

$\frac{3}{2}$

9 grupos de 1

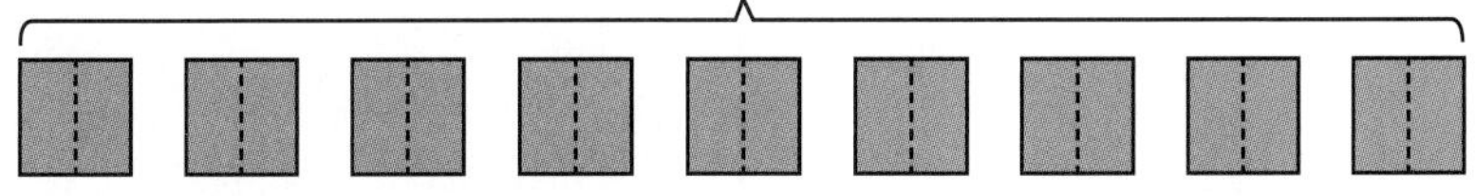

El grupo trabaja en el proyecto por un total de 9 horas.

Método 2

$$1\frac{1}{2} \times 6 = \frac{3}{2} \times 6$$
$$= \frac{18}{2}$$
$$= 9$$

$1\frac{1}{2} = \frac{3}{2}$
Entonces, $1\frac{1}{2} \times 6$ es lo mismo que 6 grupos de $\frac{3}{2}$.

El grupo trabaja en el proyecto por un total de 9 horas.

Práctica con supervisión

Halla el producto de $2\frac{1}{3}$ y 5.

1 ***Método 1***

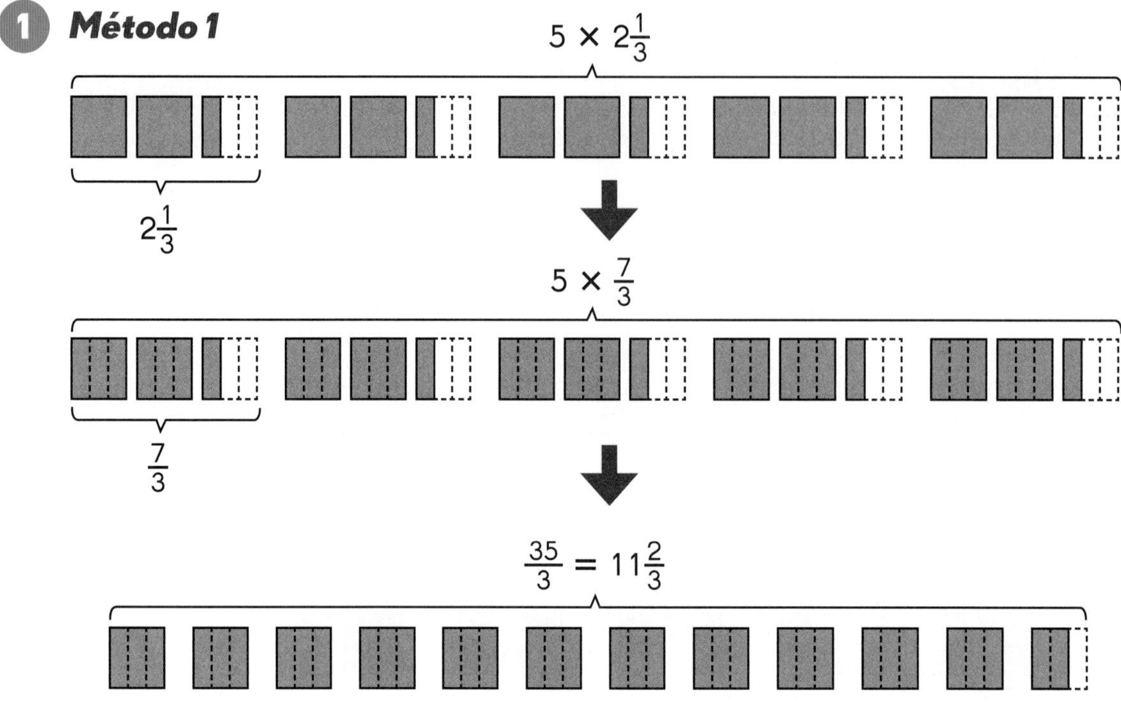

Método 2

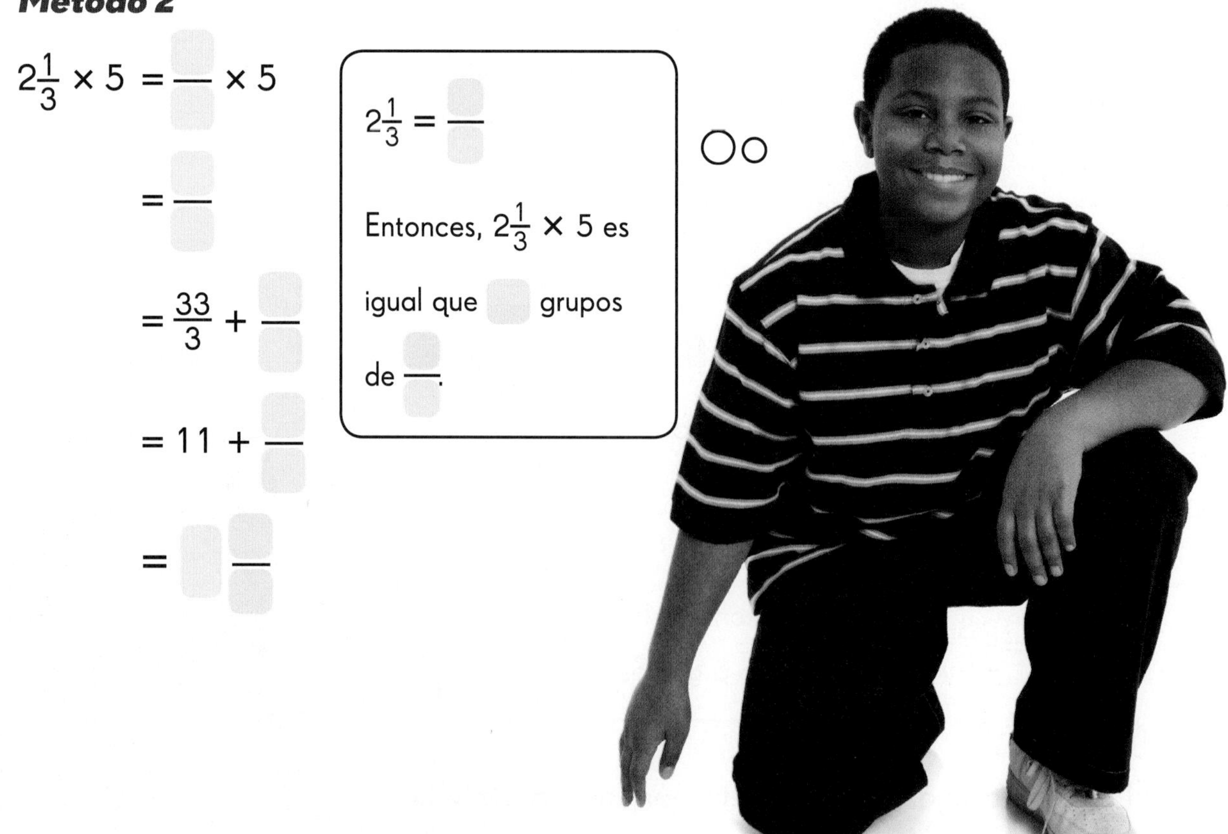

Manos a la obra

PASO 1 Usa un pedazo de papel para representar un entero. Luego, dobla otro pedazo de papel por la mitad y córtalo en dos partes iguales. Usa uno de estos pedazos para representar $\frac{1}{2}$. Haz esto con varias hojas.

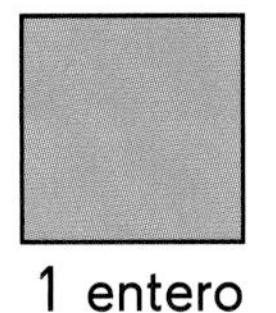

1 entero

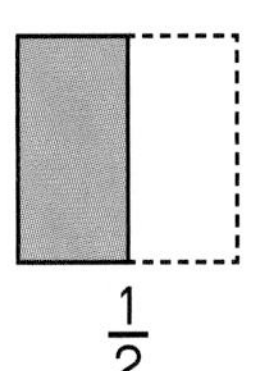

$\frac{1}{2}$

PASO 2 Usa los pedazos de papel para mostrar cada resultado.

a $3\frac{1}{2}$

b $4 \times 3\frac{1}{2}$

c $3\frac{1}{2} \times 5$

d Reorganiza los pedazos de papel que representan $4 \times 3\frac{1}{2}$.

¿Cuántos enteros hay en $4 \times 3\frac{1}{2}$?

Exploremos

El modelo muestra $4\frac{1}{2}$. 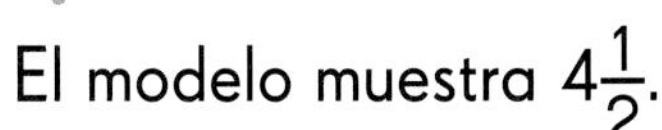 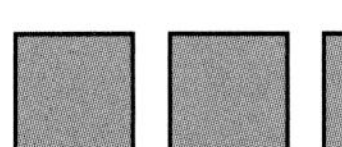 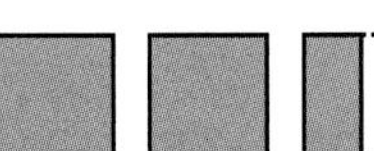

1 Expresa este producto como un producto de otro número mixto y un número entero.

$4\frac{1}{2} = \square\frac{\square}{\square} \times 2$

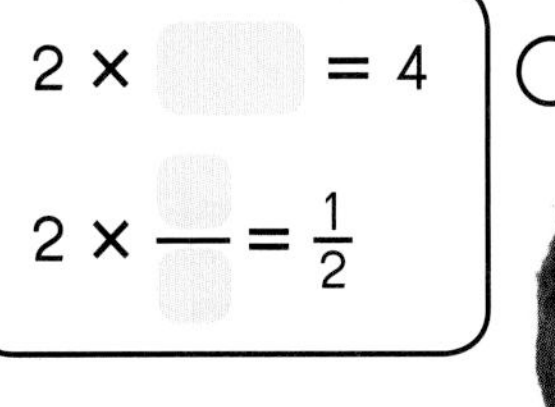

2 Usa el mismo método para hallar el número que falta.

$8\frac{1}{4} = \square\frac{\square}{\square} \times 2$

Practiquemos

Completa. Expresa el producto en forma de número mixto.

1. $1\frac{1}{2} \times 3 = \square\frac{\square}{\square}$

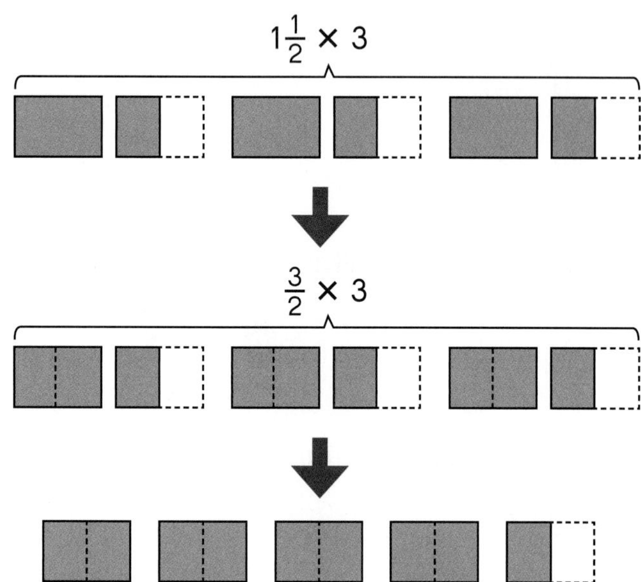

2. $2\frac{1}{3} \times 2 = \square\frac{\square}{\square}$

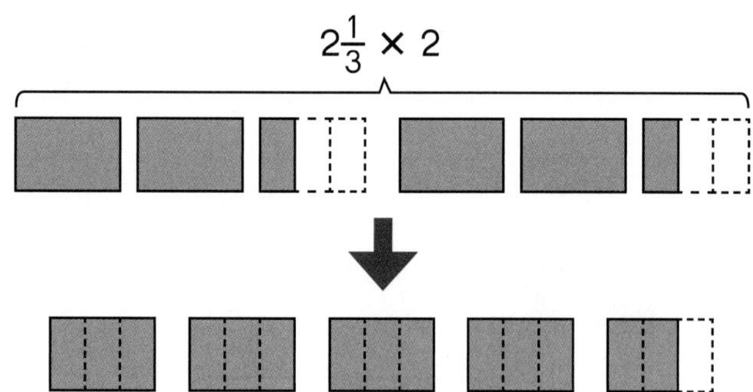

Multiplica. Expresa el producto en forma de número entero o de número mixto en su mínima expresión.

3. $3\frac{9}{11} \times 33$

4. $14 \times 2\frac{3}{5}$

5. $38 \times 5\frac{2}{7}$

POR TU CUENTA

Ver Cuaderno de actividades A: Práctica 4, págs. 143 a 146

Problemas cotidianos: Multiplicar con números mixtos

Objetivo de la lección

- Resolver problemas cotidianos que incluyan la multiplicación de números enteros y números mixtos.

Multiplica números mixtos por números enteros para resolver problemas cotidianos.

En una fiesta hay 40 invitados. Cada invitado se come $2\frac{3}{4}$ mini pizzas. ¿Cuántas mini pizzas se comen los invitados en total?

1 invitado → $2\frac{3}{4}$ mini pizzas

40 invitados → $40 \times 2\frac{3}{4}$ mini pizzas

$= 40 \times \frac{11}{4}$

$= \frac{440}{4}$

$= 110$

Los invitados se comen 110 mini pizzas.

Práctica con supervisión

Resuelve.

1 Ken usa $2\frac{1}{4}$ pies de cinta adhesiva para envolver un paquete. ¿Cuántos pies de cinta adhesiva usa para envolver 20 paquetes?

1 paquete → $2\frac{1}{4}$ ft

20 paquetes → ___ $\times 2\frac{1}{4}$

$=$ ___ $\times \frac{\_\_\_}{\_\_\_}$

$= \frac{\_\_\_}{\_\_\_}$

$=$ ___ ft

Usa ___ pies de cinta adhesiva.

Aprende

Expresa el producto de un número mixto y un número entero en forma de decimal.

Justina tiene 5 cintas. Cada cinta tiene $2\frac{1}{4}$ pies de largo. ¿Cuál es la longitud total de las cintas? Expresa tu respuesta en forma de decimal.

$$2\frac{1}{4} \times 5 = \frac{9}{4} \times 5$$
$$= \frac{45}{4}$$
$$= 11\frac{1}{4}$$
$$= 11\frac{25}{100}$$
$$= 11.25$$

La longitud total de las cintas es de 11.25 metros.

Práctica con supervisión

Resuelve.

2 El jardín rectangular de Andrew tiene una longitud de $12\frac{3}{4}$ yardas y un ancho de 7 yardas. Halla el área del jardín de Andrew. Expresa tu respuesta en forma de decimal.

Área del jardín rectangular de Andrew = longitud × ancho

$$= \square\frac{\square}{\square} \times \square$$
$$= \frac{\square}{\square} \times \square$$
$$= \frac{\square}{\square}$$
$$= \square\frac{\square}{\square}$$
$$= \square\frac{\square}{100}$$
$$= \square \text{ yd}^2$$

El jardín de Andrew tiene un área de ▢ yardas cuadradas.

Resuelve problemas de dos pasos que incluyan la multiplicación con números mixtos.

Liza compra 4 paquetes de pollo. Cada paquete pesa $2\frac{3}{5}$ libras. El pollo cuesta $2 por libra. ¿Cuánto paga Liza por los 4 paquetes de pollo?

1 paquete de pollo → $2\frac{3}{5}$ lb

4 paquetes de pollo → $4 \times 2\frac{3}{5}$

$= 10\frac{2}{5}$ lb

$$4 \times 2\frac{3}{5} = 4 \times \frac{13}{5} = \frac{52}{5} = 10\frac{2}{5}$$

Los 4 paquetes de pollo pesan $10\frac{2}{5}$ libras.

1 libra de pollo → $2

$10\frac{2}{5}$ libras de pollo → $10\frac{2}{5} \times \$2$

$= \$20\frac{4}{5}$

$= \$20\frac{8}{10}$

$= \$20.80$

$$10\frac{2}{5} \times 2 = \frac{52}{5} \times 2 = \frac{104}{5} = 20\frac{4}{5}$$

Liza paga $20.80 por los 4 paquetes de pollo.

Práctica con supervisión

Resuelve.

3 Un chef usa 3 botellas de aceite de oliva para hacer una vinagreta. Cada botella contiene $1\frac{1}{2}$ cuartos de aceite. El costo de 1 cuarto de aceite de oliva es $5. Halla el costo total del aceite que usa.

1 botella → $\square\frac{\square}{\square}$ ct

3 botellas → $3 \times \square\frac{\square}{\square}$

$= \square\frac{\square}{\square}$ ct

3 botellas contienen $\square\frac{\square}{\square}$ cuartos de aceite de oliva.

1 ct de aceite de oliva → $5

$\square\frac{\square}{\square}$ ct de aceite de oliva → $\square\frac{\square}{\square} \times \$5$

$= \frac{\square}{\square} \times \$5$

$= \square$

El aceite de oliva tiene un costo total de $\square$.

Practiquemos

Resuelve.

1. En una fiesta de cumpleaños hay 6 niños. Cada niño se toma $2\frac{1}{3}$ tazas de ponche de frutas. ¿Cuántas tazas de ponche de frutas se necesitaron para los 6 niños?

2. Amín corta un ovillo de cuerda en 14 pedazos iguales. Cada pedazo de cuerda tiene una longitud de $2\frac{1}{4}$ yardas. ¿Cuál es la longitud original del ovillo de cuerda?

3. Rita usa $4\frac{1}{8}$ onzas de pintura para pintar una silla. ¿Cuántas onzas de pintura necesitará para pintar 9 de las mismas sillas?

4. En un zoológico, cada elefante adulto consume $70\frac{1}{4}$ libras de plátanos cada día. El zoológico tiene cinco elefantes adultos. ¿Cuántas libras de plátanos necesitará el zoológico para alimentar a los 5 elefantes adultos en un día?

5. El señor Richards compró 3 paquetes de carne para un asado en el vecindario. Cada paquete pesa $7\frac{1}{2}$ libras. La carne cuesta $3 por libra. ¿Cuánto pagó por toda la carne que compró?

6. La señorita Suárez está embaldosando un baño que tiene una longitud de 9 pies y un ancho de $8\frac{1}{2}$ pies. Las baldosas que eligió cuestan $4 por pie cuadrado. ¿Cuánto tendrá que pagar la señorita Suárez por las baldosas que necesita?

POR TU CUENTA

Ver Cuaderno de actividades A: Práctica 5, págs. 147 a 148

Dividir una fracción entre un número entero

Objetivo de la lección

- Dividir una fracción entre un número entero.

Vocabulario
recíproco

Divide una fracción entre un número entero.

Maura corta un pedazo rectangular de plastilina por la mitad. Luego, divide una mitad en 3 partes iguales. ¿Qué fracción del pedazo entero de plastilina es cada una de las 3 partes?

Método 1

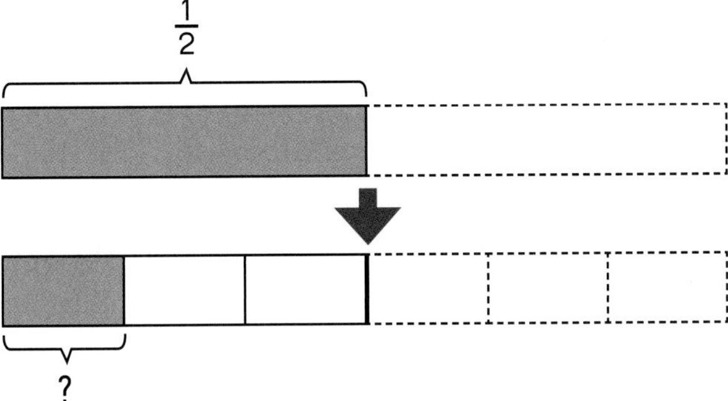

$\frac{1}{2} \div 3 = \frac{1}{6}$

El modelo muestra que cada parte es $\frac{1}{6}$ del pedazo entero de plastilina.

Método 2

$$\begin{aligned}\frac{1}{2} \div 3 &= \frac{1}{3} \text{ de } \frac{1}{2}\\ &= \frac{1}{3} \times \frac{1}{2}\\ &= \frac{1}{6}\end{aligned}$$

Cada parte es $\frac{1}{3}$ de $\frac{1}{2}$ del pedazo de plastilina.

Cada parte es $\frac{1}{6}$ del pedazo entero de plastilina.

Método 3

$$\begin{aligned}\frac{1}{2} \div 3 &= \frac{1}{2} \div \frac{3}{1}\\ &= \frac{1}{2} \times \frac{1}{3}\\ &= \frac{1}{6}\end{aligned}$$

$\frac{1}{3}$ es el **recíproco** de $\frac{3}{1}$ ó 3.
Dividir entre un número es lo mismo que multiplicar por el recíproco de ese número.

Cada parte es $\frac{1}{6}$ del pedazo entero de plastilina.

Práctica con supervisión

Resuelve.

1. Un rollo de alambre de $\frac{3}{5}$ de pie de longitud se corta en 6 partes iguales. ¿Qué longitud tiene cada parte?

Método 1

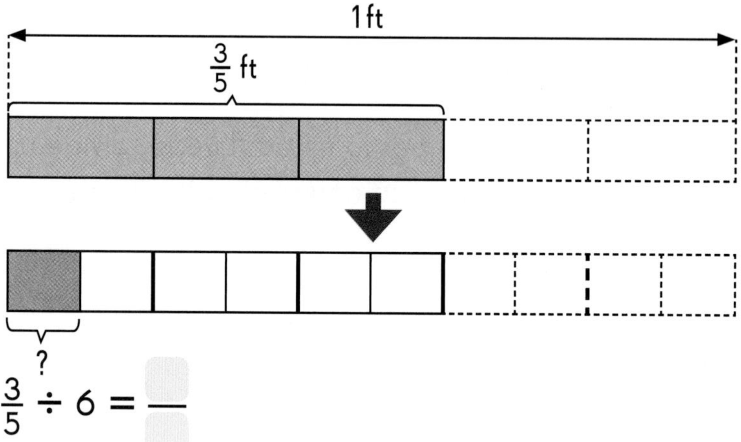

$\frac{3}{5} \div 6 = \frac{\square}{\square}$

El modelo muestra que cada parte tiene $\frac{\square}{\square}$ de pie de longitud.

Método 2

$\frac{3}{5} \div 6 = \frac{1}{6}$ de $\frac{3}{5}$

$= \frac{\square}{\square} \times \frac{\square}{\square}$

$= \frac{\square}{\square}$

$= \frac{\square}{\square}$

Cada parte tiene $\frac{\square}{\square}$ de pie de longitud.

Método 3

$\frac{3}{5} \div 6 = \frac{3}{5} \div \frac{6}{1}$

$= \frac{3}{5} \times \frac{\square}{\square}$

$= \frac{\square}{\square}$

$= \frac{\square}{\square}$

Cada parte tiene $\frac{\square}{\square}$ de pie de longitud.

Aprende

Divide una fracción entre un número entero.

Un melón de $\frac{4}{5}$ de libra se corta en dos partes iguales. ¿Cuánto pesa cada parte del melón?

Método 1

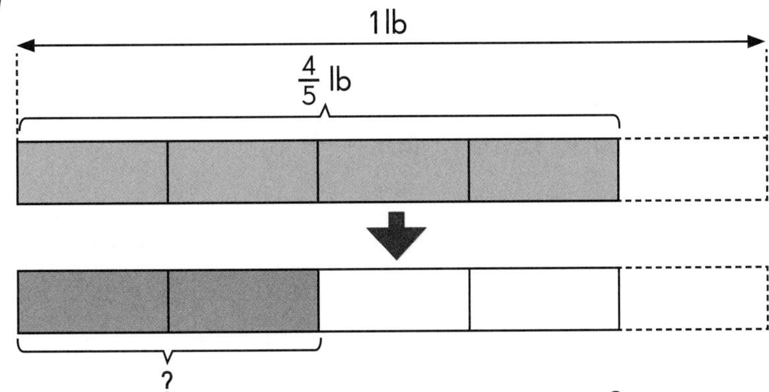

El modelo muestra que cada parte del melón pesa $\frac{2}{5}$ de libra.

Método 2

$$\frac{4}{5} \div 2 = \frac{4}{5} \times \frac{1}{2}$$
$$= \frac{2}{5}$$

Cada parte del melón pesa $\frac{2}{5}$ de libra.

Práctica con supervisión

Resuelve.

2 Halla $\frac{9}{11} \div 3$.

Método 1

El modelo muestra que

$\frac{9}{11} \div 3 = \frac{\square}{\square}$.

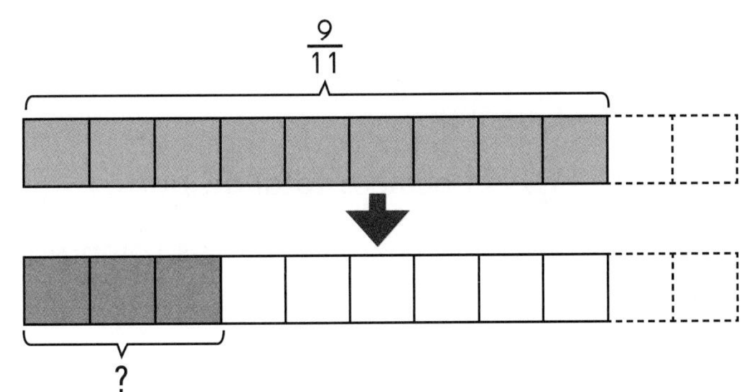

Método 2

$$\frac{9}{11} \div 3 = \frac{9}{11} \times \frac{\square}{\square}$$
$$= \frac{\square}{\square}$$

Manos a la obra

TRABAJAR EN PAREJAS

Materiales:
- papel
- lápiz de color

1 Usen el siguiente método para hallar $\frac{1}{4} \div 3$.

PASO 1 Usen una hoja de papel para representar un entero. Dóblenla en cuartos. (No desdoblen la hoja de papel por el momento.)

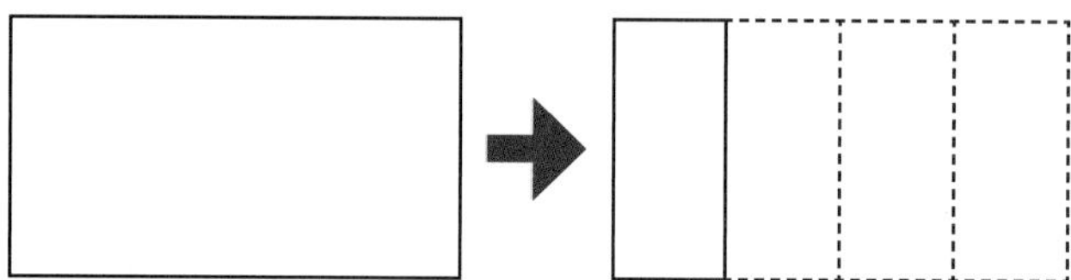

PASO 2 Sigan doblando el papel en tercios. Sombreen un lado.

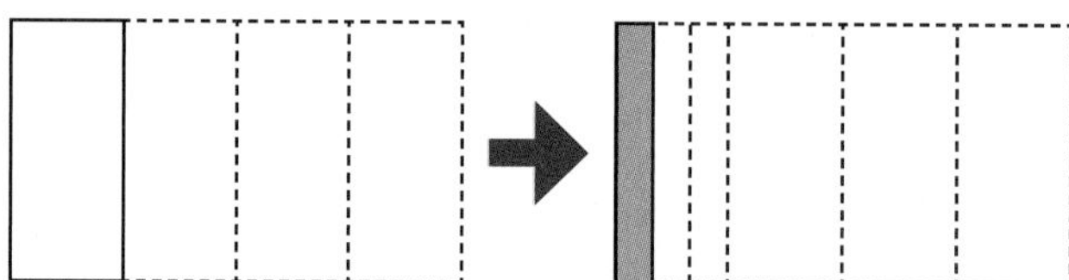

PASO 3 Desdoblen el papel para ver el número total de partes.

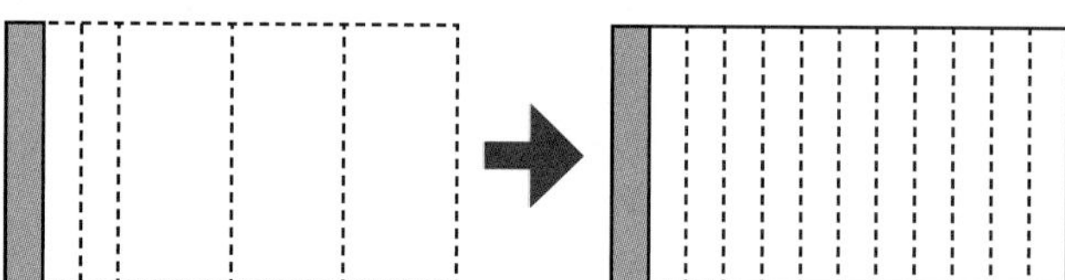

Cuenten

a el número total de partes,

b el número de partes sombreadas.

$\frac{1}{4} \div 3 = \frac{\square}{\square}$

¡Comprobar!

$\frac{\square}{\square} \times 3 = \frac{\square}{\square}$

$= \frac{\square}{\square}$

2 Usen el mismo método para dividir $\frac{1}{4}$ entre 4.

Practiquemos

Divide. Expresa el cociente en su mínima expresión. Puedes hacer modelos como ayuda.

1 $\frac{2}{3} \div 8 = \frac{\square}{\square}$

2 $\frac{3}{4} \div 12 = \frac{\square}{\square}$

3 $\frac{6}{7} \div 9 = \frac{\square}{\square}$

Divide. Expresa el cociente en su mínima expresión.

4 $\frac{6}{11} \div 3$

5 $\frac{8}{9} \div 4$

6 $\frac{3}{7} \div 2$

Resuelve. Muestra el proceso.

7 El área de un pedazo rectangular de tela mide $\frac{4}{9}$ de yarda cuadrada. Julia corta la tela en tres pedazos más pequeños del mismo tamaño. ¿Cuál es el área de cada uno de los pedazos pequeños de tela?

8 Mel hizo una quesadilla. Cortó $\frac{1}{10}$ de la quesadilla y la guardó para más tarde. Luego, Mel repartió la porción restante de la quesadilla entre él y 2 amigos. ¿Qué fracción de la quesadilla entera le tocó a cada persona?

9 La señora Peña gastó $\frac{1}{3}$ de su salario en comestibles y artículos para el hogar y pagó las facturas con $\frac{5}{12}$ del salario. Luego, depositó el resto del dinero en partes iguales en tres cuentas. ¿Qué fracción de su salario depositó en cada cuenta?

10 Christine compró $\frac{5}{9}$ de libra de granola. La reempacó en partes iguales en 20 bolsas para dar de regalo en una fiesta.

a Halla el peso de 1 bolsa de granola en libras.

b Después de la fiesta, sobraron 7 bolsas. ¿Cuántas libras de granola sobraron?

POR TU CUENTA

Ver Cuaderno de actividades A: Práctica 6, págs. 149 a 152

Problemas cotidianos: Multiplicar y dividir con fracciones

Objetivo de la lección

- Resolver problemas cotidianos que incluyan la multiplicación y división de fracciones.

Halla las partes de un entero para resolver problemas cotidianos.

Una vendedora en el mercado tiene 240 frutas. Ella vende $\frac{1}{2}$ de las frutas a un cliente y $\frac{1}{3}$ a otro cliente.

a ¿Cuántas frutas vende la vendedora?

b ¿Cuántas frutas le quedan?

Método 1

El mínimo común múltiplo de 2 y 3 es 6. Haz un modelo con 6 unidades iguales.

$\frac{1}{2}$ de 6 unidades $= \frac{1}{2} \times 6$
$= 3$ unidades

$\frac{1}{3}$ de 6 unidades $= \frac{1}{3} \times 6$
$= 2$ unidades

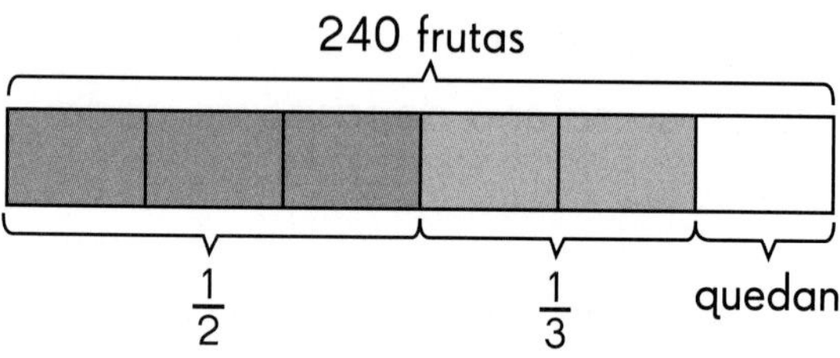

El modelo muestra que:

6 unidades → 240 frutas

1 unidad → $240 \div 6 = 40$ frutas

5 unidades → $5 \times 40 = 200$ frutas

a La vendedora vende 200 frutas.

b Le quedan 40 frutas.

Método 2

$\frac{1}{2} = \frac{3}{6}$ $\frac{1}{3} = \frac{2}{6}$

Fracción de frutas vendidas:

$\frac{3}{6} + \frac{2}{6} = \frac{5}{6}$

$\frac{5}{6}$ de 240 $= \frac{5}{6} \times 240 = 200$

a La vendedora vende 200 frutas.

b Le quedan 240 − 200 = 40 frutas.

Método 3

$\frac{1}{2} \times 240 = 120$

$\frac{1}{3} \times 240 = 80$

a La vendedora vende 120 + 80 = 200 frutas.

b Le quedan 240 − 200 = 40 frutas.

Práctica con supervisión

Resuelve.

1 Kim tiene 48 plantas en su huerto. De las 48 plantas, $\frac{2}{3}$ son zanahorias y $\frac{1}{4}$ son tomates. El resto de las plantas son calabazas.
¿Cuántas plantas de calabaza hay en el jardín?

El mínimo común múltiplo de 3 y 4 es 12. Haz un modelo con 12 unidades iguales.

$\frac{2}{3}$ de 12 unidades = $\frac{\square}{\square}$ × ☐
= ☐ unidades

$\frac{1}{4}$ de 12 unidades = $\frac{\square}{\square}$ × ☐
= ☐ unidades

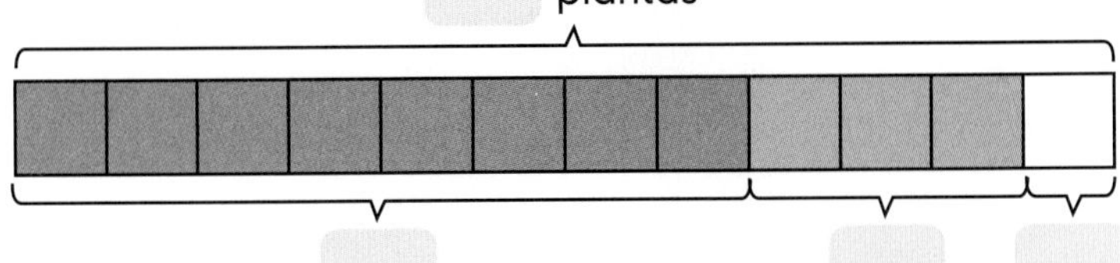

El modelo muestra que:

☐ unidades → ☐ plantas

1 unidad → ☐ ÷ ☐ = ☐ plantas

Kim tiene ☐ plantas de calabaza.

Aprende

Halla las partes fraccionarias de un entero y el residuo.

Sofía tiene \$480. Usa $\frac{1}{3}$ del dinero para comprar un abrigo de invierno. Luego gasta $\frac{1}{4}$ del residuo en un par de botas de invierno. ¿Cuánto dinero le queda?

Método 1

$1 - \frac{1}{3} = \frac{2}{3}$

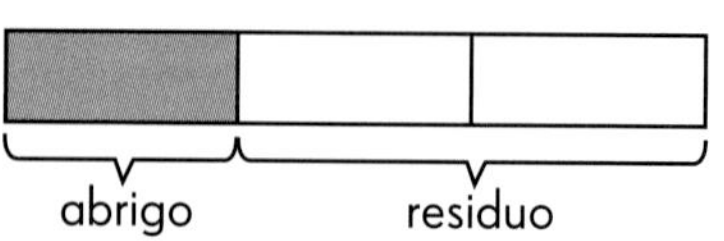

Residuo ⟶ 2 partes

Para mostrar que $\frac{1}{4}$ del residuo se gasta en las botas, también tengo que dividir el residuo en 4 partes.

Mínimo común múltiplo de 2 y 4 = 4

Usando fracciones equivalentes:

$\frac{2}{3} = \frac{4}{6}$ (× 2)

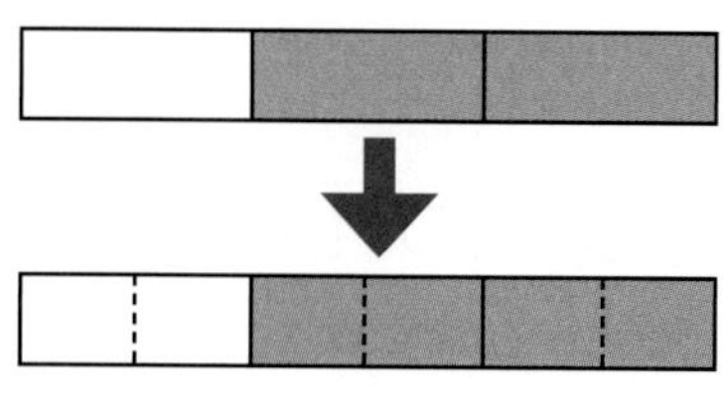

Necesito hacer un modelo con 6 unidades iguales para ilustrar el problema.

\$480

abrigo | botas | queda

$\frac{1}{3}$ de 6 unidades = 2 unidades

$\frac{1}{4}$ de 4 unidades = 1 unidad

El modelo muestra que:

6 unidades ⟶ \$480

1 unidad ⟶ \$480 ÷ 6 = \$80

3 unidades ⟶ 3 × \$80

= \$240

Le quedan \$240.

Método 2

$\frac{1}{3}$ de 480 = $\frac{1}{3} \times 480$
= 160

Sofía gasta \$160 en el abrigo.

480 − 160 = 320

Después de comprar el abrigo, le quedan \$320.

$1 - \frac{1}{4} = \frac{3}{4}$

$\frac{3}{4}$ de 320 = $\frac{3}{4} \times 320$
= 240

Le quedan \$240.

Aprende

Halla partes fraccionarias y enteros cuando se da una parte fraccionaria.

Benito presentó una prueba de tres secciones, A, B y C. Benito tardó $\frac{1}{5}$ de su tiempo en la sección A y $\frac{1}{3}$ del tiempo restante en la sección B. Tardó 48 minutos en la Sección C. ¿Cuánto tiempo tardó Benito en completar toda la prueba?

Método 1

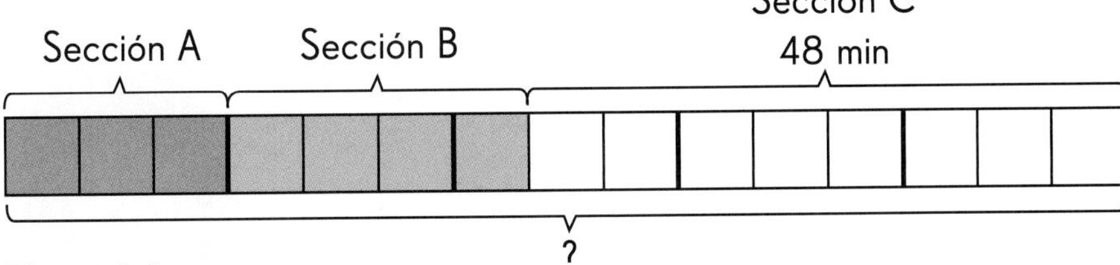

El modelo muestra que:

8 unidades ⟶ 48 min
1 unidad ⟶ 6 min
15 unidades ⟶ 90 min

Benito tardó 90 minutos en completar la prueba.

Método 2

Fracción del tiempo total que Benito tardó en la sección B
$= \frac{1}{3} \times \frac{4}{5} = \frac{4}{15}$

Fracción del tiempo total que tardó en las secciones A y B
$= \frac{1}{5} + \frac{4}{15} = \frac{3}{15} + \frac{4}{15}$
$= \frac{7}{15}$

Fracción del tiempo total que tardó en la sección C
$= 1 - \frac{7}{15} = \frac{8}{15}$

$\frac{8}{15}$ ⟶ 48 min

$\frac{1}{15}$ ⟶ 6 min

$\frac{15}{15}$ ⟶ 90 min

Benito tardó 90 minutos en completar la prueba.

Práctica con supervisión

Resuelve.

2 Jermaine prepara una mezcla de jugos de manzana, zanahoria y fresa. De la cantidad total, $\frac{1}{3}$ es jugo de manzana. $\frac{2}{5}$ del residuo es jugo de fresa. Jermaine usa 315 mililitros de jugo de fresa en la mezcla. ¿Qué cantidad de la mezcla es jugo de zanahoria?

$1 - \frac{1}{3} = \frac{\square}{\square}$

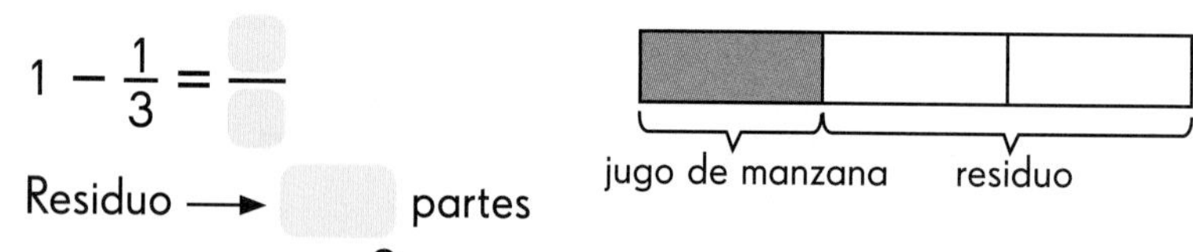

Residuo ⟶ ___ partes

Para mostrar que $\frac{2}{5}$ del residuo es jugo de fresa, también tengo que dividir el residuo en ___ partes.

El mínimo común múltiplo de ___ y ___ = ___

Usando fracciones equivalentes:

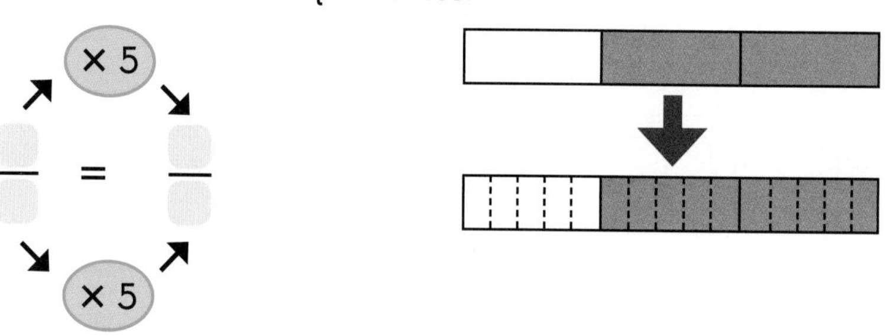

$\frac{\square}{\square} = \frac{\square}{\square}$

Necesito hacer un modelo con ___ unidades iguales para ilustrar el problema.

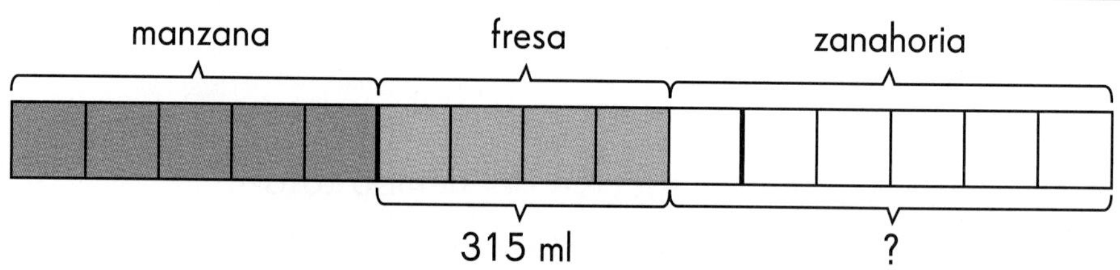

$\frac{1}{3}$ de ___ unidades

$= \frac{1}{3} \times$ ___ unidades

$=$ ___ unidades

$\frac{2}{5}$ de ___ unidades

$= \frac{2}{5} \times$ ___ unidades

$=$ ___ unidades

El modelo muestra que:

4 unidades ⟶ 315 ml

1 unidad ⟶ $315 \div 4 =$ ___ ml

6 unidades ⟶ $6 \times$ ___ $=$ ___ ml

___ mililitros de la mezcla es jugo de zanahoria.

3 Gómez colecciona estampillas como pasatiempo. Le da a su primo $\frac{1}{3}$ de su colección de estampillas. Luego, le da a su hermana $\frac{5}{6}$ del residuo y le quedan 80 estampillas. ¿Cuántas estampillas tenía al principio?

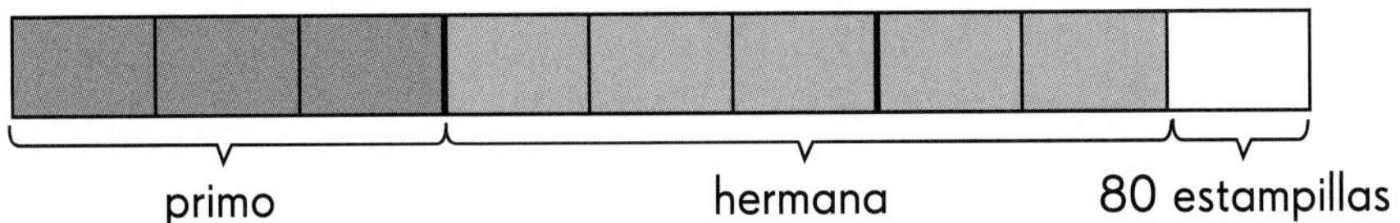

El modelo muestra que:

1 unidad → ___ estampillas

___ unidades → 9 × ___ = ___ estampillas

Gómez tenía ___ estampillas al principio.

Aprende

Halla las partes fraccionarias de un residuo cuando se da el entero.

Alana hace $\frac{4}{5}$ de galón de limonada. Ella vierte $\frac{1}{4}$ de la limonada en una jarra y vierte la limonada restante en partes iguales en 6 vasos. ¿Cuánta limonada hay en cada vaso?

Método 1

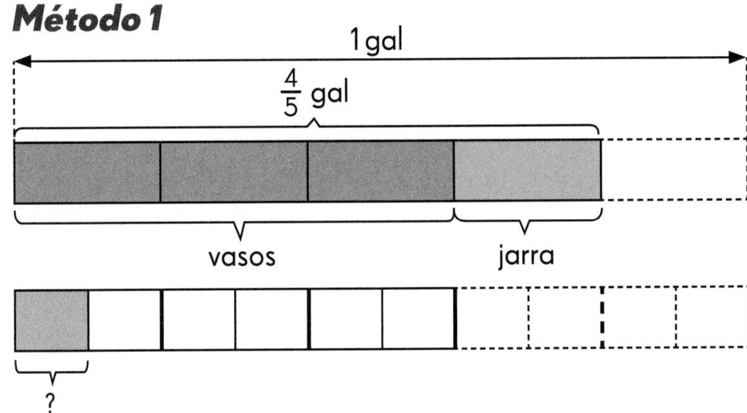

El modelo muestra que:

10 unidades → 1 gal

1 unidad → $\frac{1}{10}$ gal

En cada vaso hay $\frac{1}{10}$ de galón de limonada.

Método 2

Fracción de la limonada restante $= 1 - \frac{1}{4} = \frac{3}{4}$

Cantidad de limonada en 6 vasos $= \frac{3}{4} \times \frac{4}{5} = \frac{3}{5}$ gal

Cantidad de limonada en un vaso $= \frac{3}{5} \div 6$

$= \frac{3}{5} \times \frac{1}{6}$

$= \frac{1}{10}$ gal

En cada vaso hay $\frac{1}{10}$ de galón de limonada.

Práctica con supervisión

Resuelve.

4 Jeff compra $\frac{3}{4}$ de libra de cuentas. $\frac{1}{6}$ de las cuentas son rosadas y el resto son verdes. Jeff empaca las cuentas verdes en cantidades iguales, en 10 frascos. ¿Cuánto pesan las cuentas de cada frasco?

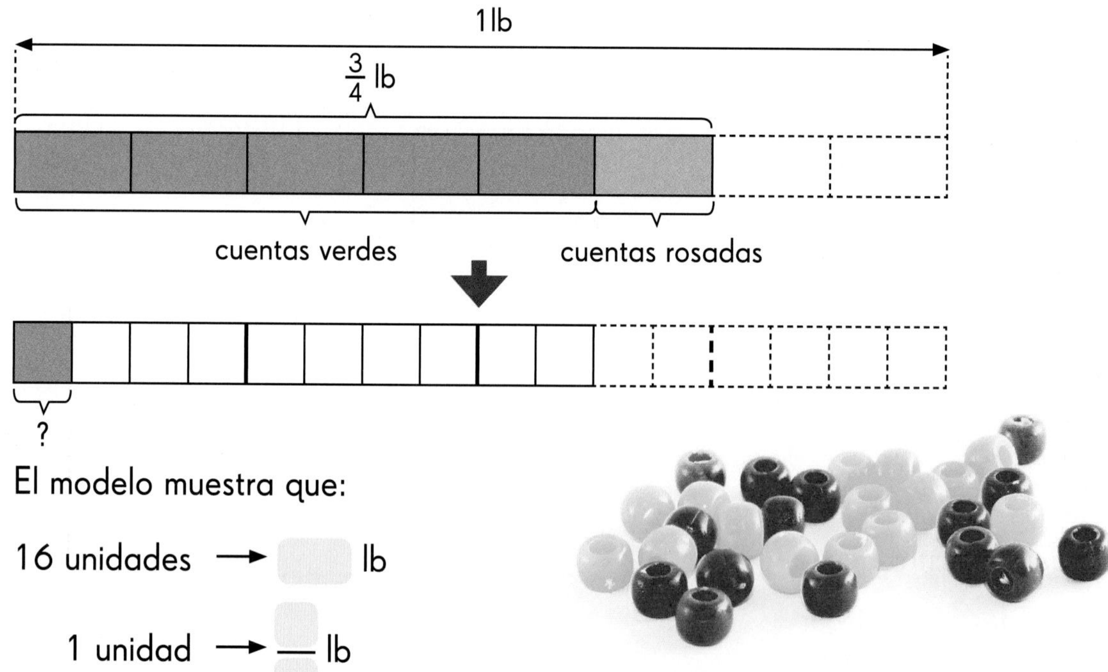

El modelo muestra que:

16 unidades → ___ lb

1 unidad → $\frac{\square}{\square}$ lb

Hay $\frac{\square}{\square}$ de libra de cuentas en cada frasco.

Practiquemos

Resuelve. Muestra el proceso.

1. Jan tenía 288 boletos para vender con fines benéficos. Vendió $\frac{2}{9}$ de los boletos a su familia y $\frac{1}{3}$ a sus amigos.

   a. ¿Cuántos boletos vendió a su familia y a sus amigos?

   b. ¿Cuántos boletos se quedaron sin vender?

2. Maggie tiene $960. Gasta $\frac{1}{4}$ en una bicicleta de montaña y $\frac{1}{6}$ del residuo en ropa deportiva y accesorios. Si guarda el resto del dinero, ¿cuánto dinero guarda?

3. Jeb gastó 1 hora y 40 minutos en completar una carrera de tres vueltas alrededor de un sector de la ciudad. Gastó $\frac{1}{4}$ del tiempo total corriendo la primera vuelta y $\frac{1}{3}$ del tiempo restante corriendo la segunda. Gastó el resto del tiempo corriendo la tercera vuelta. ¿Cuántos minutos gastó en la tercera vuelta de la carrera?

4. El señor Young tiene un pedazo de cuerda. Él usa $\frac{1}{4}$ para atar algunos cajas. Luego usa $\frac{5}{9}$ del residuo para hacer una cuerda de saltar para su hija. Después de esto, le quedan 120 centímetros. ¿Cuál es la longitud de la cuerda que el señor Young usó para atar las cajas?

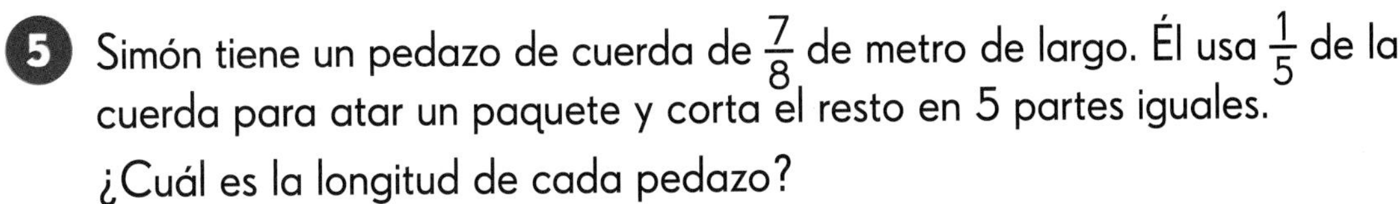

5. Simón tiene un pedazo de cuerda de $\frac{7}{8}$ de metro de largo. Él usa $\frac{1}{5}$ de la cuerda para atar un paquete y corta el resto en 5 partes iguales. ¿Cuál es la longitud de cada pedazo?

6. Callie compró una bolsa de frutos secos que contiene cerezas, peras y manzanas. En la bolsa, $\frac{1}{4}$ de los frutos secos son cerezas y $\frac{2}{3}$ del residuo son peras. Si hay 48 pedazos de peras, ¿cuántos pedazos de los frutos son manzanas?

POR TU CUENTA

Ver Cuaderno de actividades A: Prácticas 7y 8, págs. 153 a 158

LECTURA Y ESCRITURA
Diario de matemáticas

Amol y Bart resolvieron un problema, cada uno por su cuenta.

1. Andy: $\frac{2}{9} \div 3$

2. Bart: $\frac{2}{9} \times \frac{4}{11}$

Obtuvieron los siguientes resultados en los problemas:

1. Amol: $\frac{2}{9} \div 3 = \frac{2}{3}$

2. Bart: $\frac{2}{9} \times \frac{4}{11} = \frac{6}{20}$

Sus resultados, sin embargo, son incorrectos. Explica cómo pudieron haber obtenido estos resultados incorrectos. Escribe la forma correcta de resolver cada problema.

$\frac{2}{9} \div 3 = \frac{2}{3}$

$9 \; \square \; 3 = 3$

Amol obtuvo el resultado $\frac{2}{3}$ con una ___.

La forma correcta de resolver el problema debió haber sido:

$\frac{2}{9} \div 3 = \frac{2}{9} \; \square \; \frac{1}{\square}$

$= \frac{\square}{\square}$

$\frac{2}{9} \times \frac{4}{11} = \frac{6}{20}$

$2 \; \square \; 4 = 6$

$9 \; \square \; 11 = 20$

Bart obtuvo el resultado $\frac{6}{20}$ con una ___.

La forma correcta de resolver el problema debió haber sido:

$\frac{2}{9} \times \frac{4}{11} = \frac{\square \times \square}{\square \times \square}$

$= \frac{\square}{\square}$

DESTREZAS DE RAZONAMIENTO CRÍTICO

¡Ponte la gorra de pensar!

Resolución de problemas

1. Halla la masa que falta en cada patrón.

   a. 2,000 g $\frac{1}{3}$ de 18 kg 18,000 g ___ kg $\frac{1}{3}$ de 486 kg

   b. 7,000 g ___ kg $\frac{1}{2}$ de 38 kg 31 kg $1\frac{1}{4}$ de 37,600 g

2. Danny era la 31.ª persona en la fila de la cafetería. Estaba exactamente detrás de $\frac{5}{9}$ del número total de estudiantes en la fila. ¿Cuántos estudiantes había en la fila?

3. Keith compró 10 carros de juguete similares. Brad compró $1\frac{1}{2}$ veces más de los mismos carros que tiene Keith. Todos los carros tienen el mismo precio. Los carros de juguete que compraron los dos chicos tienen un costo total de $75. ¿Cuánto cuesta cada carro de juguete?

POR TU CUENTA

Ver Cuaderno de actividades A: ¡Ponte la gorra de pensar! págs. 159 a 160

Resumen del capítulo

Guía de estudio

Has aprendido...

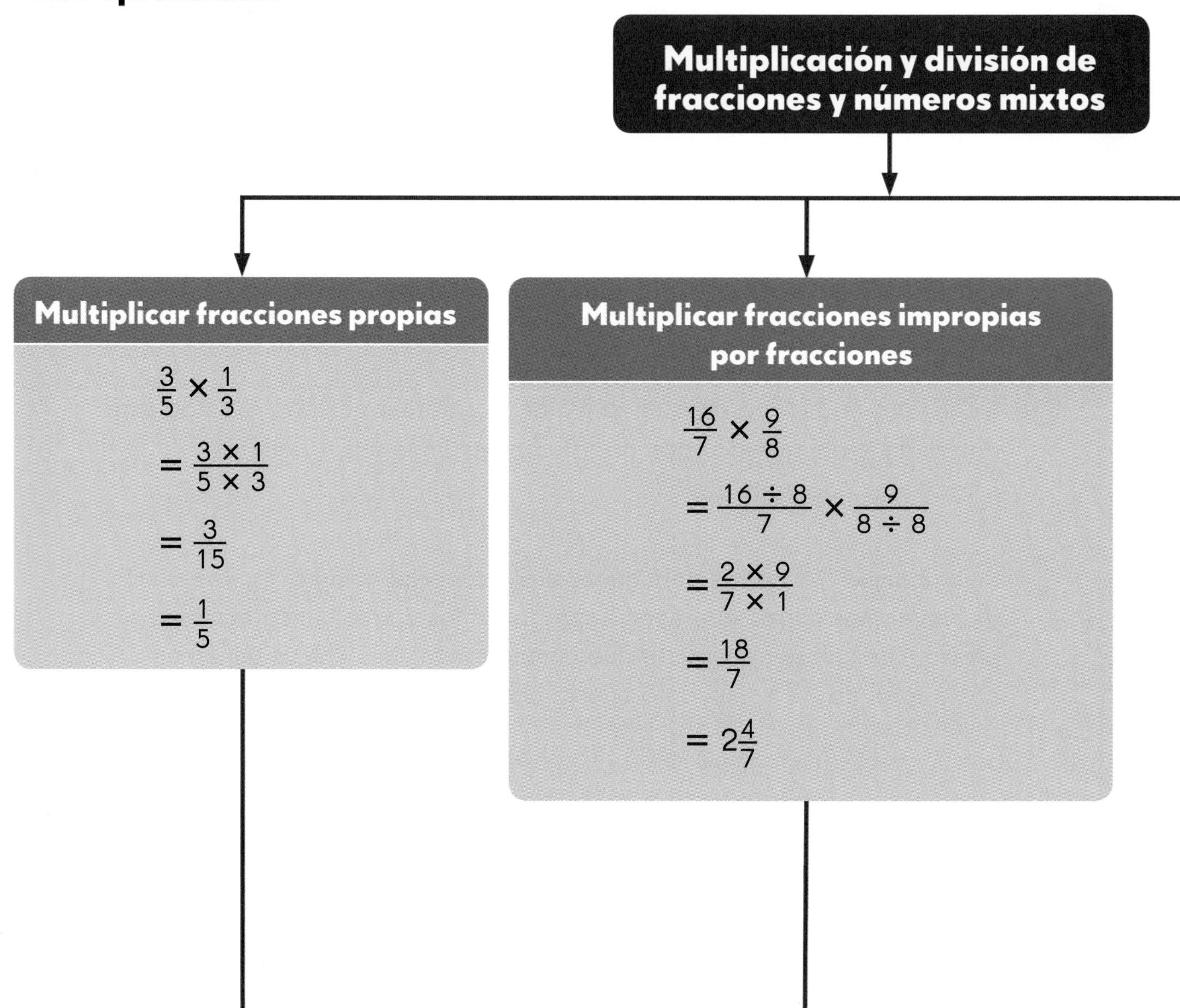

Idea importante

▶ Los números enteros, las fracciones y los números mixtos se pueden multiplicar o dividir en cualquier combinación.

Multiplicar números mixtos y números enteros

$12 \times 3\frac{5}{9}$

$= 12 \times \frac{32}{9}$

$= \frac{12 \times 32}{9}$

$= \frac{384}{9}$

$= 42\frac{6}{9}$

$= 42\frac{2}{3}$

Dividir una fracción entre un número entero

$\frac{4}{7} \div 8$

$= \frac{4}{7} \div \frac{8}{1}$

$= \frac{4}{7} \times \frac{1}{8}$

$= \frac{1}{14}$

Resolver problemas cotidianos

Repaso/Prueba del capítulo

Vocabulario

Elige la palabra correcta.

producto
factor común
fracción propia
fracción impropia
número mixto
recíproco

1. Una fracción cuyo numerador es mayor que el denominador se llama ______.

2. Un número que se compone de un número entero y una parte fraccionaria se llama ______.

3. Cuando el mismo número es un factor de dos números, se dice que es un ______.

4. El ______ de $\frac{9}{1}$ ó 9 es $\frac{1}{9}$.

Conceptos y destrezas

Multiplica. Expresa cada producto en su mínima expresión.

5. $\frac{1}{2} \times \frac{4}{7}$

6. $\frac{2}{3} \times \frac{9}{10}$

7. $\frac{3}{8}$ de $\frac{2}{5}$

8. $\frac{11}{3} \times \frac{1}{4}$

Multiplica. Expresa cada producto como un número entero o como un número mixto en su mínima expresión.

9. $\frac{20}{6} \times \frac{12}{5}$

10. $\frac{16}{9} \times \frac{12}{8}$

Multiplica. Expresa el producto como un número entero o como un número mixto en su mínima expresión.

11. $5\frac{1}{4} \times 8$

12. $14 \times 3\frac{5}{6}$

13. $17 \times 2\frac{5}{8}$

Divide. Expresa el cociente en su mínima expresión.

14 $\frac{2}{9} \div 4$

15 $\frac{7}{12} \div 2$

16 $\frac{3}{10} \div 9$

17 $\frac{15}{19} \div 5$

Resolución de problemas

Resuelve. Muestra el proceso.

18 Pat tiene algunas camisetas. $\frac{1}{4}$ de las camisetas son rosadas, $\frac{1}{2}$ de las que quedan son blancas y el resto son moradas.
¿Qué fracción de las camisetas son moradas?

19 Donald trabaja $1\frac{3}{4}$ de hora al día en una librería. Si le pagan \$7 la hora, ¿cuánto dinero gana en 5 días?

20 Juliana tiene un pedazo rectangular de tela de $\frac{7}{8}$ de yarda de largo y $\frac{4}{5}$ de yarda de ancho.

a ¿Cuál es el área del pedazo de tela?

b Juliana divide el pedazo de tela en partes iguales para compartirlo con su amiga. ¿Qué área de tela le corresponde a cada persona?

21 Del número total de espectadores en una función de circo, $\frac{1}{4}$ son hombres. $\frac{2}{5}$ del número restante de los espectadores son mujeres. Hay 132 mujeres en la función de circo. ¿Cuántos niños hay en la función de circo?

Capítulo 5

Álgebra

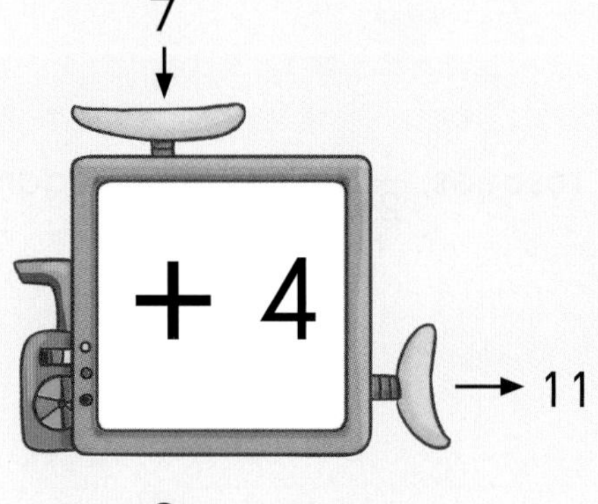

Esta máquina suma 4 al número que se introduce.

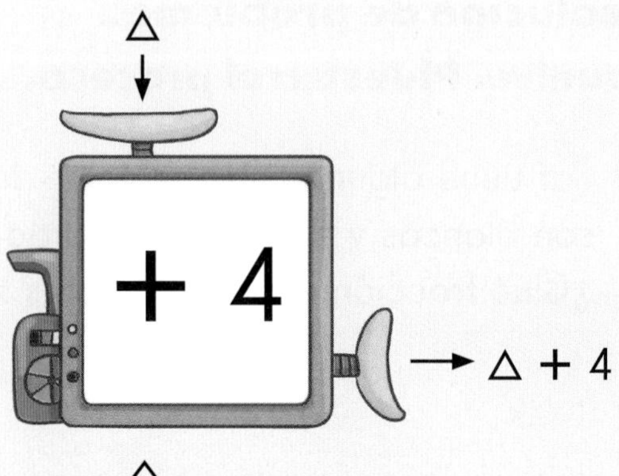

Esta máquina multiplica por 3 el número que se introduce.

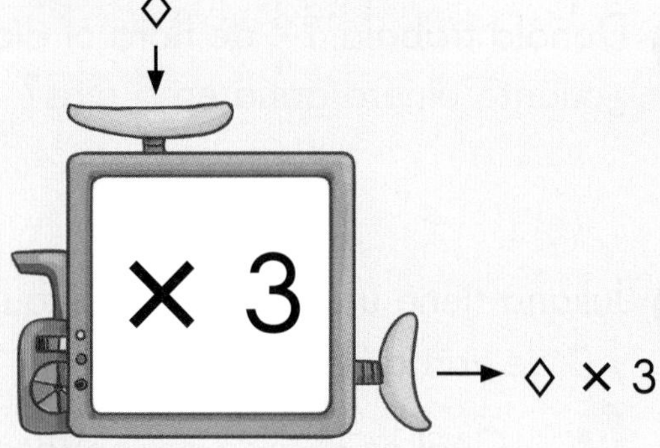

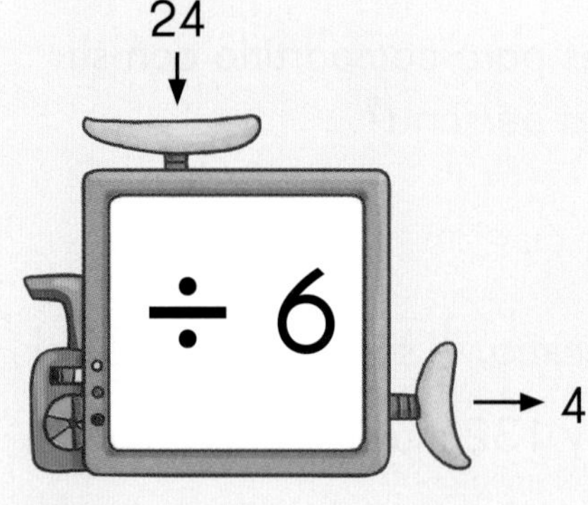

¿Qué hace esta máquina?

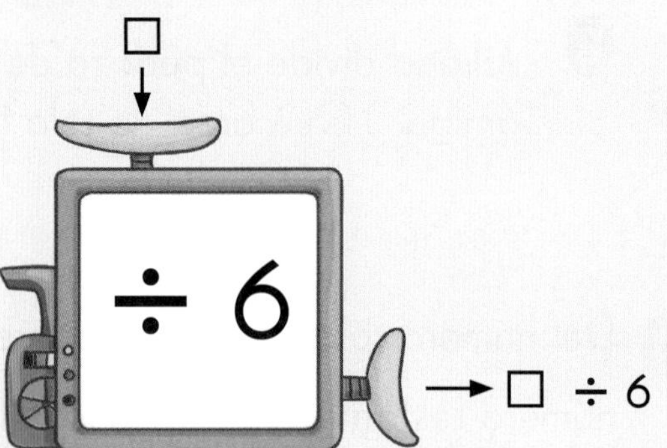

Lecciones

5.1 Usar letras para representar números
5.2 Simplificar expresiones algebraicas
5.3 Desigualdades y ecuaciones
5.4 Problemas cotidianos: Álgebra

Idea importante

▶ Las expresiones algebraicas se pueden usar para describir situaciones y resolver problemas cotidianos.

Recordar conocimientos previos

Comparar números con símbolos

Símbolo	Significado	Ejemplo
$=$	es igual a	$4 + 6 = 10$ → $4 + 6$ es igual a 10.
$>$	es mayor que	$15 > 6$ → 15 es mayor que 6.
$<$	es menor que	$4 < 10$ → 4 es menor que 10.

La multiplicación es lo mismo que una suma repetida.

8	8	8	8

$8 + 8 + 8 + 8 = 4 \times 8$

Propiedades de los números

1. Propiedad conmutativa
   $2 + 3 = 3 + 2$
   $4 \times 5 = 5 \times 4$

2. Propiedad asociativa
   $(6 + 7) + 8 = 6 + (7 + 8)$
   $(9 \times 10) \times 11 = 9 \times (10 \times 11)$

3. Propiedad de identidad
   $13 + 0 = 13$
   $14 \times 1 = 14$

4. Propiedad distributiva
   $12 \times 2 = (10 \times 2) + (2 \times 2)$
   $9 \times 4 = (10 \times 4) - (1 \times 4)$

5. Propiedad del cero de la multiplicación
   $16 \times 0 = 0$

Operaciones inversas

Las operaciones inversas son operaciones que tienen efectos opuestos.

La suma y la resta son un par de operaciones inversas.

La multiplicación y la división son otro par de operaciones inversas.

Puedes usar las operaciones inversas para hallar los números que faltan.

En $\square + 7 = 15$,

$\square = 15 - 7$

$= 8$

En $\square \times 4 = 24$,

$\square = 24 \div 4$

$= 6$

Orden de las operaciones

Trabaja dentro del paréntesis.

Multiplica y divide de izquierda a derecha.

Suma y resta de izquierda a derecha.

Primera expresión $(30 + 42) - 3 \times 8$ ← Primero, realiza todas las operaciones dentro del paréntesis.

Segunda expresión $72 - 3 \times 8$ ← Luego, multiplica.

Tercera expresión $72 - 24$ ← Finalmente, resta.

48

Completa con =, > o <.

1. 101 ◯ 99
2. 49 ◯ 51
3. 8 + 5 ◯ 4 + 9

Completa.

4. 7 + 7 = ___ × 7
5. 5 + 5 + 5 = ___ × 5
6. 23 + 23 = 2 ◯ 23
7. 16 + 16 + 16 + 16 = 4 ◯ 16

Escribe Verdadero o Falso.

8. 25 + 39 es lo mismo que sumar 39 + 25.
9. (3 × 4) × 9 da un producto diferente que 3 × (4 × 9).
10. La suma de cualquier número y 0 es el mismo número.
11. 64 × 9 es lo mismo que (60 × 9) − (4 × 9).
12. El producto de la multiplicación de cualquier número por 0 es 0.

Halla el número que falta.

13. 7 + ___ = 11
14. ___ − 3 = 18
15. 6 × ___ = 54
16. ___ ÷ 6 = 10

Simplifica cada expresión.

17. 2 + (8 − 3) × 4
18. (12 − 8) ÷ 4 + 5

Usar letras para representar números

Objetivo de la lección

- Reconocer, escribir y evaluar expresiones algebraicas simples con una variable.

Vocabulario

variable	expresión numérica
evaluar	expresión algebraica

Aprende

Escribe una expresión numérica para mostrar cómo se relacionan los números en una situación.

Randy tiene ahora 12 años.

a Escribe una expresión que represente la edad de Randy dentro de un año.

	Edad de Randy (en años)
Ahora	12
Dentro de 1 año	12 + 1 (13)

Una expresión es un número o grupo de números con signos de operaciones.

Dentro de un año, la edad de Randy será (12 + 1) o 13 años.

b Escribe una expresión que represente la edad de Randy hace dos años.

	Edad de Randy (en años)
Ahora	12
Hace 1 año	12 − 1
Hace 2 años	12 − 2 (10)

Hace dos años Randy tenía (12 − 2) o 10 años de edad.

Usa **variables** para representar números desconocidos y formar expresiones con sumas y diferencias.

El señor Haskin es un maestro de quinto grado. Sus estudiantes no saben su edad.

a Escribe una expresión que represente la edad del señor Haskin dentro de un año.

No sé la edad del señor Haskin. ¿Cómo puedo escribir una expresión que represente su edad dentro de un año?

Puedes usar una letra, llamada variable para representar el número desconocido. Luego, puedes escribir una expresión para la edad del señor Haskin como si la supieras.

Sea x la letra que representa la edad del señor Haskin ahora (en años).

	Edad del señor Haskin (en años)
Ahora	x
Dentro de 1 año	$x + 1$

La edad del señor Haskin dentro de un año será $(x + 1)$ años.

Una variable puede asumir valores diferentes. x es una variable, entonces puede asumir valores diferentes. Si el señor Haskin tiene 47 años, entonces x es 47. Si el señor Haskin tiene 38 años, entonces x es 38.

b Escribe una expresión que represente la edad que tenía el señor Haskin hace dos años. Usa la misma variable, x:

	Edad del señor Haskin (en años)
Ahora	x
Hace 1 año	$x - 1$
Hace 2 años	$x - 2$

Hace 2 años, el señor Haskin tenía $(x - 2)$ años de edad.

$x + 1$, $x - 1$ y $x - 2$ son ejemplos de **expresiones algebraicas** en función de x.

Una expresión algebraica es una expresión que contiene por lo menos una variable.

Práctica con supervisión

Completa.

1. ¿Cuántos años tiene el señor Haskin en función de x?

	Edad del señor Haskin (en años)
Ahora	x
Dentro de 4 años	
Dentro de 10 años	
Hace 5 años	
Hace 8 años	

Aprende

Es posible usar una variable en lugar de un número en una expresión algebraica.

a. Suma 2 a 6.
$6 + 2$

b. Suma x a 6.
$6 + x$

c. Resta 3 de 4.
$4 - 3$

d. Resta 3 de y.
$y - 3$

e. Halla 4 más que 8.
$8 + 4$

f. Halla x más que 8.
$8 + x$

g. Halla 5 menos que 9.
$9 - 5$

h. Halla 5 menos que y.
$y - 5$

Práctica con supervisión

Escribe la expresión algebraica correspondiente.

2. Suma 5 a z.

3. Suma z a 8.

4. Resta 7 de z.

5. Resta z de 10.

6. Halla 9 más que z.

7. Halla z más que 9.

8. Halla 11 menos que z.

9. Halla z menos que 11.

Es posible evaluar las expresiones algebraicas usando los valores dados para la variable.

a Halla el valor de $x + 5$ si $x = 9$.

Si $x = 9$,
$$x + 5 = 9 + 5$$
$$= 14$$

b Halla el valor de $5 + x$ si $x = 23$.

Si $x = 23$,
$$5 + x = 5 + 23$$
$$= 28$$

c Halla el valor de $y - 7$ si $y = 15$.

Si $y = 15$,
$$y - 7 = 15 - 7$$
$$= 8$$

d Halla el valor de $30 - y$ si $y = 7$.

Si $y = 7$,
$$30 - y = 30 - 7$$
$$= 23$$

Para evaluar una expresión usando un valor dado para la variable, sustituye la variable con el valor dado y luego halla el valor de la expresión.

Práctica con supervisión

Completa. Halla el valor de cada expresión algebraica usando los valores dados de x.

10

Expresión	Valor de la expresión cuando	
	$x = 8$	$x = 30$
$x + 4$	$8 + 4 = 12$	$30 + 4 = 34$
$12 + x$		
$x - 6$		
$40 - x$		

Aprende

Usa variables para formar expresiones con multiplicaciones.

Una caja tiene 12 ciruelas. ¿Cuántas ciruelas hay en esas 2 cajas?

$$2 \times 12 = 24$$

2 ↑ Número de cajas

12 ↑ Número de ciruelas en cada caja

Hay (2×12) o 24 ciruelas en esas 2 cajas.

Una caja tiene n ciruelas.

a ¿Cuántas ciruelas hay en 2 de esas cajas?

$$2 \times n = 2 \times n$$

2 ↑ Número de cajas

n ↑ Número de ciruelas en cada caja

Hay $(2 \times n)$ ciruelas en esas 2 cajas.

b ¿Cuántas ciruelas hay en 3 de esas cajas?

$$3 \times n = 3 \times n$$

3 ↑ Número de cajas

n ↑ Número de ciruelas en cada caja

Hay $(3 \times n)$ ciruelas en esas 3 cajas.

Escribe $2 \times n$ como $2n$ y $3 \times n$ como $3n$.

Las expresiones $2n$ y $3n$ son ejemplos de expresiones algebraicas con multiplicación en función de n.

$2n$ y $3n$ es como se escriben en álgebra $2 \times n$ y $3 \times n$.

$3n$ es $3 \times n$ o 3 grupos de n o $n \times 3$ o n grupos de 3.

$1 \times n = n \times 1$
$= 1n$
$= n$

$12p$ es $12 \times p$ o 12 grupos de p o $p \times 12$ o p grupos de 12.

Práctica con supervisión

Escribe las siguientes expresiones por lo menos de tres maneras diferentes.

11 $4k$

12 $7 \times j$

13 5 grupos de p

14 q grupos de 8

Completa.

15 Hay n adhesivos en 1 paquete. Halla el número de adhesivos en función de n. Luego, halla el número de adhesivos para los valores dados de n.

Número de paquetes	Número de adhesivos	Número de adhesivos cuando	
		$n = 15$	$n = 20$
1	n	15	20
4			
7			
10			
15			

Para hallar el número de adhesivos con cualquier valor de n, sustituye n en la expresión por el número de adhesivos. Luego, halla el valor de la expresión.

Aprende

Usa variables para formar expresiones con divisiones.

Un cartón tiene 6 cajas de jugo. Las cajas se separan en 2 grupos iguales. ¿Cuántas cajas hay en cada grupo?

$$6 \div 2 = 3$$

6: Número de cajas de jugo
2: Número de grupos

Hay (6 ÷ 2) o 3 cajas de jugo en cada grupo.

Un cartón tiene *m* cajas de jugo.

a Si las cajas de jugo se separan en 2 grupos iguales, ¿cuántas cajas hay en cada grupo?

$$m \div 2$$

m: Número de cajas de jugo
2: Número de grupos

Hay ($m \div 2$) cajas de jugo en cada grupo.

b Si las cajas de jugo se separan en 3 grupos iguales, ¿cuántas cajas hay en cada grupo?

$$m \div 3$$

m: Número de cajas de jugo
3: Número de grupos

Hay ($m \div 3$) cajas de jugo en cada grupo.

Escribe $m \div 2$ como $\frac{m}{2}$ y $m \div 3$ como $\frac{m}{3}$.

Las expresiones $\frac{m}{2}$ y $\frac{m}{3}$ son ejemplos de expresiones algebraicas con división en función de *m*.

$\frac{m}{2}$ y $\frac{m}{3}$ es como $m \div 2$ y $m \div 3$ se escriben en álgebra.

$\frac{m}{1}$ es igual a *m*.

$\frac{s}{6}$ significa $s \div 6$.

Práctica con supervisión

Completa.

16 Un paquete de m palitos de *pretzel* se debe compartir en partes iguales entre algunos niños. Halla el número de palitos de *pretzel* que recibe cada niño en función de m. Luego, halla el número de palitos de *pretzel* para los valores dados de m.

Número de niños	Número de palitos de *pretzel* que recibe cada niño	Número de palitos de *pretzel* que recibe cada niño cuando	
		$m = 24$	$m = 48$
1	m	24	48
3	$\frac{m}{3}$	$\frac{24}{3} = 8$	
6			
8			
12			

17 Halla la expresión que corresponde a cada casilla en función de p. Para cada círculo de la derecha, halla el valor de la expresión de la casilla que está a su lado, si $p = 6$.

$p \xrightarrow{\times 1} p \xrightarrow{+ 7} p + 7 \xrightarrow[p = 6]{\text{si}}$ ◯

$3 \xrightarrow{\times p}$ ▢ $\xrightarrow{- 8}$ ▢ $\xrightarrow[p = 6]{\text{si}}$ ◯

$p \xrightarrow{+ 4}$ ▢ $\xrightarrow{\div 2}$ ▢ $\xrightarrow[p = 6]{\text{si}}$ ◯

$p \xrightarrow{\div 2}$ ▢ $\xrightarrow{+ 2}$ ▢ $\xrightarrow[p = 6]{\text{si}}$ ◯

$11 \xrightarrow{- p}$ ▢ $\xrightarrow{\div 5}$ ▢ $\xrightarrow[p = 6]{\text{si}}$ ◯

Halla el valor de cada expresión si $r = 1,728$.

18 $23r - 89$

19 $\frac{11,640 - r}{28}$

20 $\frac{11r}{24} + 2,399$

21 $\frac{14r + 7,392}{32}$

Manos a la obra

TRABAJAR EN PAREJAS

Materiales:
- 5 tarjetas con letras
- 5 tarjetas con números

PASO 1 Elijan una tarjeta con letras y una tarjeta con números.

PASO 2 Escriban tantas expresiones algebraicas como puedan usando las dos cartas. Por ejemplo, si toman las cartas x y 8, pueden escribir: '$x + 8$', '$8 + x$', '$x - 8$', '$8 - x$', '$8x$', '$\frac{x}{8}$' y '$\frac{8}{x}$'.

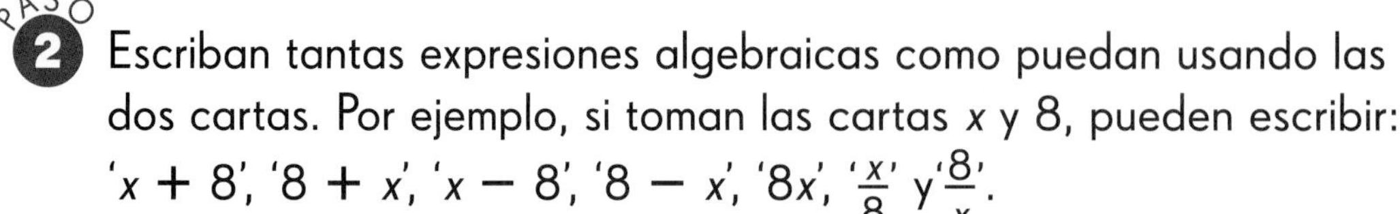

PASO 3 Repitan el PASO 1 y PASO 2 hasta que hayan elegido todas las cartas.

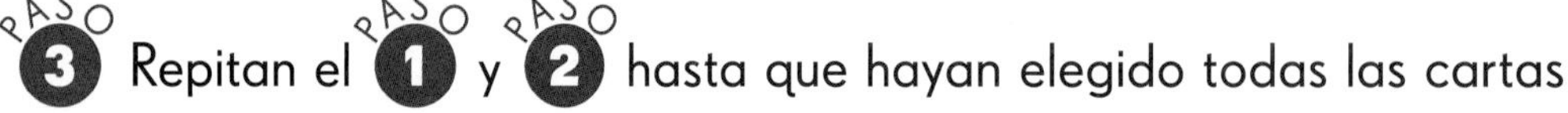

Exploremos

1. Halla el valor de las expresiones:

   a. $\frac{y}{2}$ b. $\frac{1}{2} \times y$

   Si $y = 6$ y $y = 14$.

   Elige otros tres valores para y, y usa tu calculadora para hallar el valor de las expresiones. ¿Qué puedes concluir de las expresiones?

2. Halla el valor de las expresiones:

   a. $\frac{y - 2}{3}$ b. $(y - 2) \div 3$ c. $\frac{1}{3} \times (y - 2)$

   cuando $y = 8$ y $y = 17$.

   Elige otros tres valores para y, y usa tu calculadora para hallar el valor de las expresiones. ¿Qué puedes concluir de las expresiones?

3. Escribe la expresión $(x + 4) \div 6$ de dos maneras diferentes.

Escribe dos problemas cotidianos que se pueden describir con estas expresiones.

1. $m - 20$
2. $5m$

Practiquemos

Escribe cada expresión de una o dos maneras diferentes.

1. $5 \times a$
2. $v \times 15$
3. $x \div 3$
4. $\frac{1}{4} \times y$
5. $\frac{z + 4}{5}$
6. $\frac{1}{2} \times (a - 7)$

Escribe una expresión para cada enunciado.

7. Suma *b* a 9.
8. Resta 4 a *b*.
9. Resta *b* de 10.
10. Multiplica *b* por 3.
11. Multiplica 7 por *b*.
12. Divide *b* entre 5.
13. Mitad de *b*.
14. Suma 10 a *b*, luego divide entre 7.
15. Multiplica *b* por 6, luego resta 11.
16. Divide *b* entre 3, luego suma 8.

Escribe una expresión en función de x para cada uno de los siguientes enunciados. Luego, halla el valor de la expresión si $x = 18$.

John tiene ahora x años de edad.

17 La edad de su hermano, que tiene 5 años más.

18 La edad de su hermana, que tiene 3 años menos.

19 La edad de su tía, que tiene el doble de años.

20 La edad de su primo, que tiene la mitad de años.

Escribe una expresión en función de n para cada enunciado. Luego, halla el valor de la expresión si $n = 24$.

Hay n fresas en una caja.

21 El número de fresas que quedan después que se han comido 6.

22 El número de fresas que cada niño recibe cuando la caja de fresas se distribuye en partes iguales entre 4 niños.

23 El número total de fresas en 10 cajas semejantes.

24 El número de fresas que cada niño recibe cuando se distribuyen una caja y 11 fresas en partes iguales entre 5 niños.

Halla el valor de cada expresión si $y = 18{,}324$.

25 $y + 967$

26 $y - 1{,}259$

27 $25{,}283 - y$

28 $5y$

29 $y \div 4$

POR TU CUENTA

Ver Cuaderno de actividades A: Práctica 1, págs. 175 a 182

Simplificar expresiones algebraicas

Objetivo de la lección

- Simplificar expresiones algebraicas con una variable.

Vocabulario
simplificar   términos semejantes

Aprende

Las expresiones algebraicas se pueden simplificar.

Una barra que mide a centímetros de largo está unida a otra de igual longitud. ¿Cuál es la longitud total de las 2 barras?

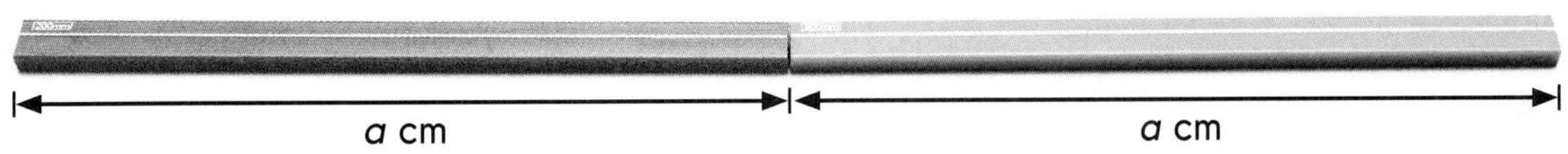

$a + a = 2 \times a$

Simplifica $(a + a)$ escribiendo:

$a + a = 2a$

La longitud total de las 2 barras es de $2a$ centímetros.

3	3

$3 + 3 = 2 \times 3$

4	4

$4 + 4 = 2 \times 4$

a	a

$a + a = 2 \times a$

$2 \times a$ es lo mismo que $2a$.

La ilustración muestra 3 barras, cada una mide b centímetros de largo. ¿Cuál es la longitud total de las 3 barras?

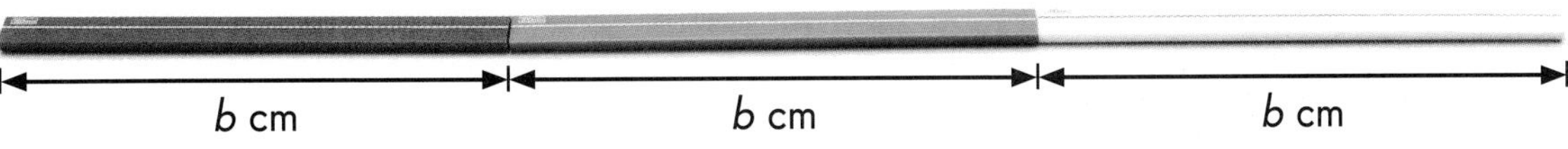

$b + b + b = 3 \times b$

Simplifica $(b + b + b)$ escribiendo:

$b + b + b = 3b$

5	5	5

$5 + 5 + 5 = 3 \times 5$

b	b	b

$b + b + b = 3 \times b$

$3 \times b$ es lo mismo que $3b$.

La longitud total de las 3 barras es de $3b$ centímetros.

La figura muestra 5 palitos, cada uno mide r centímetros de largo.
¿Cuál es la longitud total de los 5 palitos?

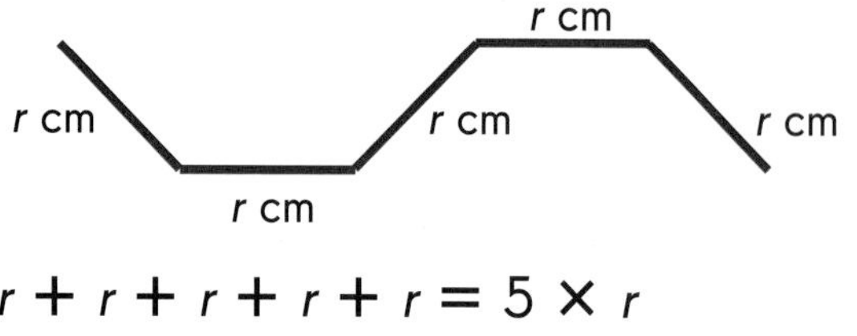

$$r + r + r + r + r = 5 \times r$$
$$= 5r$$

r	r	r	r	r

$r + r + r + r + r = 5 \times r$

$5 \times r$ es lo mismo que $5r$.

La longitud total de los 5 palitos es de $5r$ centímetros.

Práctica con supervisión

Simplifica cada expresión.

1. $x + x$
2. $y + y + y$
3. $a + a + a + a + a$
4. $b + b + b + b + b + b$
5. $c + c + c + c + c + c + c$

Aprende

Los términos semejantes se pueden sumar.

Simplifica $a + 2a$.

$$a + 2a = a + a + a$$
$$= 3a$$

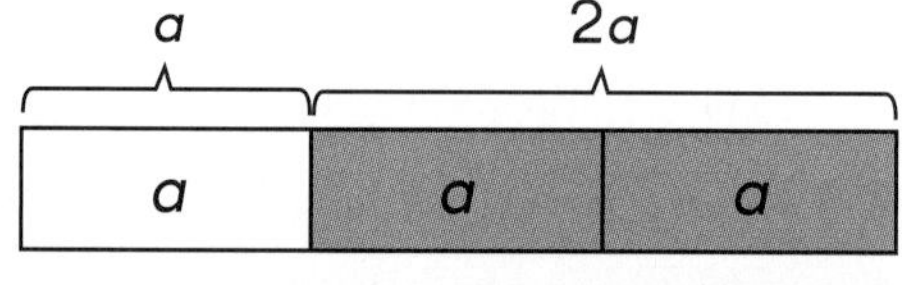

a y $2a$ son los términos de la expresión,
$a + 2a$ se llaman términos semejantes porque
ambos son múltiplos de a.

Práctica con supervisión

Completa.

6. Simplifica $2a + 3a$.

$2a + 3a =$ ___

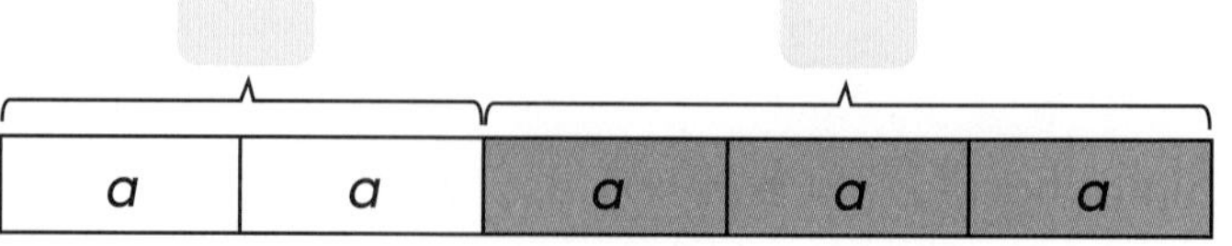

Simplifica cada expresión.

7. $a + 3a$
8. $4x + x$
9. $2z + 5z$
10. $3y + 6y$
11. $b + 2b + 3b$
12. $4c + 2c + 10c$

Una variable restada de sí misma da cero.

Una cinta mide a centímetros de largo. Jenny usa toda la cinta para decorar un regalo.

¿Cuánta cinta quedó?

$a - a = 0$

Quedaron 0 centímetros de cinta.

Compara esto con:
$2 - 2 = 0$
$7 - 7 = 0$
$14 - 14 = 0$

Práctica con supervisión

Simplifica cada expresión.

13. $x - x$
14. $2y - 2y$
15. $10z - 10z$

Los términos semejantes se pueden restar.

Simplifica $3a - a$.

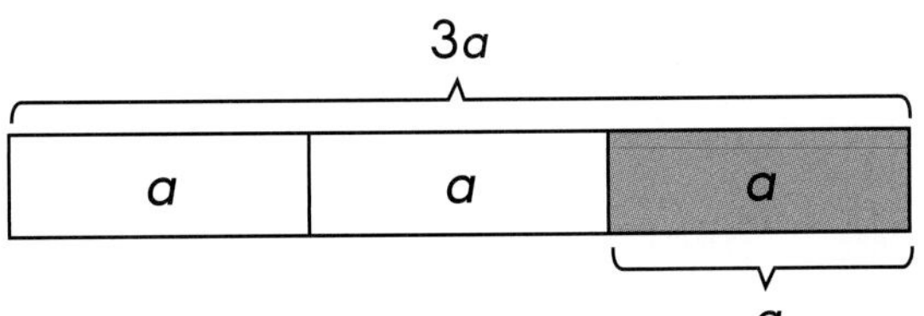

$3a - a = 2a$

Según el modelo,
$3a - a = a + a$
$a + a = 2 \times a = 2a$
So, $3a - a = 2a$

Simplifica $4a - 2a$.

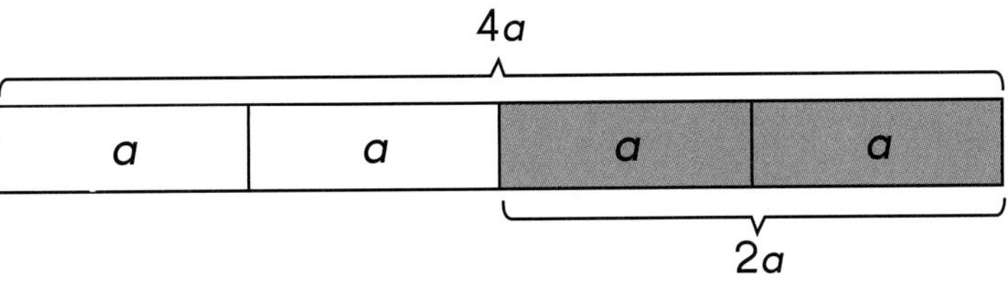

$4a - 2a = 2a$

Según el modelo,
$4a - 2a = a + a$
$a + a = 2 \times a = 2a$
So, $4a - 2a = 2a$

Práctica con supervisión

Completa.

16 Simplifica $5a - 2a$.

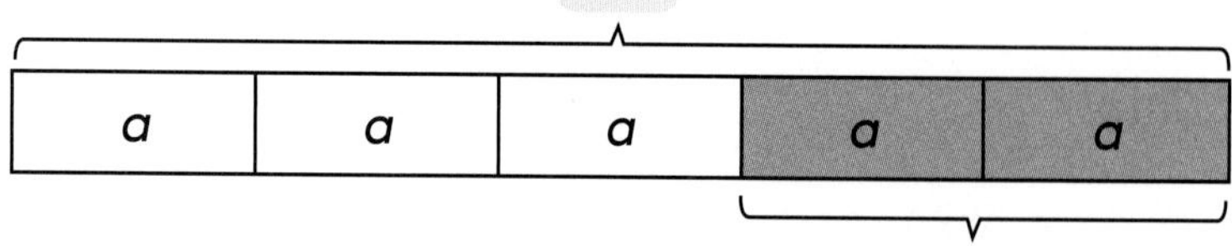

$5a - 2a =$ ___

Simplifica cada expresión.

17 $4a - a$

18 $7a - 3a$

19 $5x - 4x$

20 $10x - 6x$

21 $8y - 3y - 5y$

22 $12y - 7y - y$

Aprende

Usa el orden de operaciones para simplificar expresiones algebraicas.

a Simplifica $6a + 3a - 2a$.

Trabajando de izquierda a derecha,

$$6a + 3a - 2a = 9a - 2a$$
$$= 7a$$

b Simplifica $6a - 2a + 3a$.

Trabajando de izquierda a derecha,

$$6a - 2a + 3a = 4a + 3a$$
$$= 7a$$

Práctica con supervisión

Simplifica cada expresión.

23 $2x + 3x - 4x$

24 $x + 5x - 6x$

25 $9a - 3a + 4a$

26 $12a - 7a + 2a$

Reúne términos semejantes para simplificar expresiones algebraicas.

Hallar la distancia entre el punto A y el punto B.

a km   4 km a km   2 km

A |——|————|——|——| B

$a + 4 + a + 2$ ← Identifica los términos semejantes.

$= a + a + 4 + 2$ ← Cambia el orden de los términos para reunir términos semejantes. Luego simplifica.

$= \quad 2a \quad + \quad 6$

La distancia entre el punto A y el punto B es $(2a + 6)$ kilómetros.

Propiedad conmutativa de la suma:

Dos números se pueden sumar en cualquier orden.

Entonces, $4 + a = a + 4$.

Simplifica $4x + 6 - 2x$.

$4x + 6 - 2x$ ← Identifica los términos semejantes.

$= 6 + 4x - 2x$ ← Cambia el orden de los términos para reunir los términos semejantes. Luego simplifica.

$= 6 \quad + \quad 2x$

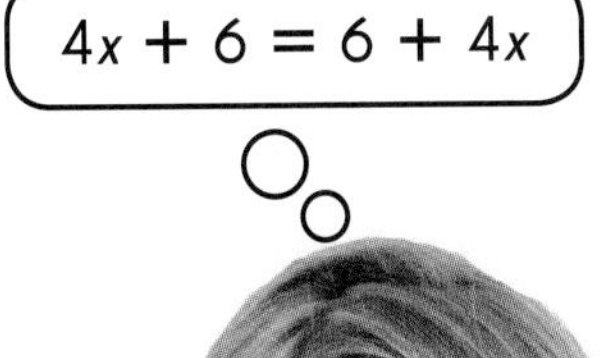

Práctica con supervisión

Simplifica cada expresión.

27 $b + 5 + b + 5$

28 $3b + 4b + 2 + 6$

29 $5s + 9 - 3s$

30 $8s + 6 - 2s - 1$

Manos a la obra

Materiales:
- 20 palitos planos

Sea la longitud de cada palito plano igual a p unidades.

Formen una figura cerrada usando 3 o más palitos planos.

Ejemplo

PASO 2 Escriban la longitud total de los palitos planos que usaron.

Ejemplo

Longitud total de los palitos planos $= p + p + p$

$= 3p$ unidades

PASO 3 Quiten y sumen palitos planos para formar otra figura.

Ejemplo

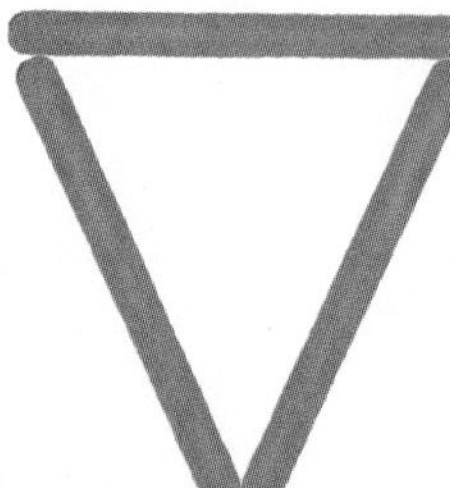

quitar 1 palito plano, sumar 3 palitos planos →

PASO 4 Escriban la longitud total de los palitos planos que usaron en la nueva figura. Resten la longitud total de los palitos planos que quitaron y sumen la longitud total de los palitos planos que agregaron.

Ejemplo

Para formar la segunda figura, se quitó 1 palito plano y se sumaron 3 palitos planos.

Longitud total de los palitos planos $= 3p - p + 3p$

$= 5p$ unidades

PASO 5 Comprueben la respuesta del PASO 4 contando el número de palitos planos que usaron en la nueva figura para hallar la longitud total.

Ejemplo

Número total de palitos planos usados = 5

Longitud total de los palitos planos $= 5 \times p$

$= 5p$ unidades

PASO 6 Repitan la actividad con otras figuras.

Practiquemos

Simplifica cada expresión.

1. $2a + 5a$
2. $a + 7a$
3. $3a + 3a + 6a$
4. $4x - 2x$
5. $6x - 5x$
6. $10x - 2x - 8x$
7. $7y - 5y + 4y$
8. $9y + 3y - 5y$
9. $a + a + 5$
10. $b + 4 + 4 + b$
11. $2s + 7 - 6 + s$
12. $9r + 10 + 2 - 3r$

POR TU CUENTA

Ver Cuaderno de actividades A: Práctica 2, págs. 183 a 186

Lección 5.3 Desigualdades y ecuaciones

Objetivos de la lección

- Escribir y evaluar desigualdades.
- Resolver ecuaciones sencillas.

Vocabulario
desigualdad
ecuación
resolver
verdadera
Propiedades de la igualdad

Es posible usar expresiones algebraicas en desigualdades y ecuaciones.

Sara compra 2 bolsas de manzanas y 1 bolsa de 8 naranjas. Cada bolsa de manzanas contiene el mismo número. ¿Hay más naranjas o manzanas?

Sea x el número de manzanas que hay en cada bolsa.

$x + x = 2x$

Hay $2x$ manzanas.

Para comparar $2x$ y 8, debes conocer el valor de x.

Si $x = 3$, $2x = 2 \times 3 = 6$
$6 < 8$, entonces $2x < 8$.

Si $x = 3$, hay más naranjas que manzanas.

Si $x = 4$, $2x = 2 \times 4 = 8$
$8 = 8$, entonces $2x = 8$.

Si $x = 4$, hay igual número de naranjas y manzanas.

Si $x = 5$, $2x = 2 \times 5 = 10$
$10 > 8$, entonces $2x > 8$.

Si $x = 5$, hay más manzanas que naranjas.

El enunciado $2x = 8$ es una ecuación.
Los enunciados $2x < 8$ y $2x > 8$ son desigualdades.

Práctica con supervisión

Completa con >, < o =.

1. Si $y = 6$, $3y$ ◯ 18.
2. Si $y = 10$, $3y$ ◯ 18.
3. Si $y = 5$, $3y$ ◯ 18.
4. Si $y = 9$, $3y$ ◯ 18.

Aprende

Las expresiones algebraicas se pueden comparar evaluándolas con un valor dado de la variable.

Si $b = 8$, ¿es $4b - 6$ mayor que, menor que o igual a 26?

Evalúa la expresión para comparar:

Si $b = 8$,

$$\begin{aligned} 4b - 6 &= (4 \times 8) - 6 \\ &= 32 - 6 \\ &= 26 \end{aligned}$$

$26 = 26$

Entonces, si $b = 8$, $4b - 6 = 26$.

Si dos expresiones tienen el mismo valor, se dice que son iguales.

Si dos expresiones iguales están unidas por un signo '=', forman una ecuación.

Si $c = 15$, ¿es $3c \div 5$ mayor que, menor que o igual a $c - 8$?

Evalúa ambas expresiones para comparar:

Si $c = 15$,

$$\begin{aligned} 3c \div 5 &= (3 \times 15) \div 5 \\ &= 45 \div 5 \\ &= 9 \end{aligned}$$

$$\begin{aligned} c - 8 &= 15 - 8 \\ &= 7 \end{aligned}$$

$9 > 7$

Entonces, si $c = 15$, $3c \div 5 > c - 8$.

Si dos expresiones con valores diferentes están unidas por un signo '>' o '<', forman una desigualdad.

Práctica con supervisión

Completa.

5 Si $d = 6$, ¿es $2d + 10$ mayor que, menor que o igual a $4d$?

Si $d = 6$, $2d + 10 = (2 \times \_\_\_) + 10$ $\qquad$ $4d = 4 \times \_\_\_$

$= \_\_\_ + 10$ $\qquad$ $= \_\_\_$

$= \_\_\_$

Entonces, $2d + 10$ es ___ $4d$, si $d = 6$.

Completa con >, < o =.

6 Si $e = 4$, $3e \div 6$ ___ $e - 2$. **7** Si $f = 9$, $8f - 4$ ___ $6f + 10$.

Aprende

Propiedades de la igualdad

Puedes sumar o restar el mismo número a ambos lados de la ecuación. La nueva ecuación seguirá siendo **verdadera** para el mismo valor de la variable.

Observa la balanza.

(ficha) representa 1.

[a] representa *a* fichas.

a fichas junto con 4 fichas del lado izquierdo equilibran 5 fichas del lado derecho.

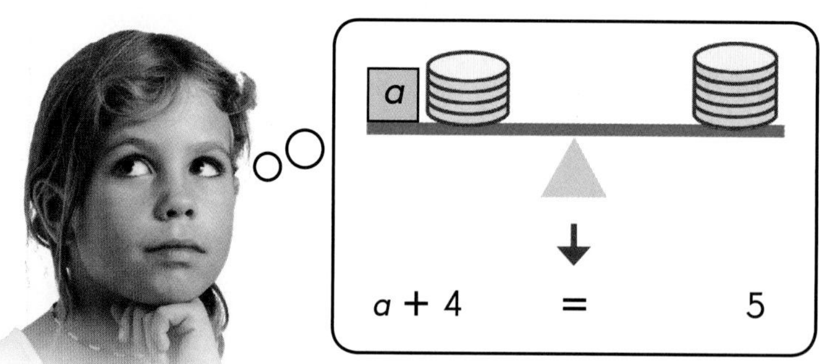

Tienes la ecuación $a + 4 = 5$.

Compara $a + 4 = 5$ con $1 + 4 = 5$, puedes ver que $a = 1$.

Esta ecuación es verdadera si $a = 1$.

a Agrega 2 fichas a ambos lados de la ecuación.
Los dos lados siguen en equilibrio.

Tienes una nueva ecuación:
$a + 4 + 2 = 5 + 2$, es decir, $a + 6 = 7$.

Sustituye 1 por a:
$a + 6 = 1 + 6 = 7$

La nueva ecuación $a + 6 = 7$ sigue siendo verdadera si $a = 1$.

b Quita 2 fichas de ambos lados de la ecuación.
Los dos lados siguen en equilibrio.

Tienes una nueva ecuación:
$a + 4 - 2 = 5 - 2$, es decir, $a + 2 = 3$.

Sustituye 1 por a:
$a + 2 = 1 + 2 = 3$

La nueva ecuación $a + 2 = 3$ sigue siendo verdadera si $a = 1$.

Puedes multiplicar o dividir por el mismo número a ambos lados de la ecuación. La nueva ecuación seguirá siendo verdadera para el mismo valor de la variable.

Observa la balanza.

$4a$ fichas del lado izquierdo equilibran 8 fichas del lado derecho.

Tienes la ecuación, $4a = 8$.

Compara $4a = 8$ con $4 \times 2 = 8$, puedes ver que $a = 2$.

Esta ecuación es verdadera si $a = 2$.

a Multiplica por 2 el número de fichas a ambos lados.
Los dos lados siguen en equilibrio.

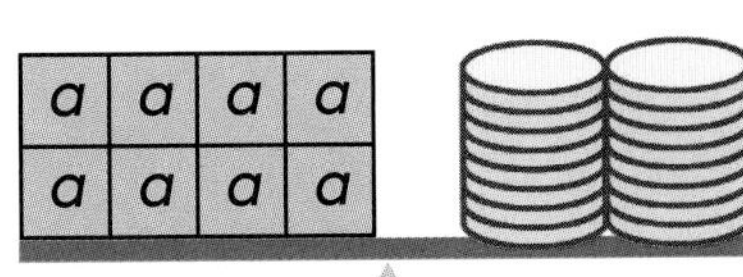

Tienes una nueva ecuación:
$4a \times 2 = 8 \times 2$, es decir, $8a = 16$.

Sustituye 2 por a:
$8a = 8 \times 2 = 16$

La nueva ecuación $8a = 16$ sigue siendo verdadera si $a = 2$.

b Divide entre 2 el número de fichas a ambos lados.
Los dos lados siguen en equilibrio.

Tienes una nueva ecuación:
$4a \div 2 = 8 \div 2$, es decir, $2a = 4$.

Sustituye 2 por a:
$2a = 2 \times 2 = 4$

La nueva ecuación $2a = 4$ sigue siendo verdadera si $a = 2$.

Aprende

Resuelve ecuaciones con variables a un lado del signo de igual.

¿Para qué valor de y será verdadera $5y - 2 = 13$?

Método 1

Si $y = 2$,

$$\begin{aligned} 5y - 2 &= (5 \times 2) - 2 \\ &= 10 - 2 \\ &= 8 \\ &\neq 13 \end{aligned}$$

'≠' significa 'no es igual a'.

El valor de $5y - 2$ es demasiado pequeño si $y = 2$.

Prueba con $y = 3$.

Si $y = 3$,

$$\begin{aligned} 5y - 2 &= (5 \times 3) - 2 \\ &= 15 - 2 \\ &= 13 \end{aligned}$$

$5y - 2 = 13$ es verdadera si $y = 3$.

Método 2

'Desarrollar': $y \xrightarrow{\times 5} 5y \xrightarrow{-2} 5y - 2$

'Descomponer': $y \xleftarrow{\div 5} 5y \xleftarrow{+2} 5y - 2$

$$5y - 2 = 13$$

$$5y - 2 + 2 = 13 + 2$$ ← Suma 2 a ambos lados de la ecuación.

$$5y = 15$$

$$5y \div 5 = 15 \div 5$$ ← Divide ambos lados de la ecuación entre 5.

$$y = 3$$

$5y - 2 = 13$ es verdadera si $y = 3$.

¡Comprobar!

Evalúa la expresión $5y - 2$ para el valor de y que hallaste.

$$5y - 2 = (5 \times 3) - 2$$
$$= 15 - 2$$
$$= 13$$

La respuesta es correcta.

Práctica con supervisión

Escribe +, −, × o ÷ en el ◯ y el número correcto en el ▭.

8 ¿Para qué valor de p sería verdadera $6p + 7 = 37$?

$$6p + 7 = 37$$
$$6p + 7 \ \bigcirc \ \square = 37 \ \bigcirc \ \square$$
$$6p = \square$$
$$6p \ \bigcirc \ \square = \square \ \bigcirc \ \square$$
$$p = \square$$

$6p + 7 = 37$ es verdadera si $p = \square$.

Resuelve cada ecuación.

9 $5r + 5 = 60$

10 $3q - 12 = 15$

Resuelve ecuaciones con variables a ambos lados del signo de igual.

¿Para qué valor de y sería verdadera $6y - 7 = 2y + 9$?

Adivina y comprueba.

Método 1

y	$6y - 7$	$2y + 9$	¿Igual a ambos lados?
2	$6 \times 2 - 7 = 12 - 7$ $= 5$	$2 \times 2 + 9 = 4 + 9$ $= 13$	No
3	$6 \times 3 - 7 = 18 - 7$ $= 11$	$2 \times 3 + 9 = 6 + 9$ $= 15$	No
4	$6 \times 4 - 7 = 24 - 7$ $= 17$	$2 \times 4 + 9 = 8 + 9$ $= 17$	Sí

$6y - 7 = 2y + 9$ es verdadera si $y = 4$.

Método 2

$$6y - 7 = 2y + 9$$

$$6y - 7 + 7 = 2y + 9 + 7$$ ← Suma 7 a ambos lados de la ecuación.

$$6y = 2y + 16$$

$$6y - 2y = 2y - 2y + 16$$ ← Resta $2y$ de ambos lados de la ecuación.

$$4y = 16$$

$$4y \div 4 = 16 \div 4$$ ← Divide entre 4 ambos lados de la ecuación.

$$y = 4$$

$6y - 7 = 2y + 9$ es verdadera si $y = 4$.

¡Comprobar!

Sustituye el valor de y en ambos lados de la ecuación.

Izquierda:

$6y - 7 = 6 \times 4 - 7$
$= 24 - 7$
$= 17$

Derecha:

$2y + 9 = 2 \times 4 + 9$
$= 8 + 9$
$= 17$

La respuesta correcta es $y = 4$.

Resuelve $3p + 4 = 5p - 6$.

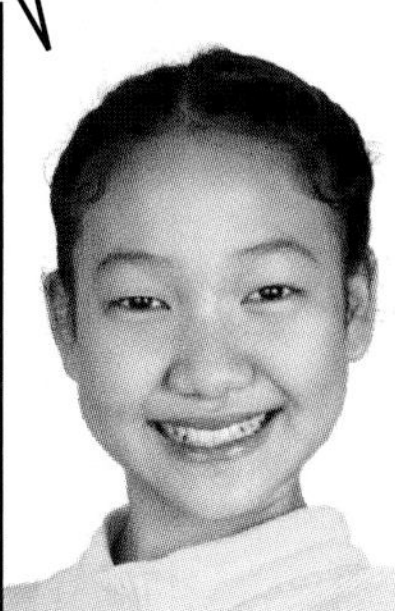

Método 1

y	$3p + 4$	$5p - 6$	¿Igual a ambos lados?
2	$3 \times 2 + 4 = 6 + 4$ $= 10$	$5 \times 2 - 6 = 10 - 6$ $= 4$	No
4	$3 \times 4 + 4 = 12 + 4$ $= 16$	$5 \times 4 - 6 = 20 - 6$ $= 14$	No
5	$3 \times 5 + 4 = 15 + 4$ $= 19$	$5 \times 5 - 6 = 25 - 6$ $= 19$	Sí

$p = 5$

Método 2

$$3p + 4 = 5p - 6$$

$$3p + 4 + 6 = 5p - 6 + 6$$ ← Suma 6 a ambos lados de la ecuación.

$$3p + 10 = 5p$$

$$3p - 3p + 10 = 5p - 3p$$ ← Resta $3p$ de ambos lados de la ecuación.

$$10 = 2p$$

$$2p = 10$$

$$2p \div 2 = 10 \div 2$$ ← Divide entre 2 ambos lados de la ecuación.

$$p = 5$$

Puedo restar 4 o sumar 6 a ambos lados de la ecuación. ¿Cuál de los dos sé hacer?

Restar 4:
$3p + 4 - 4 = 5p \underbrace{- 6 - 4}_{?}$

Sumar 6:
$3p + 4 + 6 = 5p - 6 + 6$

No sé cómo simplificar '$- 6 - 4$'. Entonces, sumaré 6 a ambos lados.

¡Comprobar!

Sustituye el valor de p en ambos lados de la ecuación.

Izquierda:
$3p + 4 = 3 \times 5 + 4$
$= 15 + 4$
$= 19$

Derecha:
$5p - 6 = 5 \times 5 - 6$
$= 25 - 6$
$= 19$

La respuesta correcta es $p = 5$.

Práctica con supervisión

Escribe +, −, × o ÷ en el ◯ y el número correcto en el ▭.

11. ¿Para qué valor de q sería verdadera $8q - 7 = 5q + 11$?

$$8q - 7 = 5q + 11$$
$$8q - 7 \bigcirc \square = 5q + 11 \bigcirc \square$$
$$8q = 5q \bigcirc \square$$
$$8q \bigcirc 5q = 5q \bigcirc 5q \bigcirc \square$$
$$3q = \square$$
$$3q \bigcirc \square = \square \bigcirc \square$$
$$q = \square$$

$8q - 7 = 5q + 11$ es verdadera si $q = \square$.

12. ¿Para qué valor de m sería verdadera $3m + 9 = 5m - 11$?

$$3m + 9 = 5m - 11$$
$$3m + 9 \bigcirc \square = 5m - 11 \bigcirc \square$$
$$3m \bigcirc \square = 5m$$
$$3m \bigcirc 3m + \square = 5m \bigcirc 3m$$
$$\square = 2m$$
$$2m = \square$$
$$2m \bigcirc \square = \square \bigcirc \square$$
$$m = \square$$

$3m + 9 = 5m - 11$ es verdadera si $m = \square$.

Puedo restar ▭ o sumar ▭ a ambos lados de la ecuación. ¿Cuál de las dos sé hacer?

Restar ▭:

$3m + 9 - \square = 5m - 11 - \square$

?

Sumar ▭:

$3m + 9 + \square = 5m - 11 + \square$

No sé cómo simplificar '$- \square \bigcirc \square$'. Entonces, sumaré ▭ a ambos lados.

Practiquemos

Completa con >, < o =.

1. Si $z = 5$, $4z$ ◯ 24.
2. Si $z = 8$, $4z$ ◯ 24.
3. Si $z = 6$, $4z$ ◯ 24.
4. Si $z = 2$, $4z$ ◯ 24.

Completa con =, > o <, si $a = 9$.

5. $a + 7$ ◯ 16
6. $2a - 5$ ◯ 11
7. $(12 + a) - 21$ ◯ 1
8. $15 - a$ ◯ $a - 2$
9. $4a \div 6$ ◯ $17 - a$
10. $13 + (72 \div a)$ ◯ $2a + 2$

Resuelve cada ecuación.

11. $6j - 24 = 12$
12. $8k + 19 = 35$
13. $5m - 9 = 3m + 7$
14. $10n + 6 = 15n - 9$

POR TU CUENTA

Ver Cuaderno de actividades A: Práctica 3, págs. 187 a 188

Lección 5.4 Problemas cotidianos: Álgebra

Objetivo de la lección

- Resolver problemas cotidianos relacionados con expresiones algebraicas.

Aprende **Escribe y evalúa una expresión de suma o resta para un problema cotidiano.**

Tomás tiene *y* CD. John tiene 3 veces más CD que Tomás. John compra otros 7 CD.

a ¿Cuántos CD tiene John más que Tomás?

John tiene $(3y + 7)$ CD.

$$\begin{aligned} 3y + 7 - y &= 7 + 3y - y \\ &= 7 + 2y \end{aligned}$$

John tiene $(7 + 2y)$ CD más que Tomás.

b Si Tomás tiene 25 CD, ¿cuántos CD tiene John más que Tomás?

$$\begin{aligned} 7 + 2y &= 7 + 2 \times 25 \\ &= 7 + 50 \\ &= 57 \end{aligned}$$

John tiene 57 CD más que Tomás.

Práctica con supervisión

Completa.

1 Ray tiene *m* dólares. Ben tiene $15 más que Ray.

a Halla la cantidad de dinero que tienen en total en función de *m*.

Ben tiene ___ dólares.

En total, tienen ___ dólares.

b Si Ray tiene $75, ¿cuánto dinero tienen en total?

Si $m = 75$, tienen $___ en total.

Escribe y evalúa una expresión de multiplicación o división para un problema cotidiano.

Salma tiene x dólares en su billetera. Compra una camisa por \$15 y gasta el resto de su dinero en 3 entradas para el cine.

a Halla el precio de 1 entrada para el cine en función de x.

Precio de 3 entradas para el cine = $\$(x - 15)$

$(x - 15) \div 3 = \frac{x - 15}{3}$

El precio de 1 entrada es de $\frac{x - 15}{3}$ dólares.

b Si Salma tiene \$39, ¿cuál es el precio de 1 entrada para el cine?

$$\begin{aligned} \frac{x - 15}{3} &= \frac{39 - 15}{3} \\ &= \frac{24}{3} \\ &= 8 \end{aligned}$$

El precio de 1 entrada para el cine es de \$8.

Práctica con supervisión

Completa.

2 Un hombre tiene y dólares en su billetera. Retira \$200 de un cajero automático y gasta la mitad de la cantidad total en comestibles.

a Halla la cantidad de dinero que le queda en función de y.

Cantidad total que el hombre tenía cuando retiró \$200 del cajero = \$(___)

___ ÷ 2 = $\frac{\_\_\_}{\_\_\_}$

Le quedan $\frac{\_\_\_}{\_\_\_}$ dólares.

b Si $y = 80$, ¿cuánto dinero le queda?

Si $y = 80$, le quedan \$ ___ .

Aprende

Usa expresiones algebraicas para comparar cantidades y resolver ecuaciones.

Andy y Cathy tienen cada uno algunos lápices. Andy tiene sus lápices en 4 cajas. En 3 de las cajas hay la misma cantidad de lápices. Hay l lápices en cada una de las 3 cajas. La caja restante tiene 3 lápices menos. Cathy tiene 2 cajas de lápices, cada una con l lápices y 13 lápices adicionales.

a Escribe el número de lápices que Andy y Cathy tienen cada uno en función de l.

Andy tiene $3l + (l - 3)$ lápices. Entonces, Andy tiene $(4l - 3)$ lápices.
Cathy tiene $(2l + 13)$ lápices.

b Escribe una desigualdad para mostrar quién tiene más lápices si $l = 9$.

Si $l = 9$,

$$\begin{aligned} 4l - 3 &= (4 \times 9) - 3 \\ &= 36 - 3 \\ &= 33 \end{aligned}$$

$$\begin{aligned} 2l + 13 &= (2 \times 9) + 13 \\ &= 18 + 13 \\ &= 31 \end{aligned}$$

$4l - 3 > 2l + 13$.

Andy tiene más lápices si $l = 9$.

c ¿Para qué valor de l tendrán Andy y Cathy igual número de lápices?

$$\begin{aligned} 4l - 3 &= 2l + 13 \\ 4l - 3 + 3 &= 2l + 13 + 3 \\ 4l &= 2l + 16 \\ 4l - 2l &= 2l + 16 - 2l \\ 2l &= 16 \\ 2l \div 2 &= 16 \div 2 \\ l &= 8 \end{aligned}$$

Andy y Cathy tendrán igual número de lápices si $l = 8$.

Práctica con supervisión

Escribe +, −, × o ÷ en el ◯ y el número correcto en el ▭.

3 Lenny tiene $2y - 7$ canicas. Max tiene $y + 9$ canicas.

a Escribe una desigualdad para mostrar quién tiene más canicas si $y = 18$.

Si $y = 18$,

$2y - 7 = (2 \times \square) - 7$
$= \square - 7$
$= \square$

$y + 9 = \square + 9$
$= \square$

$2y - 7 \bigcirc y + 9$

▭ tiene más canicas si $y = 18$.

b ¿Para qué valor de y tendrán Lenny y Max igual número de canicas?

$2y - 7 = y + 9$

$2y - 7 + \square = y + 9 + \square$

$2y = y + \square$

$2y \bigcirc \square = y + \square \bigcirc \square$

$y = \square$

Tendrán igual número de canicas si $y = \square$.

Practiquemos

Resuelve. Muestra el proceso.

1 José tiene r años. Keith es 3 veces mayor que él. Lara es 4 años menor que Keith.

a Halla la edad de Keith en función de r.

b Halla la edad de Lara en función de r.

c Si $r = 5$, ¿cuántos años tiene Lara?

2 Aída compró un cinturón por x dólares y un bolso que costó el doble que el cinturón. Le dio al cajero $100.

a Halla la cantidad de dinero que Aída gastó en función de x.

b Halla el cambio que Aída recibió en función de x.

c Si $x = 15$, ¿cuánto cambio recibió Aída?

3 Paul anotó z puntos en un juego de matemáticas. Meghan anotó 4 veces más puntos que Paul. Karen anotó 5 puntos más que Meghan.

a Halla el número de puntos que Meghan anotó en función de z.

b Halla el número de puntos que Karen anotó en función de z.

c Halla el número total de puntos que los tres jugadores anotaron en función de z.

4 Un plomero tiene un tubo de cobre y un tubo de acero. El tubo de cobre mide $(3p + 2)$ pies de largo y el tubo de acero mide $(4p - 3)$ pies de largo.

a Si $p = 8$, ¿qué tubo es más largo?

b ¿Para qué valor de p tendrán los dos tubos la misma longitud?

5 Un grupo de 3 amigos hizo m pulseras. Vendieron cada una a $14 y se repartieron el dinero en partes iguales.

a ¿Cuánto recibió cada persona? Da tu respuesta en función de m.

b Si había 18 pulseras, ¿cuánto dinero recibió cada persona?

6 Una cubeta y una jarra contienen c cuartos de agua en total. La cubeta contiene 9 veces más agua que la jarra.

a Halla la cantidad de agua que hay en la jarra en función de c.

b Si la cubeta y la jarra contienen en total 25 cuartos de agua, halla la cantidad de agua que hay en la cubeta en cuartos. Expresa tu respuesta en forma de decimal.

POR TU CUENTA

Ver Cuaderno de actividades A: Práctica 4, págs. 189 a 194

LECTURA Y ESCRITURA
Diario de matemáticas

1. Explica con palabras lo que significa la expresión $3x$.

2. Rita dice que $a + a = 2a$ se puede entender como:
   1 manzana + 1 manzana = 2 manzanas.
   ¿Es correcto su razonamiento? Si no es correcto, ¿cuál es la manera correcta de entender $a + a = 2a$?

DESTREZAS DE RAZONAMIENTO CRÍTICO
¡Ponte la gorra de pensar!

RESOLUCIÓN DE PROBLEMAS

Grace piensa en un número. Primero, lo multiplica por 2. Luego, le suma 12. Por último, resta el doble del número que había pensado originalmente. ¿Qué respuesta obtendrá?

POR TU CUENTA

Ver Cuaderno de actividades A: ¡Ponte la gorra de pensar! págs. 195 a 196

Resumen del capítulo

Guía de estudio

Has aprendido...

Usar letras para representar números

- En álgebra, las letras se llaman variables y representan números.
- $x + 4$, $2y - 5$, $4z$ y $\frac{b}{3}$ son ejemplos de expresiones algebraicas.
- Las operaciones se pueden aplicar a las variables.
- Las expresiones algebraicas se pueden evaluar para valores dados de una variable.

  Para $x = 4$,

  $$\begin{aligned} 2x + 3 &= (2 \times 4) + 3 \\ &= 8 + 3 \\ &= 11 \end{aligned}$$

Simplificar expresiones algebraicas

Las expresiones algebraicas se pueden simplificar.

$y + y + y = 3y$

$3y + 2y = 5y$

$8y + 10 - 4y - 5 = 4y + 5$

Resolver problemas cotidianos

▶ Las expresiones algebraicas se pueden usar para describir situaciones y resolver problemas cotidianos.

Desigualdades y ecuaciones

- Las expresiones algebraicas se pueden comparar evaluándolas para un valor dado de la variable.

  Si $a = 3$, $4a + 2 > 2a + 4$
- Cuando dos expresiones iguales están unidas por un signo '$=$' forman una ecuación.
- Cuando dos expresiones con valores diferentes están unidas por un signo '$>$' o '$<$' forman una desigualdad.
- Las ecuaciones se pueden resolver.

$$6a - 5 = 4a + 3$$
$$6a = 4a + 8$$
$$2a = 8$$
$$a = 4$$

Repaso/Prueba del capítulo

Vocabulario

Elige la palabra correcta.

variable
expresión algebraica
evaluar
simplificar
términos semejantes
desigualdad
ecuación
verdadera
Propiedades de la igualdad
resolver

1. Cuando una letra se usa para representar un número, se la llama ____.
2. Una expresión que contiene variables se llama ____.
3. Hallar el valor de una expresión para un valor dado de la variable es ____ la expresión.
4. Cuando se comparan dos expresiones usando '$>$' o '$<$', todo el enunciado es una ____. Si las dos expresiones tienen el mismo valor, todo el enunciado es una ____.
5. Hallar el valor de la variable que hace que una ecuación sea verdadera es ____ la ecuación.

Conceptos y destrezas

Escribe una expresión para cada enunciado.

6. Sumar 4 a x.
7. Restar x de 8.
8. Multiplicar x por 7.
9. Dividir x entre 2.

Evalúa cada expresión si $y = 9$.

10. $y + 2$
11. $y - 5$
12. $9y$
13. $\frac{y}{9}$

Simplifica cada expresión.

14 $2a + a$

15 $3a - 2a$

16 $5a - 2a + a$

17 $a + 6 + a - 2$

Complete con $=$, $>$ o $<$ si $b = 9$.

18 $b + 2$ ◯ 15

19 $2b + 8$ ◯ $3b - 4$

20 $(b \div 3) \times 6$ ◯ $2b$

21 $5b \div 5$ ◯ $b \div 3$

Resuelve cada ecuación.

22 $5p = 25$

23 $3p - 4 = 8$

24 $2p + 6 = 4p - 10$

25 $10p - 4 = 8p + 16$

Resolución de problemas

Resuelve. Muestra el proceso.

26 En un desfile hay m mujeres y 3 veces esa cantidad de hombres. Hay 6,352 menos niños que hombres.

a Halla el número de hombres y el número de niños, respectivamente, en función de m.

b Si $m = 7{,}145$, ¿cuántas personas hay en el desfile?

27 Andy tiene $3r - 3$ tarjetas de béisbol. Michelle tiene $2r + 5$ tarjetas de béisbol.

a Si $r = 14$, ¿quién tiene más tarjetas?

b ¿Para qué valor de r tendrán los dos niños igual número de tarjetas?

Capítulo 6

Área de un triángulo

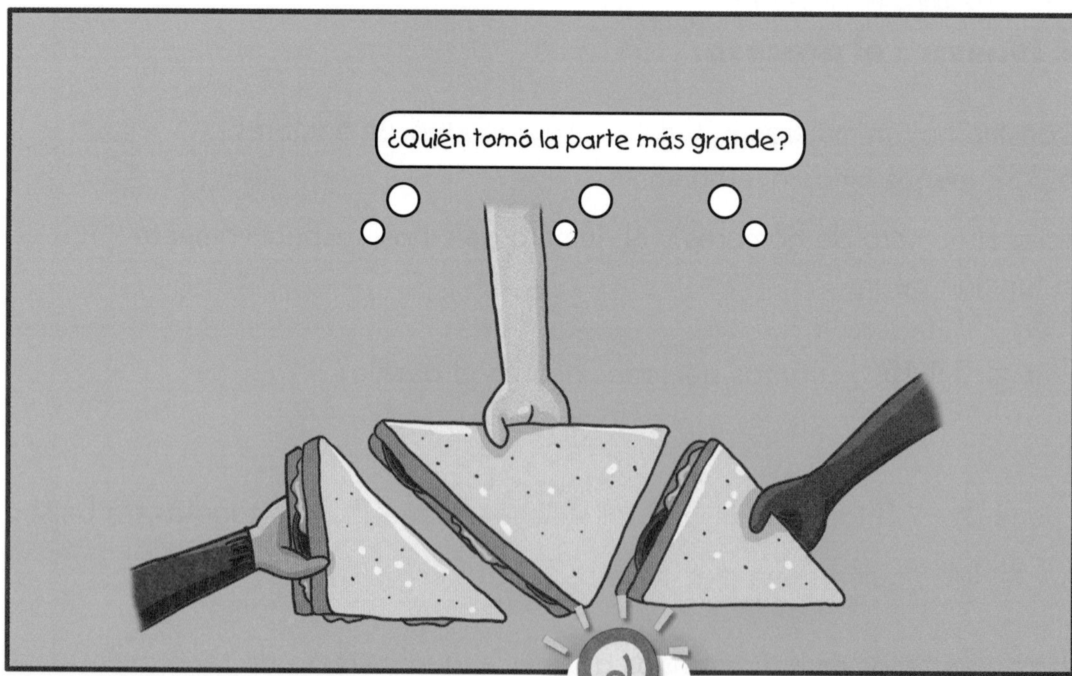

Lecciones

6.1 Base y altura de un triángulo

6.2 Hallar el área de un triángulo

Idea importante

▶ Para hallar el área de un triángulo se usan las mediciones de su base y de su altura.

Recordar conocimientos previos

Formar ángulos

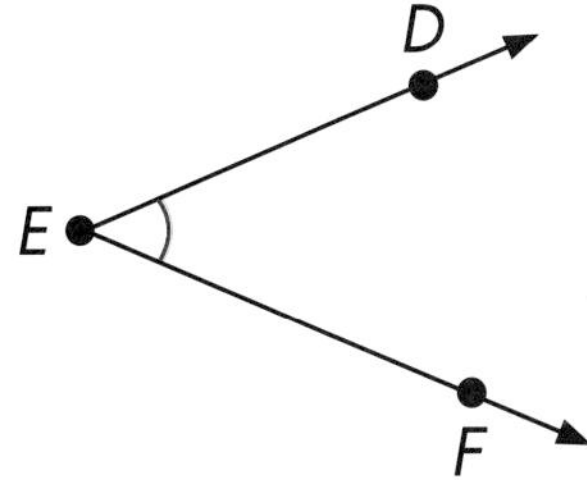

Un ángulo está formado por dos semirrectas que tienen el mismo extremo en común.

Las semirrectas *ED* y *EF* forman el $\angle DEF$.

Clasificar ángulos

Ángulo agudo	Ángulo recto	Ángulo obtuso
$< 90°$	$90°$	$> 90°$

Identificar segmentos perpendiculares

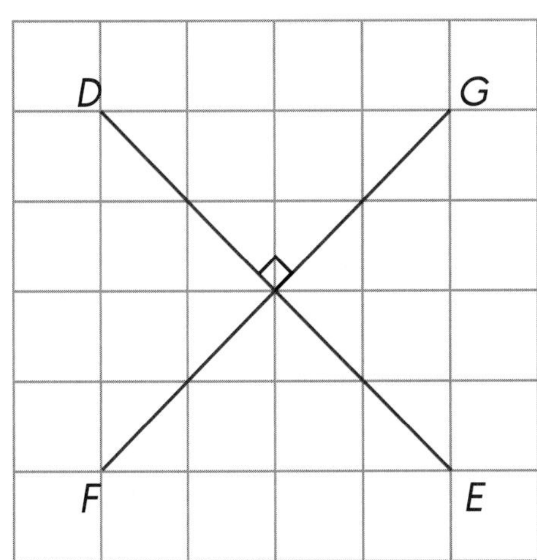

$\overline{DE}$ y $\overline{FG}$ se intersecan y forman ángulos rectos.

$\overline{DE}$ es perpendicular a $\overline{FG}$.

El área es la cantidad de superficie cubierta.

La mediciones de las partes coloreadas son el área de las figuras.

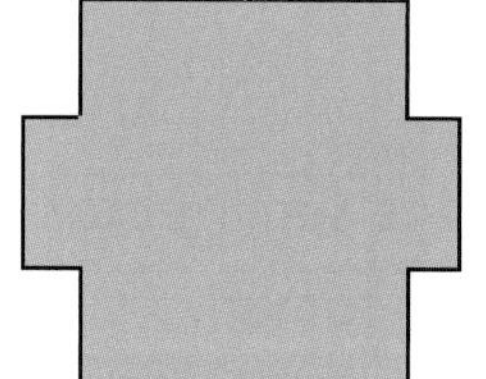

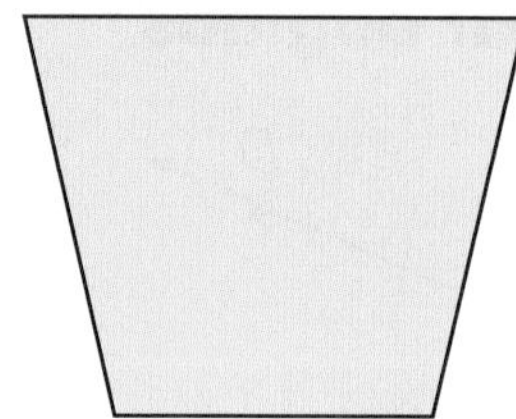

Hallar el área contando unidades cuadradas

Un cuadrado que mide una unidad de largo y una unidad de ancho tiene un área de una unidad cuadrada. El área se mide en unidades cuadradas, por ejemplo centímetros cuadrados (cm^2) o pulgadas cuadradas ($pulg^2$).

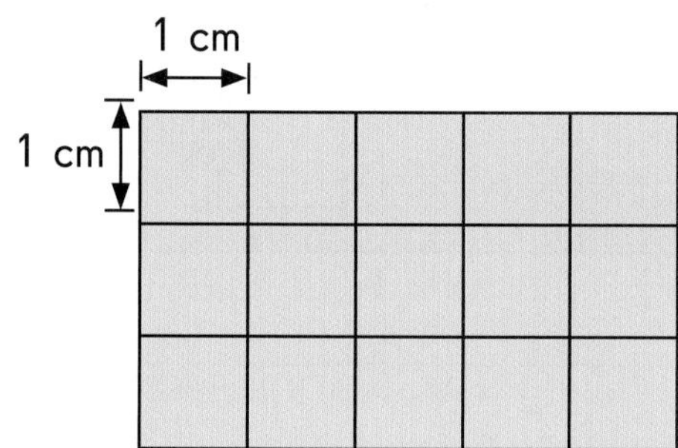

Hay 15 unidades cuadradas.

Área del rectángulo = 15 cm^2

Hallar el área usando fórmulas

Área del cuadrado = lado × lado
= 4 × 4
= 16 cm^2

Área del rectángulo = longitud × ancho
= 6 × 3
= 18 $pulg^2$

Clasifica los ángulos como agudos, rectos u obtusos. Usa una hoja de papel doblada en cuartos como ayuda.

1

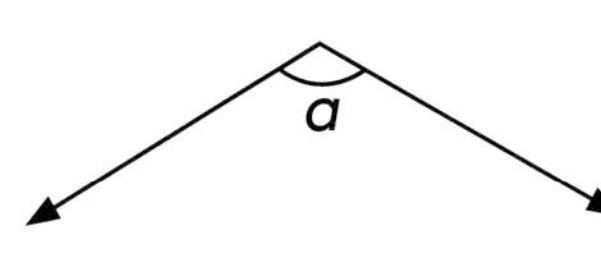

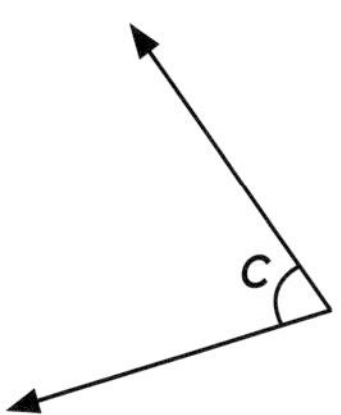

b

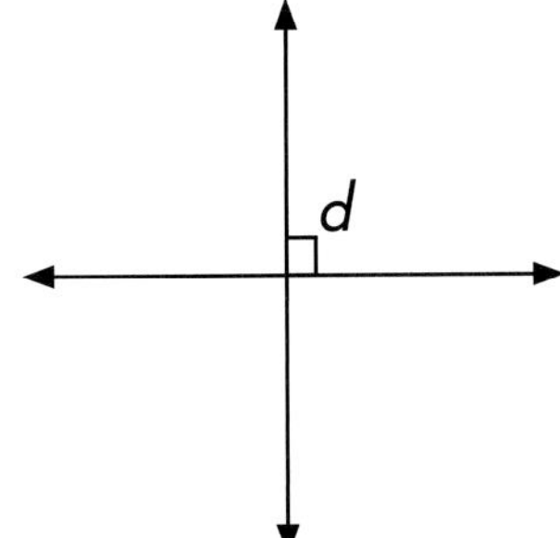

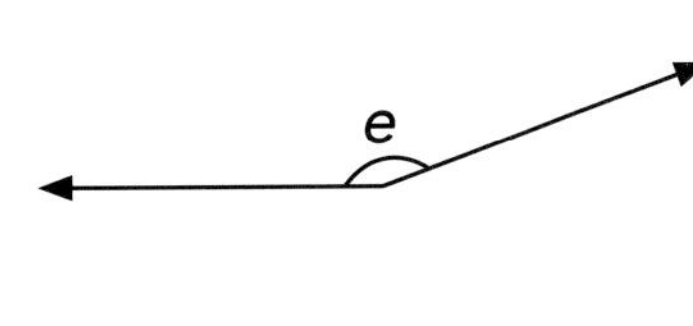

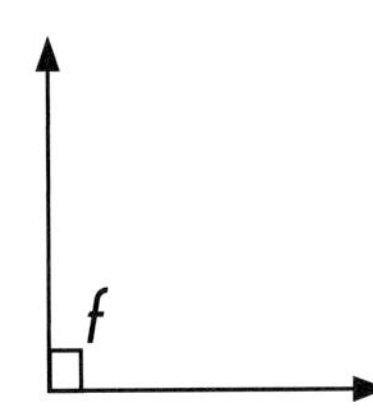

Ángulos agudos:

Ángulos rectos:

Ángulos obtusos:

Determina si los segmentos son perpendiculares. Usa una hoja de papel doblada en cuartos como ayuda.

2

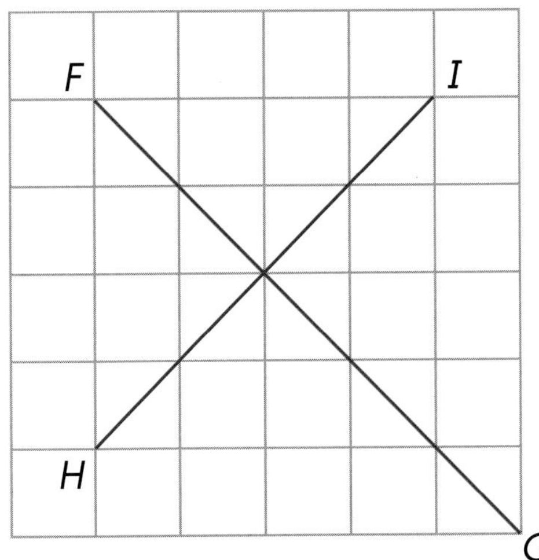

3

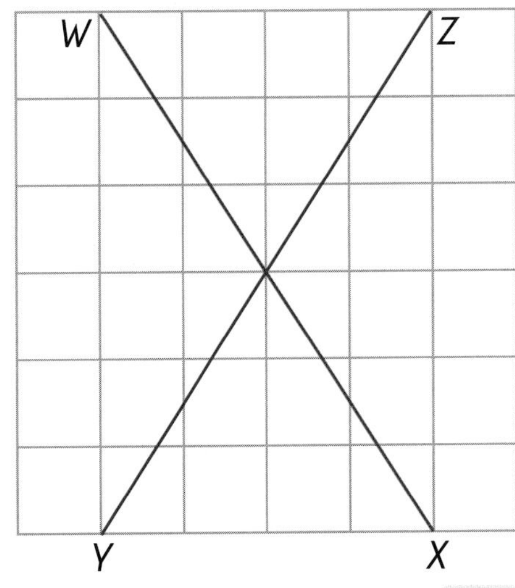

Halla el área de cada figura.

4
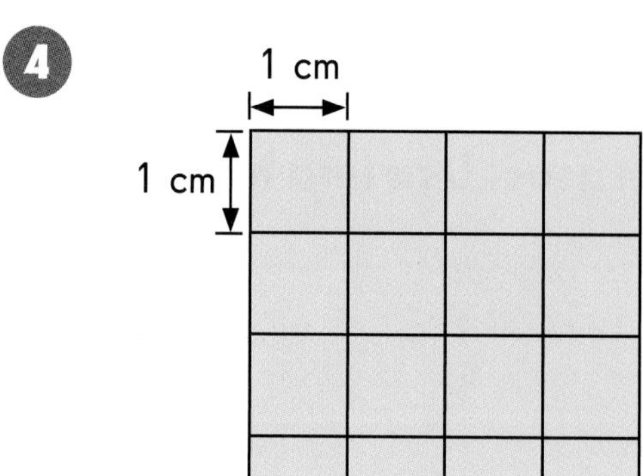

5
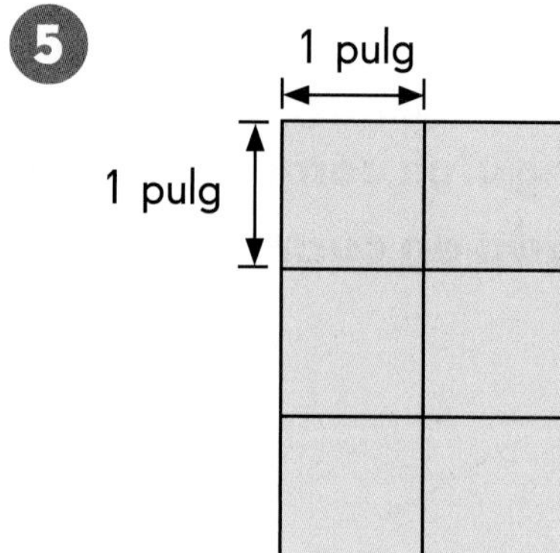

6 7
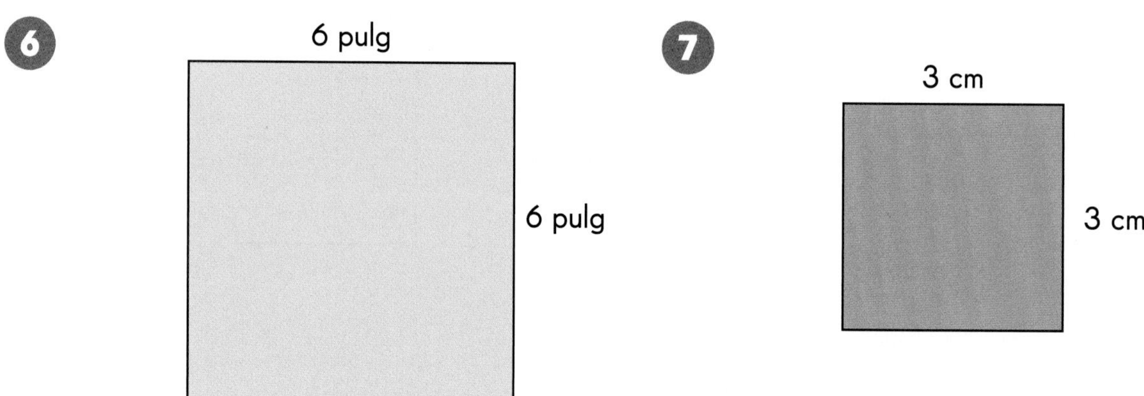

8 9
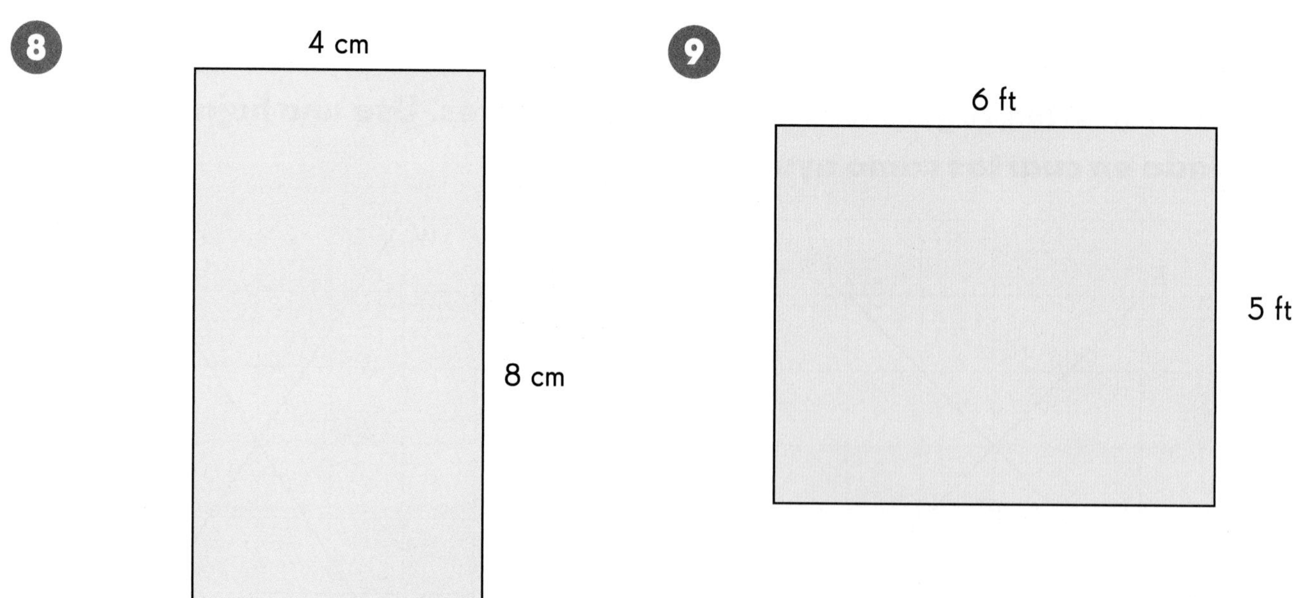

Lección 6.1 Base y altura de un triángulo

Objetivos de la lección

- Identificar la base de un triángulo dada la altura.
- Identificar la altura de un triángulo dada la base.

Vocabulario

vértice	lado	ángulo
base	altura	perpendicular

Un triángulo tiene tres vértices, tres lados y tres ángulos.

ABC es un triángulo.

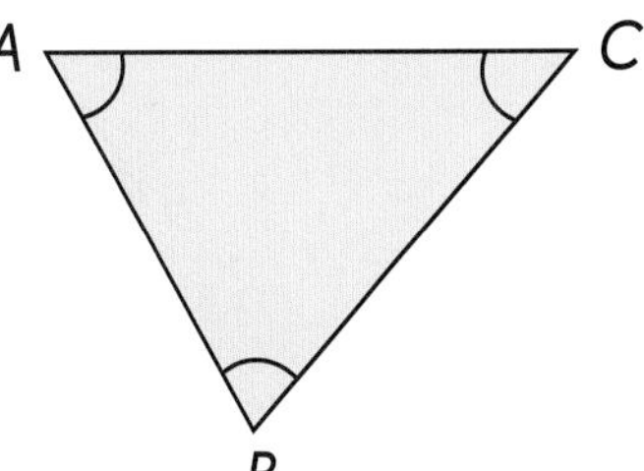

Tiene:

tres vértices: *A*, *B* y *C*

tres lados: *AB*, *BC* y *CA*

tres ángulos: $\angle ABC$, $\angle ACB$ y $\angle BAC$

Cualquier lado de un triángulo puede ser su base.

La base de un objeto es la cara o el lado sobre el cual el objeto descansa.

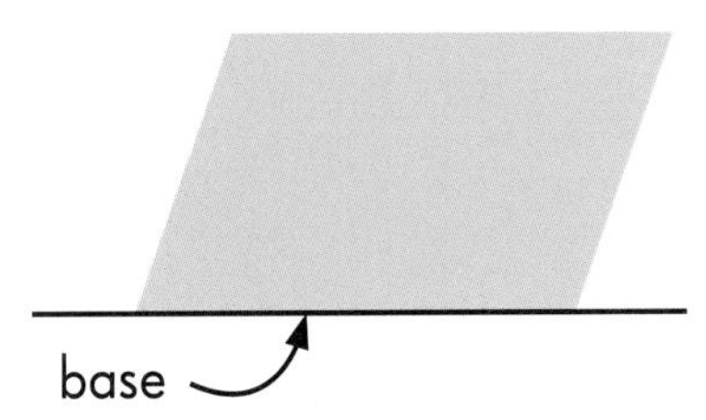

Un triángulo puede descansar sobre cualquiera de sus lados. Entonces, cualquier lado de un triángulo puede ser su base.

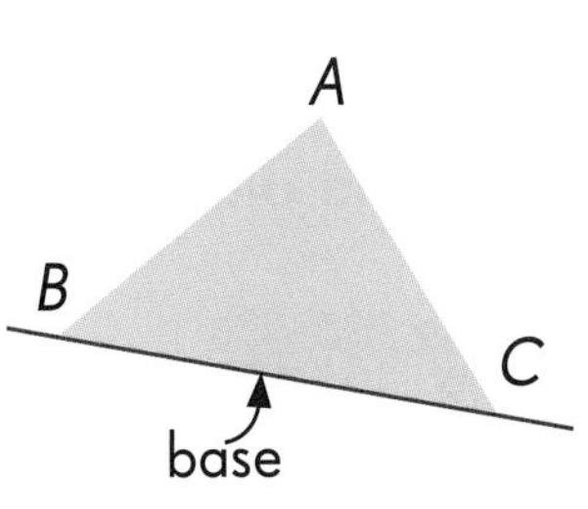

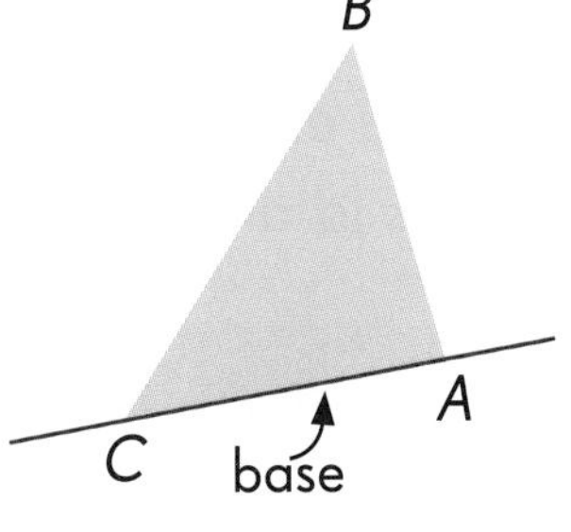

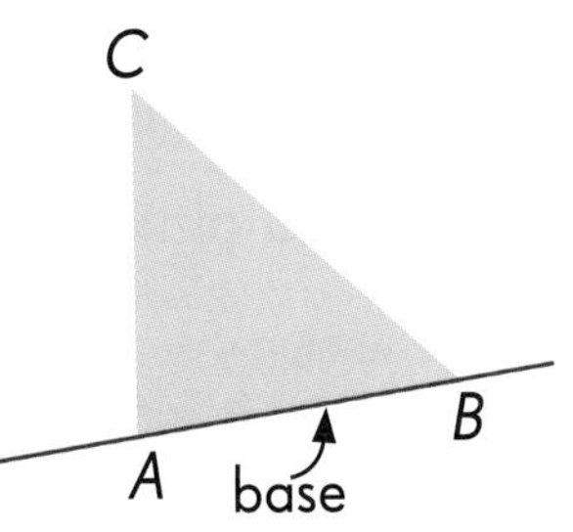

Aprende

Un triángulo se mide según su base y su **altura**.

Mides un triángulo según su base y su altura:
— la base es el lado que se elige para ser la base;
— la altura es la distancia **perpendicular** que hay desde la base hasta el vértice opuesto.

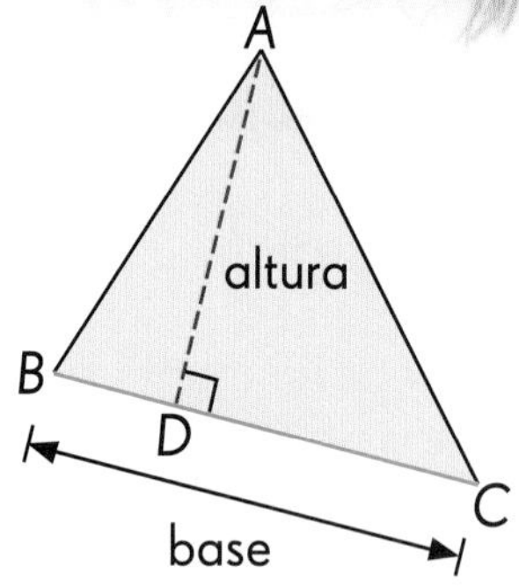

Puedes tomar la longitud de $\overline{BC}$ y la altura *AD* como las mediciones del triángulo *ABC*.

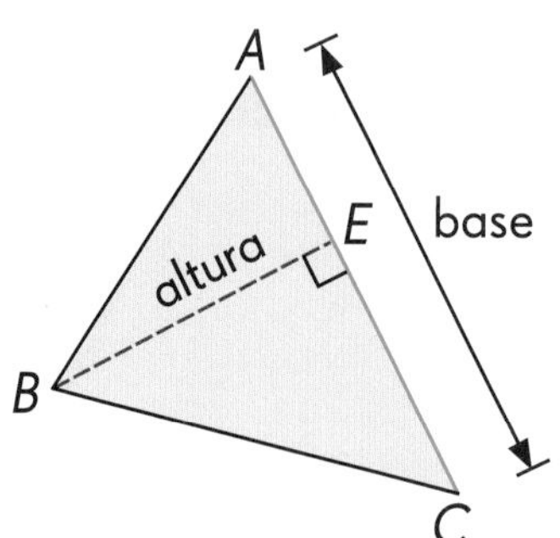

Puedes tomar la longitud de $\overline{AC}$ y la altura *BE* como las mediciones del triángulo *ABC*.

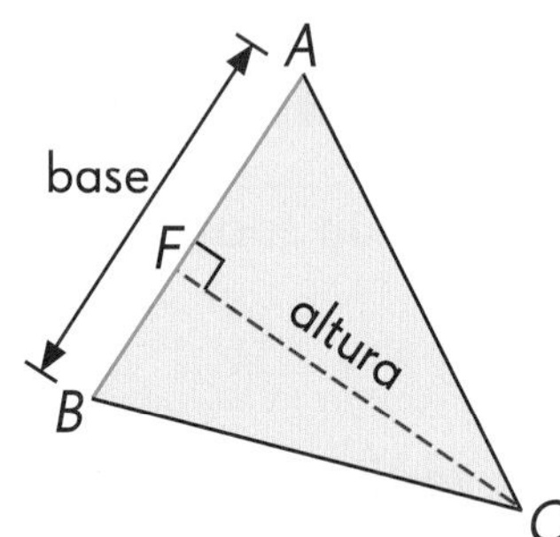

Puedes tomar la longitud de $\overline{AB}$ y la altura *CF* como las mediciones del triángulo *ABC*.

Aprende

A veces la altura no es parte del triángulo.

En el triángulo *PQR*:

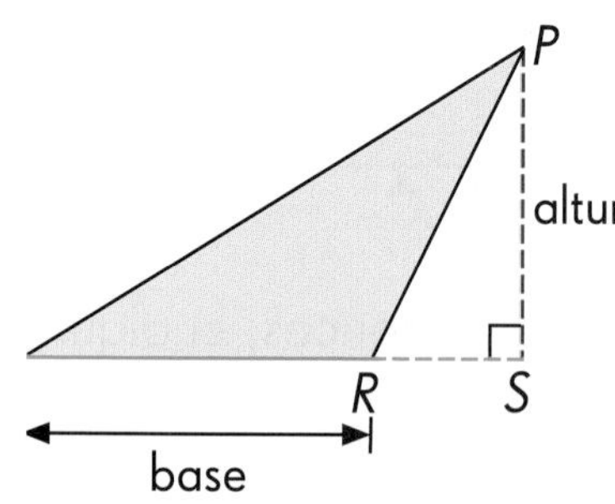

Si la base es $\overline{QR}$, entonces la altura es *PS*.

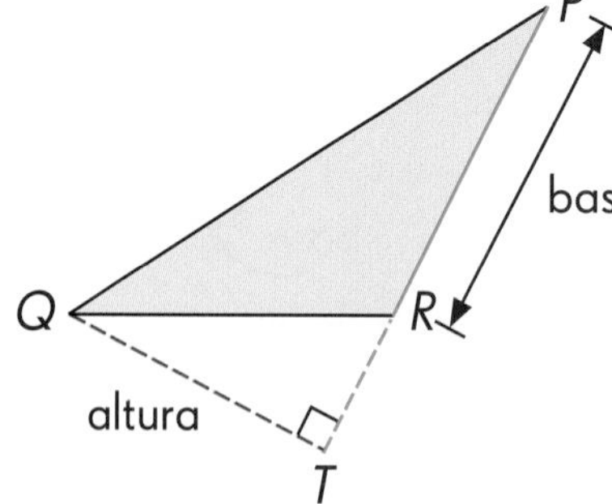

Si la base es $\overline{PR}$, entonces la altura es *QT*.

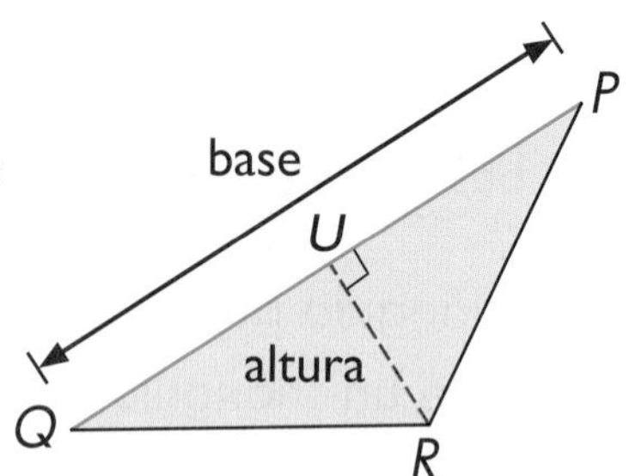

Si la base es $\overline{QP}$, entonces la altura es *RU*.

La altura de un triángulo siempre es perpendicular a su base.

Práctica con supervisión

Completa para hallar la base y la altura de cada triángulo.

1

Base: ____

Altura: ____

2

Base: ____

Altura: ____

3

Base: ____

Altura: ____

4

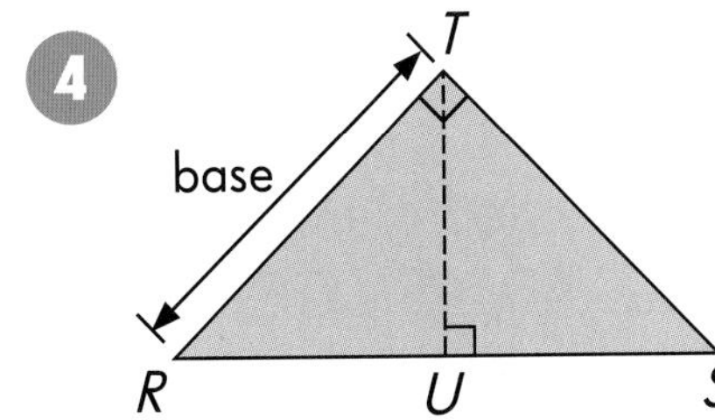

Base: ____

Altura: ____

5

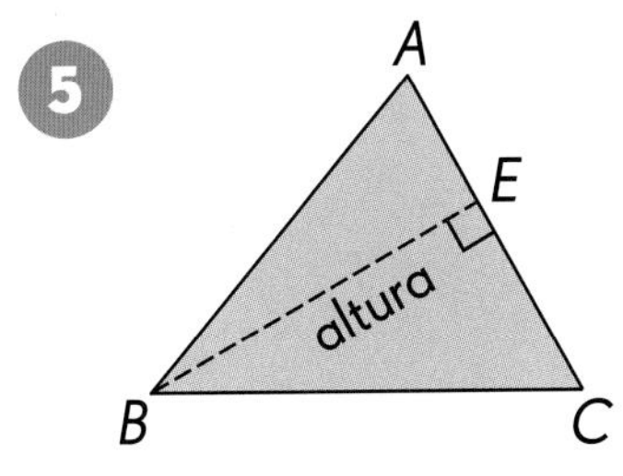

Altura: ____

Base: ____

6

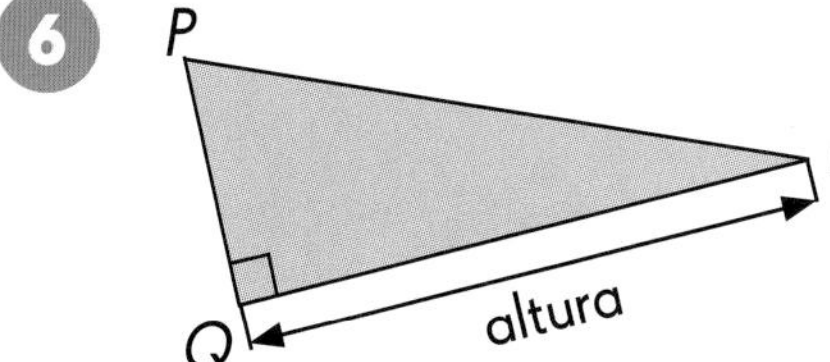

Altura: ____

Base: ____

7

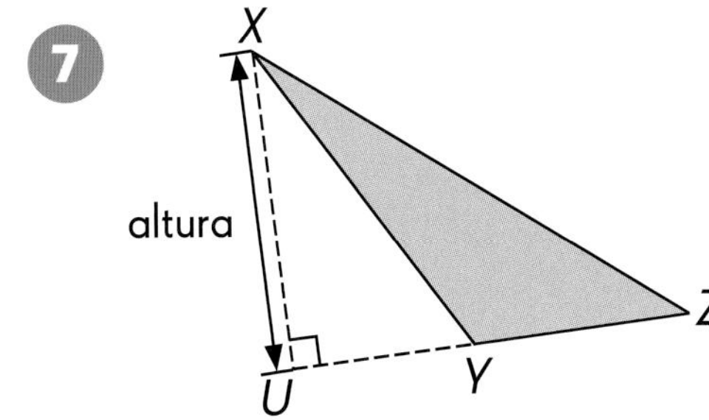

Altura: ____

Base: ____

Manos a la obra

PASO **1** Dibujen un triángulo y rotúlenlo *ABC*.

Ejemplos

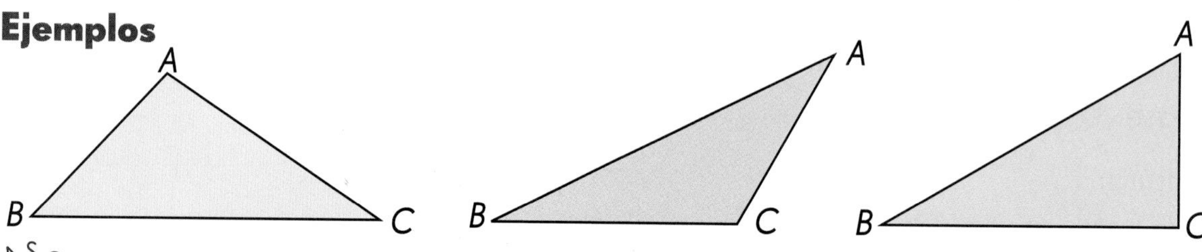

PASO **2** Para cada base, *AB*, *BC* y *CA*, identifiquen la altura.

PASO **3** Con una escuadra, tracen las tres alturas del triángulo. Rotúlenlas *AD*, *BE* y *CF*.

PASO **4** Observen todos los triángulos que dibujaron. ¿Notan algo particular en las alturas *AD*, *BE* y *CF*?

Practiquemos

Completa para hallar la base y la altura de cada triángulo.

1 Base: ___
Altura: ___

2 Altura: ___
Base: ___

Esta es la altura dada del triángulo *ABC*. Indica su base.

3

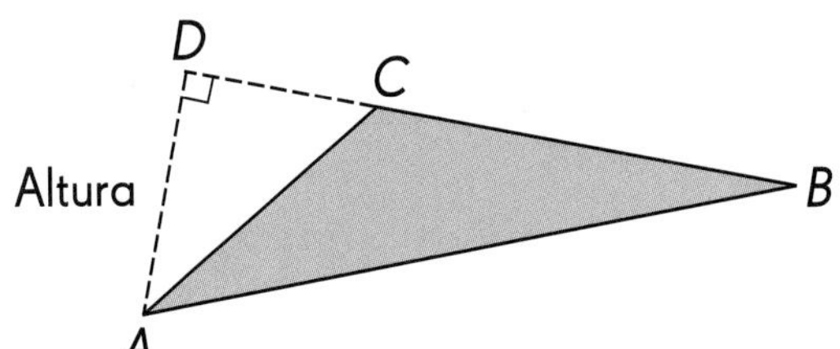

Altura: *AD*

Base: ____

La base del triángulo *DEF* aparece rotulada. Haz una copia del triángulo *DEF* y marca su altura en esa copia.

4

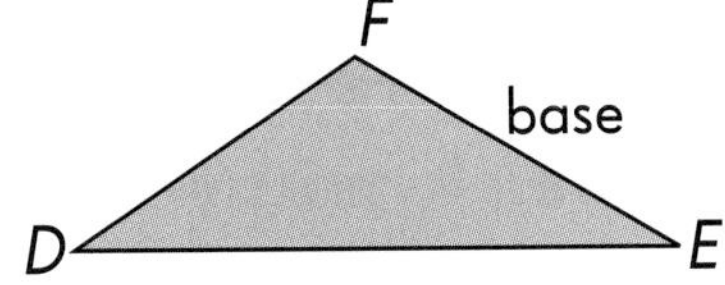

Haz una lista de todos los pares de base y altura posibles para el triángulo *ABC*.

5

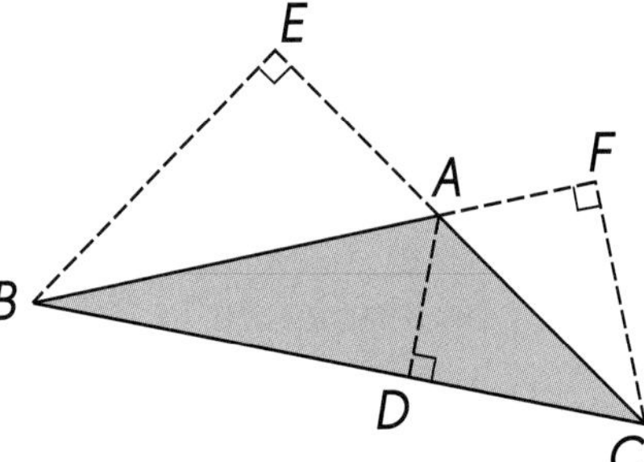

Base: ____ ; Altura: ____

Base: ____ ; Altura: ____

Base: ____ ; Altura: ____

Completa.

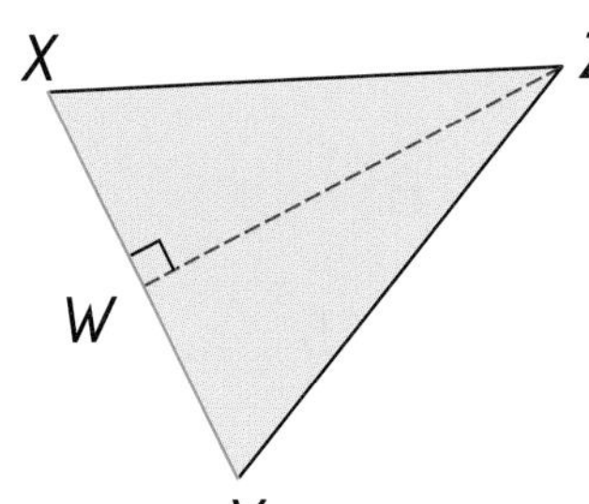

X
Z
Y
W

6 En los dos triángulos, ____ es perpendicular a $\overline{XY}$.

7 En los dos triángulos, ____ es la altura y ____ es la base.

POR TU CUENTA

Ver Cuaderno de actividades A: Práctica 1, págs. 197 a 198

Lección 6.1 Base y altura de un triángulo **255**

Hallar el área de un triángulo

Objetivo de la lección

- Hallar el área de un triángulo dadas su base y su altura.

Vocabulario

área	triángulo acutángulo
triángulo rectángulo	triángulo obtusángulo

El área de un triángulo es la mitad del área de un rectángulo que tiene la misma 'base' y la misma 'altura' o bien la mitad de su base por la altura.

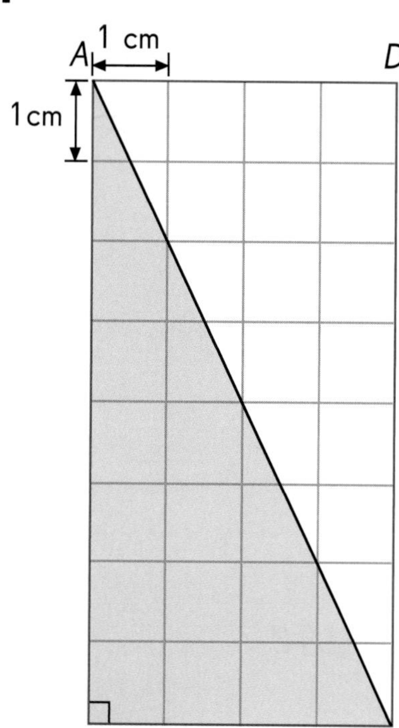

El área del triángulo *ABC* es la mitad del área del rectángulo *ABCD*.

ABCD es un rectángulo.

En el triángulo *ABC*, $\overline{AB}$ es perpendicular a $\overline{BC}$.

$\overline{BC}$ es la base y *AB* es la altura.

La longitud de la base de $\overline{BC}$ = 4 cm y la altura *AB* = 8 cm.

Área del triángulo *ABC* $= \frac{1}{2} \times$ área del rectángulo *ABCD*

$= \frac{1}{2} \times 4 \times 8$

$= \frac{1}{2} \times BC \times AB$

$= \frac{1}{2} \times \text{base} \times \text{altura}$

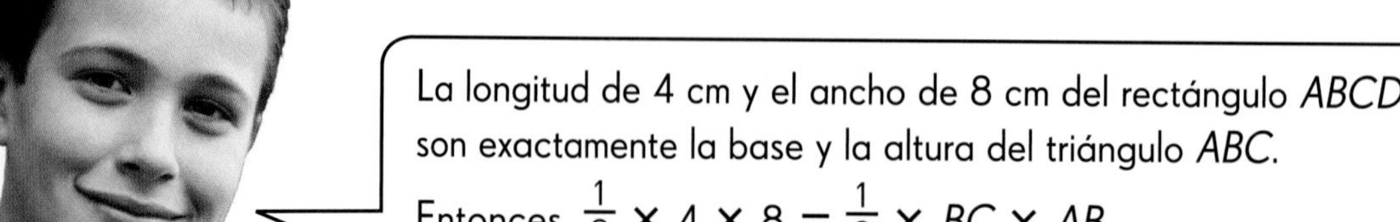

La longitud de 4 cm y el ancho de 8 cm del rectángulo *ABCD* son exactamente la base y la altura del triángulo *ABC*.

Entonces, $\frac{1}{2} \times 4 \times 8 = \frac{1}{2} \times BC \times AB$

$= \frac{1}{2} \times \text{base} \times \text{altura}$

Manos a la obra

Los triángulos se pueden identificar según su tipo:

Triángulo rectángulo: Un triángulo que tiene exactamente un ángulo recto.

Triángulo acutángulo: Un triángulo cuyos ángulos son todos menores que 90°.

Triángulo obtusángulo: Un triángulo que tiene un ángulo mayor que 90°.

En la página 256 viste que el área del triángulo rectángulo *ABC* es la mitad del área de su rectángulo correspondiente o $\frac{1}{2}$ × base × altura. Ahora vas a comprobar si lo mismo es verdadero para el área de los otros dos tipos de triángulo.

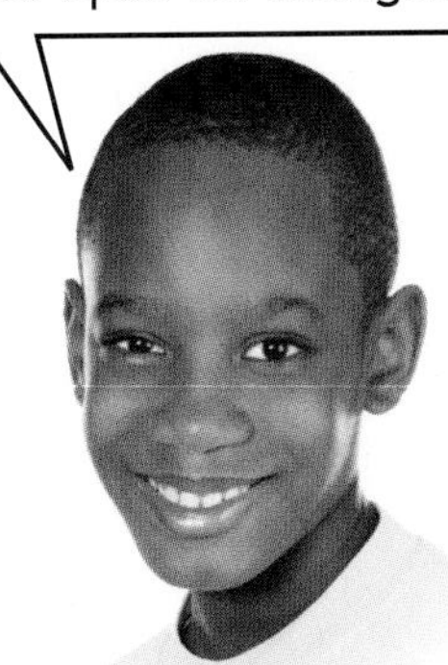

1 En el triángulo *DEF*, $\overline{EF}$ es la base y *DG* es la altura.

PASO **1** Usen una copia de la Figura 1. Recorten los triángulos *DLM* y *DMN*. Reordenen los dos triángulos como se muestra en la Figura 2.

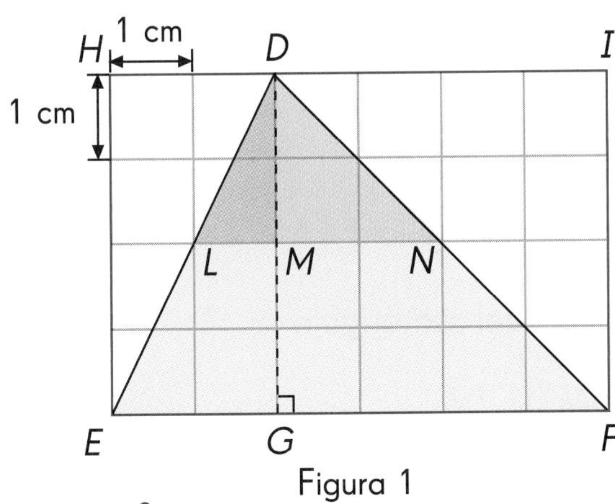

Figura 1

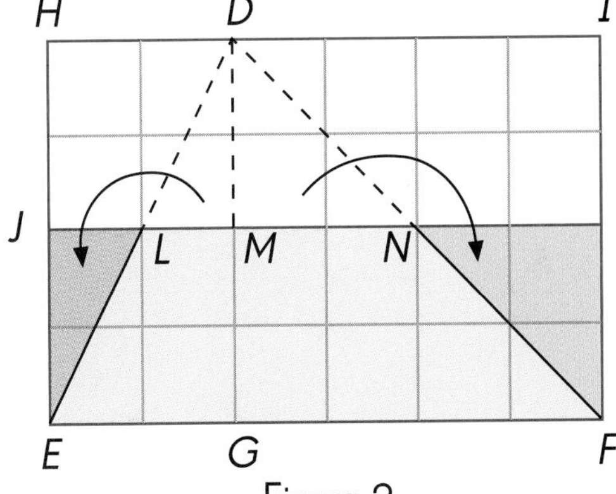

Figura 2

PASO **2** Completen.

Área del triángulo *DEF* = área del rectángulo ___

$= \frac{1}{2} \times$ área del rectángulo ___

$= \frac{1}{2} \times EF \times IF$

$= \frac{1}{2} \times EF \times$ ___

$= \frac{1}{2} \times$ base $\times$ ___

2 En el triángulo PQR, $\overline{QR}$ es la base y PS es la altura.

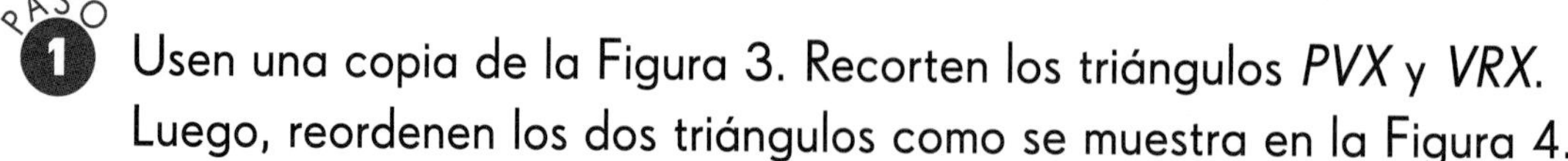

PASO 1 Usen una copia de la Figura 3. Recorten los triángulos PVX y VRX. Luego, reordenen los dos triángulos como se muestra en la Figura 4.

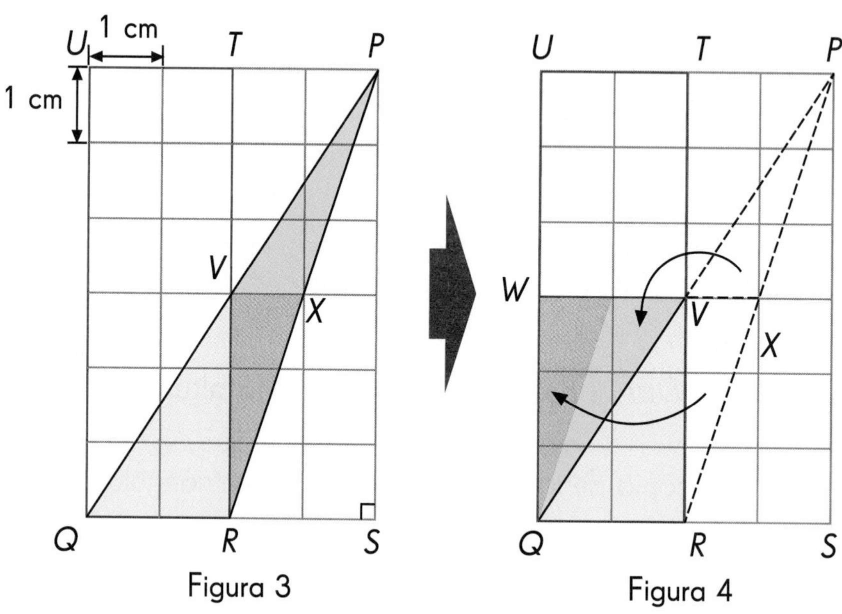

Figura 3 Figura 4

PASO 2 Completen.

Área del triángulo PQR = área del rectángulo ▭

$= \frac{1}{2} \times$ área del rectángulo ▭

$= \frac{1}{2} \times QR \times TR$

$= \frac{1}{2} \times QR \times$ ▭

$= \frac{1}{2} \times \text{base} \times$ ▭

¿Qué pueden decir sobre el área del triángulo *DEF*? ¿Y del triángulo *PQR*?

Halla el área de un triángulo usando la fórmula 'área de un triángulo'.

Halla el área del triángulo *PQR*.

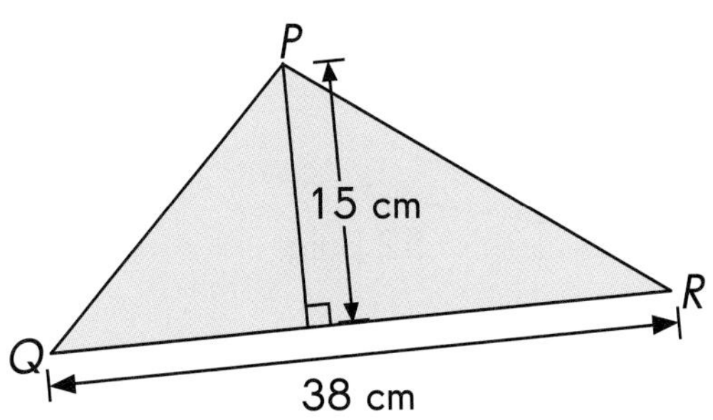

Área del triángulo $PQR = \frac{1}{2} \times \text{base} \times \text{altura}$

$= \frac{1}{2} \times 38 \times 15$

$= 285 \text{ cm}^2$

Manos a la obra

Intenten esto.

En el triángulo *ABC*, el $\angle BAC$ es un ángulo recto y *AD* es perpendicular a *BC*.

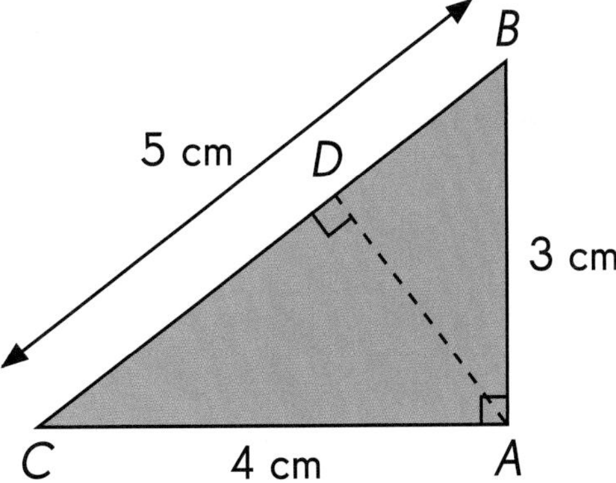

Midan la altura *AD* en centímetros al décimo más cercano.

Usando cada uno de los lados *AB*, *AC* y *BC* como base, hallen el área del triángulo. ¿Es igual la respuesta en los tres casos?

Práctica con supervisión

Halla el área de cada triángulo sombreado.

1. 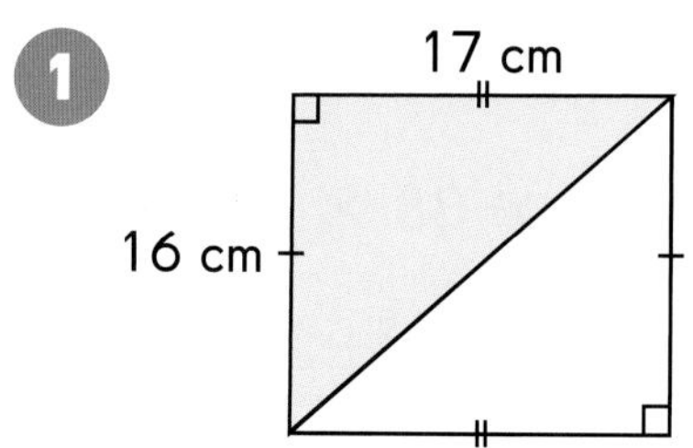

2. 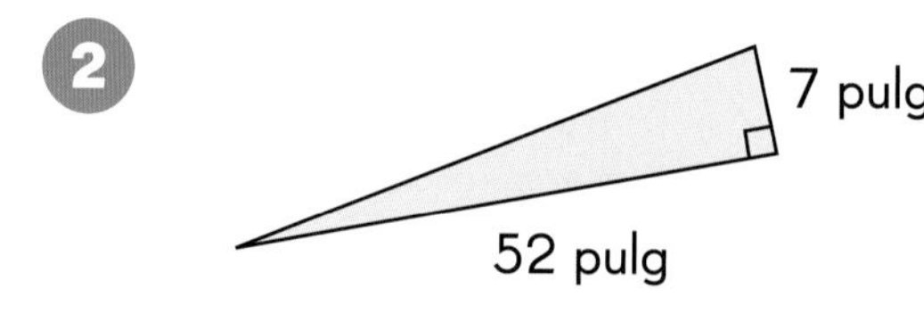

3. 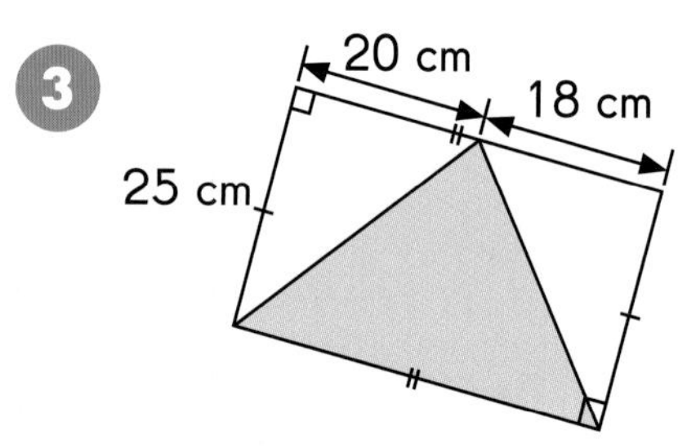

4. 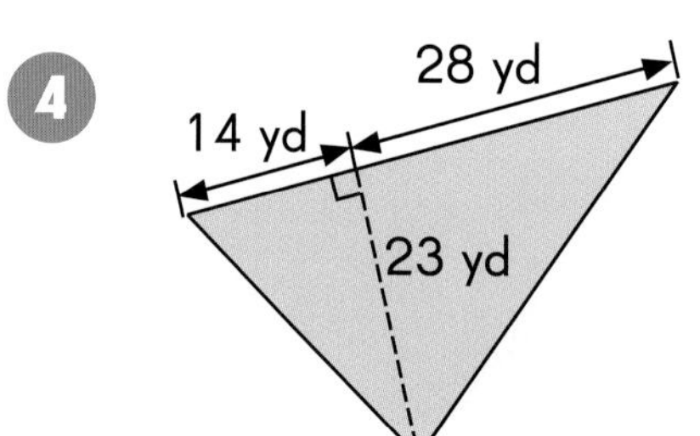

5. 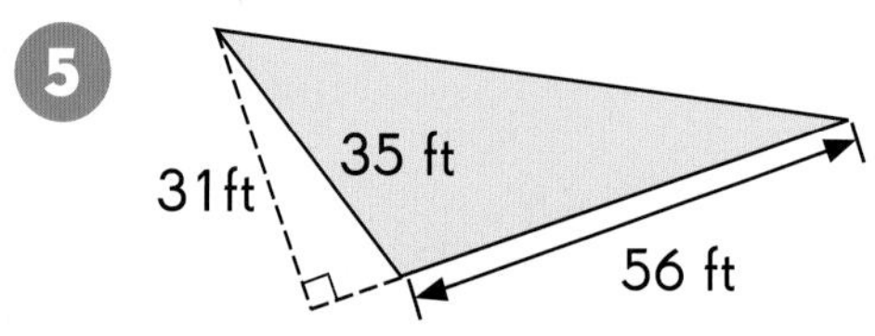

6. 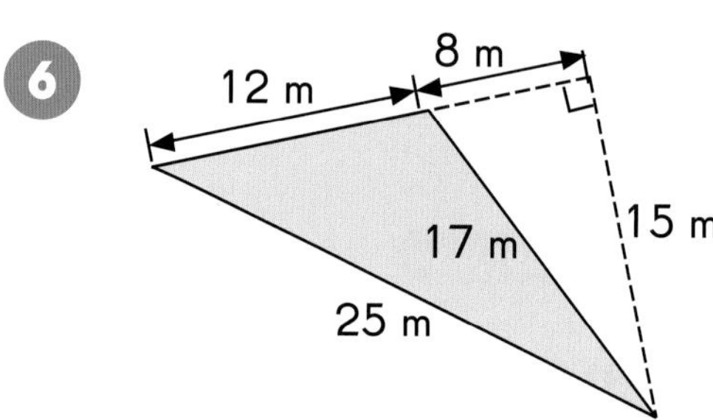

Practiquemos

Halla el área de cada triángulo sombreado.

1. 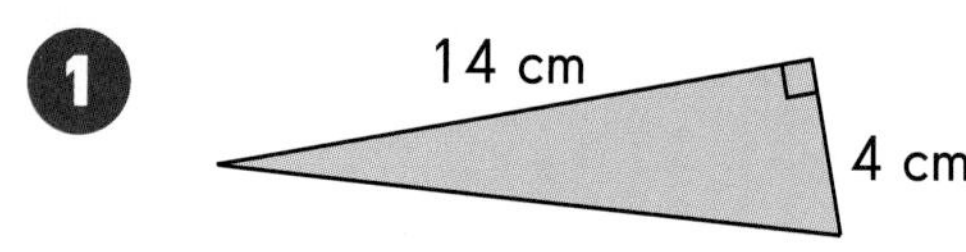

2. 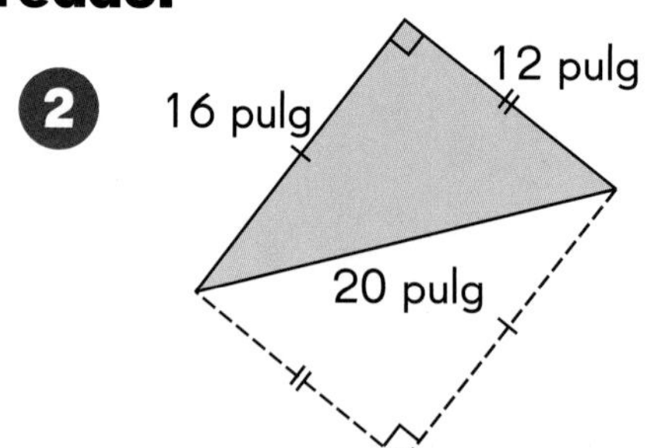

3. 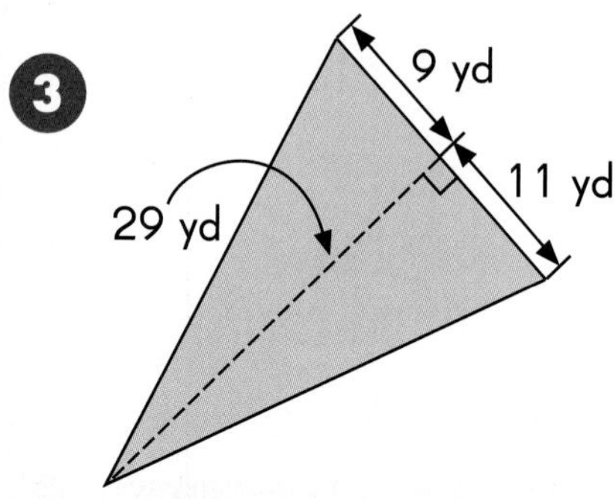

4. 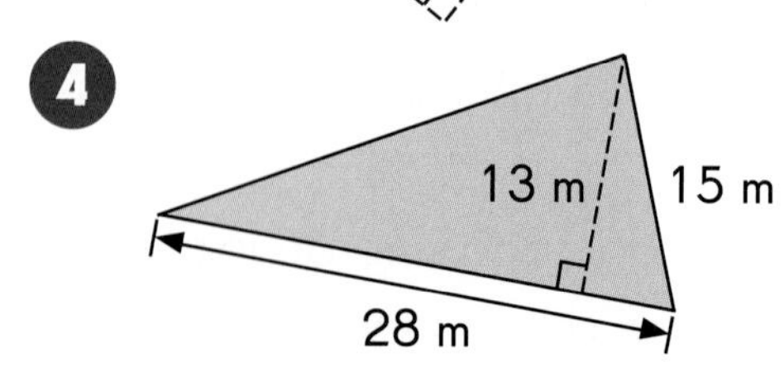

5 En el triángulo *ABC*, $BC = 44$ cm y $AD = 27$ cm. Halla el área del triángulo *ABC*.

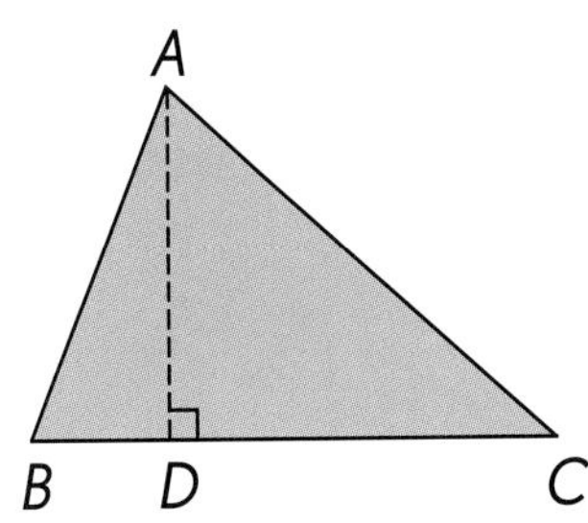

6 En la figura, $QR = 26$ pulg, $QS = 20$ pulg y $PS = 26$ pulg. Halla el área del triángulo *PQR*.

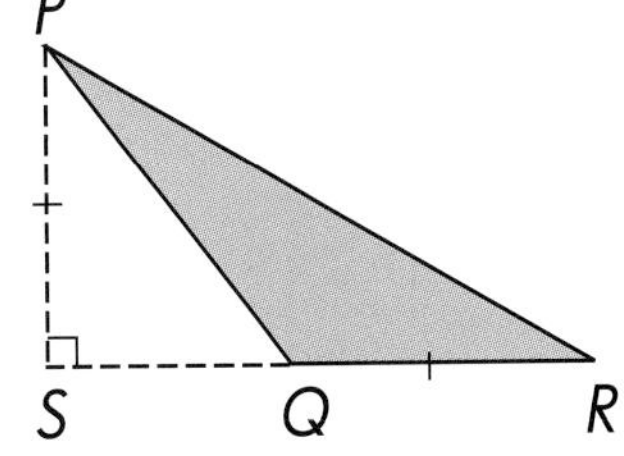

7 En la figura, $LM = 18$ ft, $KM = 16$ ft y $KN = 14$ ft. Halla el área del triángulo *KLM*.

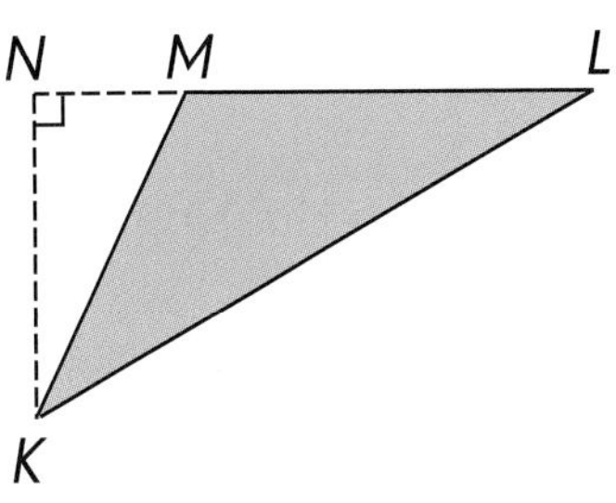

8 El triángulo *STU* representa la superficie de una mesa triangular. Halla el área de la superficie de la mesa triangular, dado que $SU = 32$ pulg y $UT = 25$ pulg.

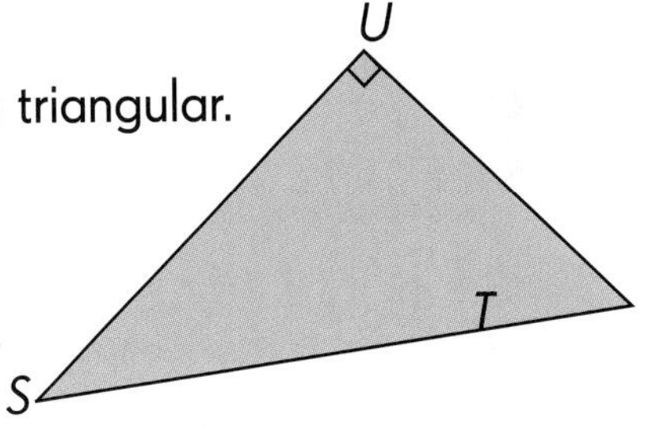

9 En la figura, el triángulo *PQR* representa una parcela de tierra. $PQ = 10$ yd, $RS = 21$ yd y $PQ = QS$. Halla el área de la parcela de tierra.

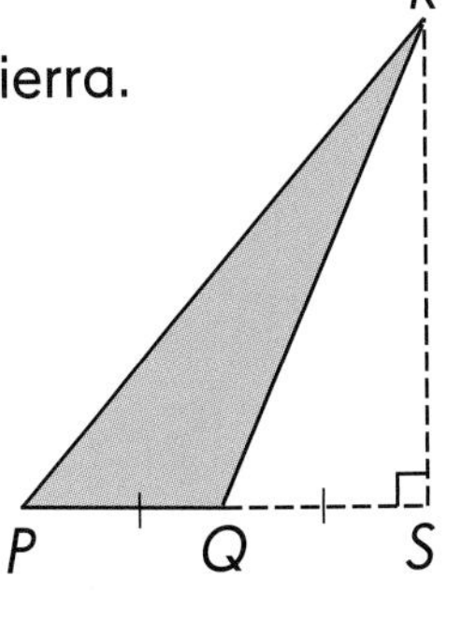

POR TU CUENTA

Ver Cuaderno de actividades A: Práctica 1, págs. 199 a 203

Exploremos

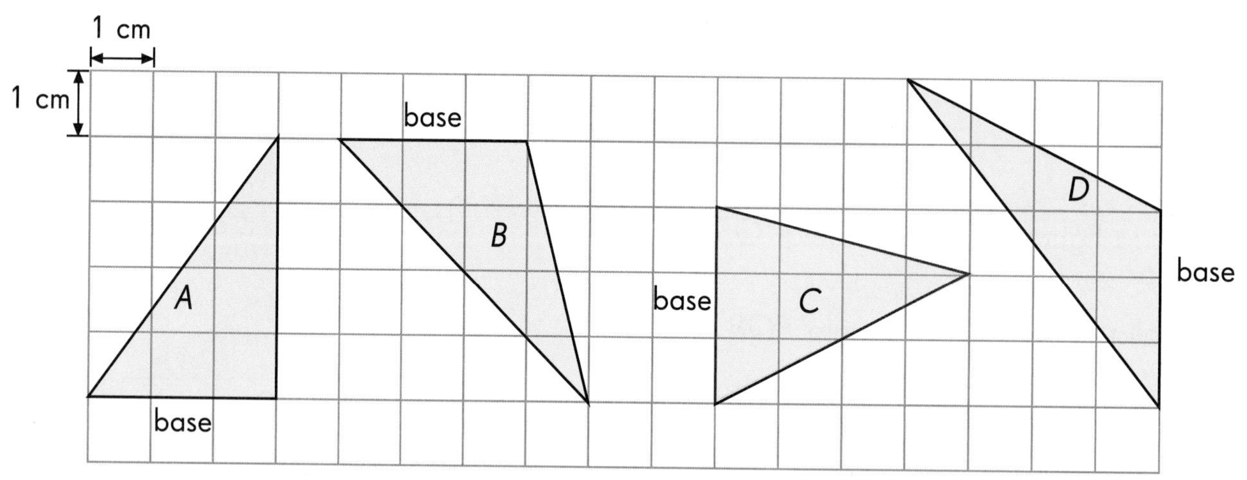

Halla la altura de cada triángulo. Luego, halla su área.
¿Qué puedes decir sobre la base y la altura de estos triángulos?

Los triángulos diferentes de igual base e igual ______ tienen igual ______.

DESTREZAS DE RAZONAMIENTO CRÍTICO
¡Ponte la gorra de pensar!

RESOLUCIÓN DE PROBLEMAS

ABCD es un rectángulo. $BE = ED$.
Explica cómo hallar el área del triángulo sombreado *ABE*.

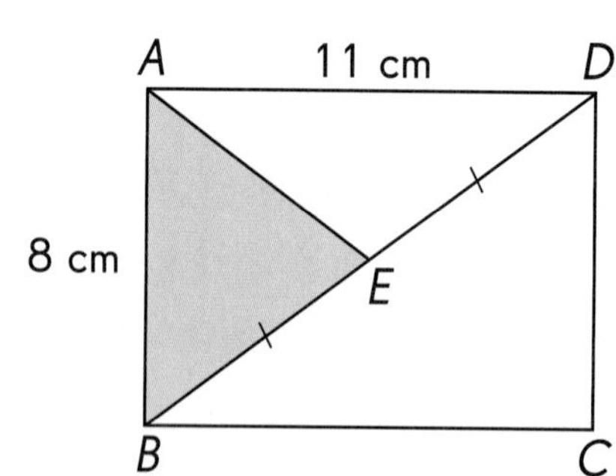

POR TU CUENTA

Ver Cuaderno de actividades A: ¡Ponte la gorra de pensar! págs. 203 a 208

Resumen del capítulo

▶ Para hallar el área de un triángulo se usan las mediciones de su base y de su altura.

Guía de estudio

Has aprendido...

Área de un triángulo

Base y altura

- La base de cualquier objeto es la cara o el lado sobre el cual el objeto descansa. En un triángulo, cualquier lado puede ser la base.
- Mides un triángulo según su base y su altura:
  - la base es el lado que se elige para ser la base.
  - la altura es la distancia perpendicular que hay desde la base hasta el vértice opuesto.

Ejemplo

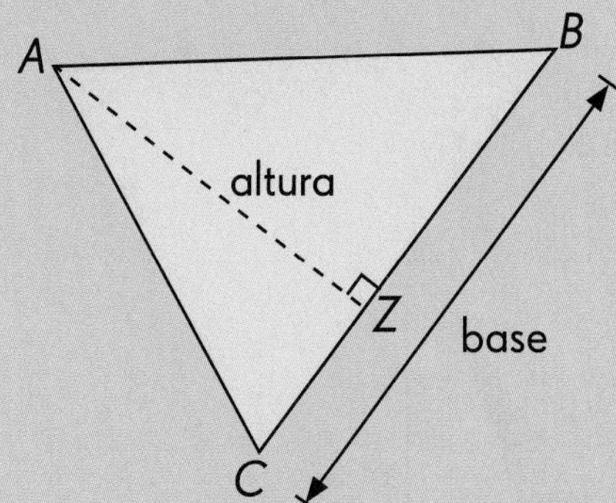

- Puedes tomar la longitud de $\overline{BC}$ y la altura AZ como las mediciones del triángulo ABC.

Hallar el área

- El área de un triángulo es la mitad del área de un rectángulo que tiene la misma 'base' y la misma 'altura' o $\frac{1}{2}$ × base × altura.

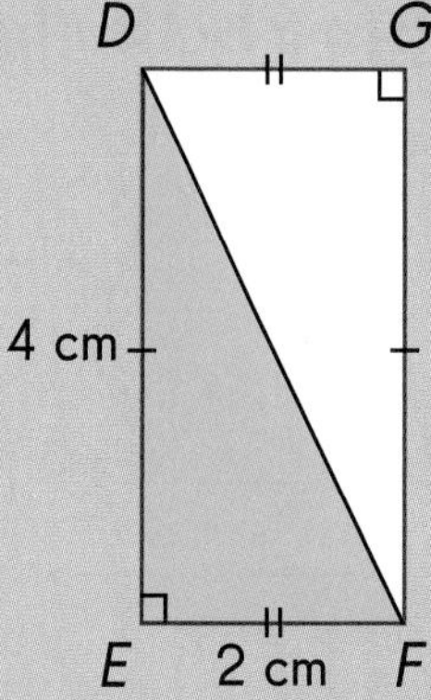

Área del triángulo DEF

$= \frac{1}{2} \times$ área del rectángulo $DEFG$

$= \frac{1}{2} \times EF \times DE$

$= \frac{1}{2} \times$ base $\times$ altura

$= \frac{1}{2} \times 2 \times 4$

$= 4 \text{ cm}^2$

Repaso/Prueba del capítulo

Vocabulario

Completa los espacios en blanco.

vértice
lado
ángulo
base
altura
perpendicular
área
triángulo rectángulo
triángulo acutángulo
triángulo obtusángulo

1. Dos líneas que se intersecan y forman un ángulo recto son ______ entre sí.

2. Cualquier lado del triángulo puede ser la ______ y el segmento perpendicular a ese lado es la ______.

3. El ______ de un triángulo es la superficie que cubre.

4. Un triángulo cuyos ángulos son menores que 90° se llama ______.

Conceptos y destrezas

Completa para hallar la base y la altura de cada triángulo.

5. 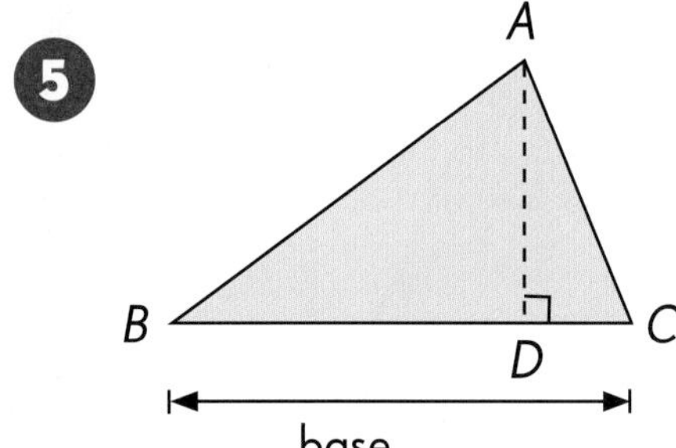

Base: ______

Altura: ______

6. 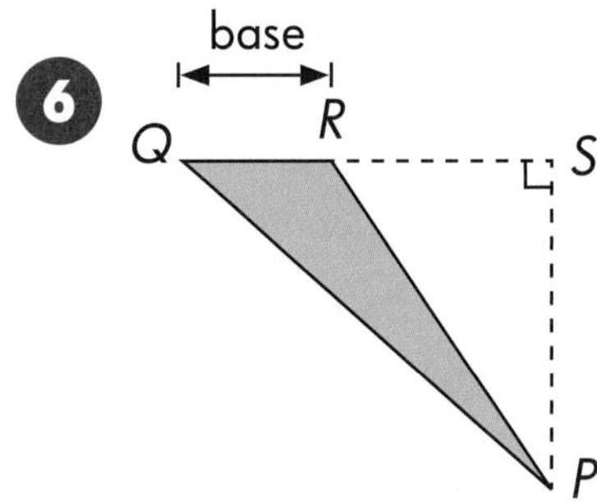

Base: ______

Altura: ______

7. 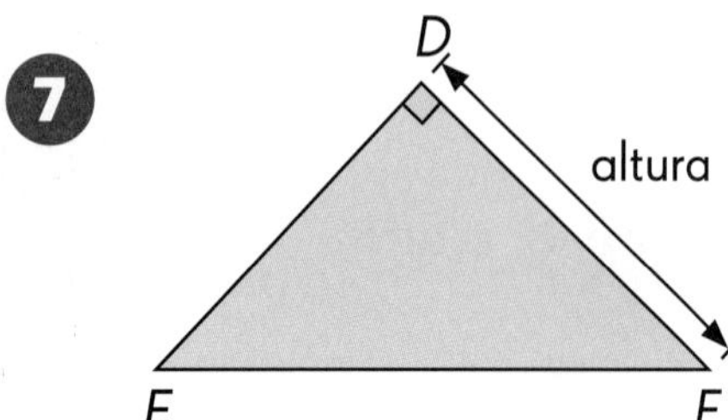

Altura: ______

Base: ______

8. 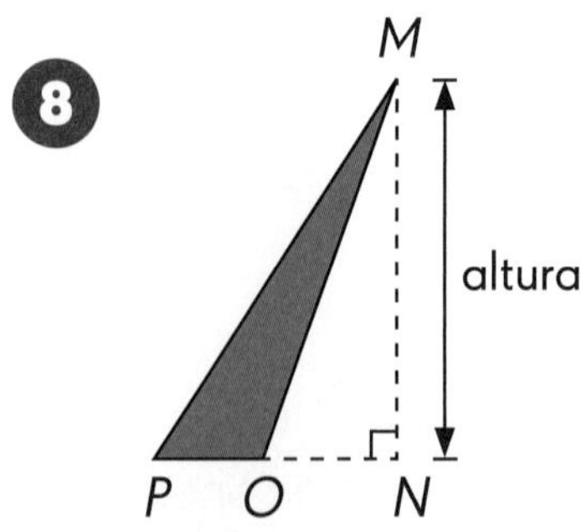

Altura: ______

Base: ______

Halla el área de cada triángulo sombreado.

9

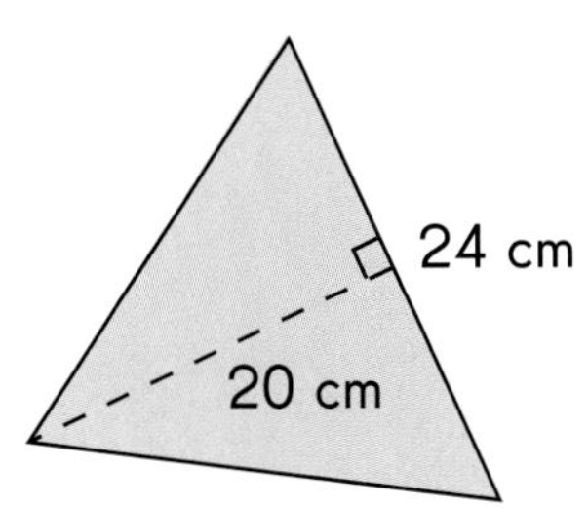

10

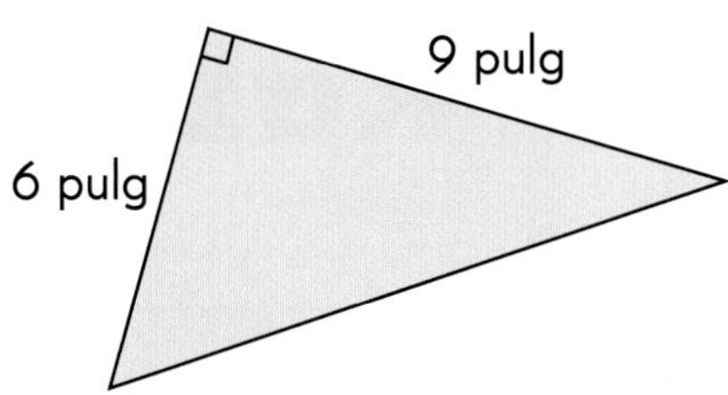

11

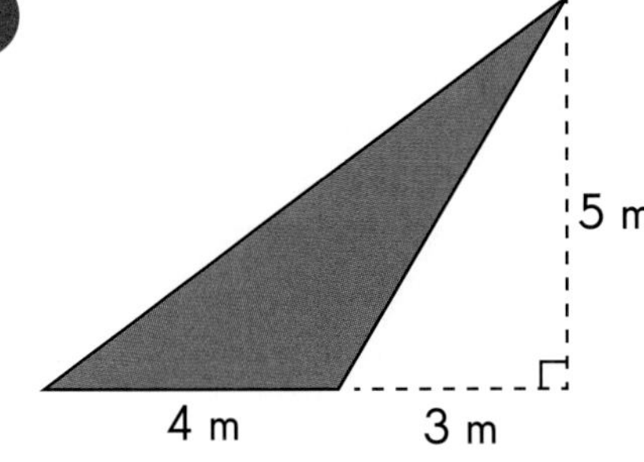

12

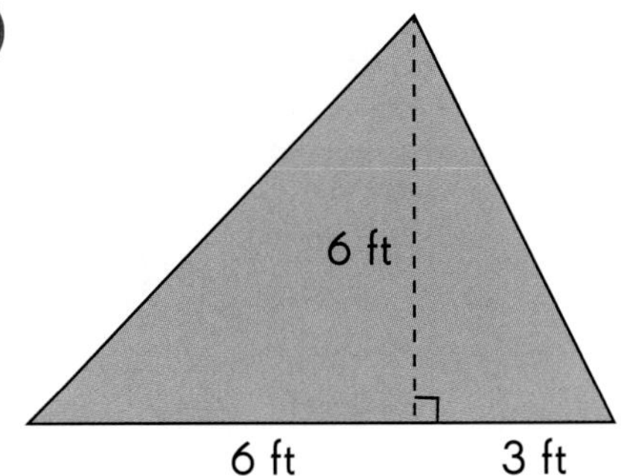

Resolución de problemas

Usa la figura para responder los ejercicios 13 a 15.

ABCD es un rectángulo con un perímetro de 48 cm. *AB* = 6 cm y *CD* = *DE*.

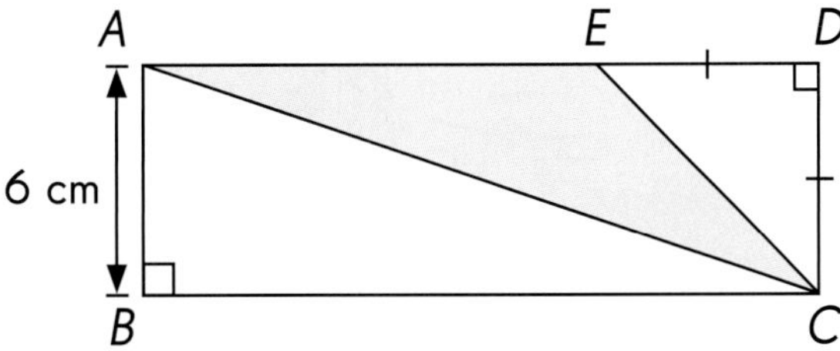

13 Halla la longitud del rectángulo *ABCD*.

14 Halla el área del triángulo *ACD*.

15 Halla el área del triángulo sombreado *ACE*.

Capítulo 7

Razones

Lecciones

7.1 Hallar la razón
7.2 Razones equivalentes
7.3 Problemas cotidianos: Razones
7.4 Razones en forma de fracción
7.5 Comparar tres cantidades
7.6 Problemas cotidianos: Más razones

Idea importante

▶ Para comparar dos números, se puede usar la resta. También es posible comparar dos o más números o cantidades mediante la división y expresar la comparación en forma de razón.

Recordar conocimientos previos

Comparar números usando la resta

$15 - 9 = 6$

6 es 9 menos que 15.

15 es 9 más que 6.

Comprender fracciones

Una fracción es una parte de un entero.

El numerador representa el número de partes y el denominador representa el entero.

$\frac{3}{5}$ son 3 partes de un total de 5. 

Escribir fracciones en su mínima expresión

Escribe $\frac{16}{28}$ en su mínima expresión.

Factores de 16:

$16 = ① \times 16$
$= ② \times 8$
$= ④ \times 4$

Factores de 28:

$28 = ① \times 28$
$= ② \times 14$
$= ④ \times 7$

Los factores comunes de 16 y 28 son 1, 2 y 4.

El máximo factor común (MFC) de 16 y 28 es 4.

$\frac{16 \div 4}{28 \div 4}$ ← Divide el numerador y el denominador entre el MFC, 4

$= \frac{4}{7}$

Usar modelos para resolver problemas

Halla el valor de cada conjunto usando el modelo.

a 4 unidades — **b** 1 unidad

c 3 unidades — **d** 7 unidades

A partir del modelo,

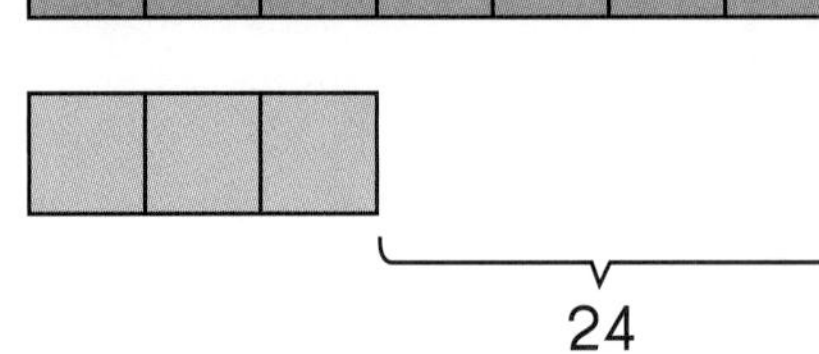

a 4 unidades → 24

b 1 unidad → 6

c 3 unidades → 18

d 7 unidades → 42

✔Repaso rápido

Completa usando el número conectado a la derecha.

1 ____ es 9 menos que 17.

2 17 es 8 más que ____.

17 — 8, 9

Determina cuántas partes del entero se representan en cada fracción.

3 $\frac{1}{3}$

4 $\frac{4}{8}$

Escribe cada fracción en su mínima expresión.

5 $\frac{15}{20}$

6 $\frac{4}{24}$

Halla el valor de cada conjunto usando el modelo.

7 7 unidades

8 1 unidad

9 2 unidades

10 9 unidades

14

Lección 7.1 Hallar la razón

Objetivo de la lección

- Leer y escribir razones.

Vocabulario
razón término

Aprende

Usa razones para comparar dos números o cantidades mediante la división.

Puedes comparar dos cantidades o números mediante la división. Para comparar dos cantidades o números mediante la división, escríbelos en forma de razón.

Hay 2 pastelitos de salvado y 1 de arándano. Puedes comparar el número de pastelitos de un tipo con el número de pastelitos del otro tipo mediante la división.

a Para comparar el número de pastelitos de salvado con el número de pastelitos de arándano, escríbelos en forma de razón, como se muestra.

1.°		2.°		1.er término		2.° término
Número de pastelitos de salvado	a	**Número de pastelitos de arándano**	→	**2**	:	**1**

Di: La razón del número de pastelitos de salvado al número de pastelitos de arándano es '2 a 1'.

Las dos cantidades que estás comparando son los **términos** de la razón.

La primera cantidad de la comparación es el primer término de la razón. La segunda cantidad es el segundo término de la razón.

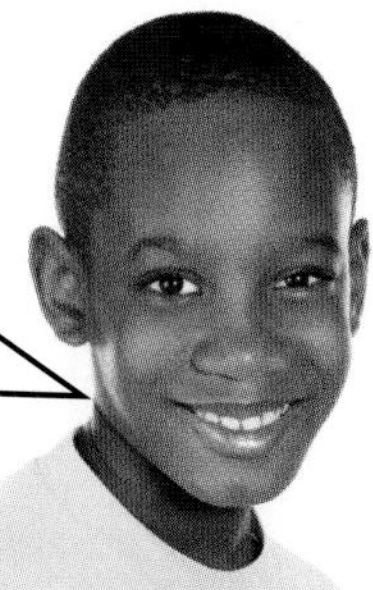
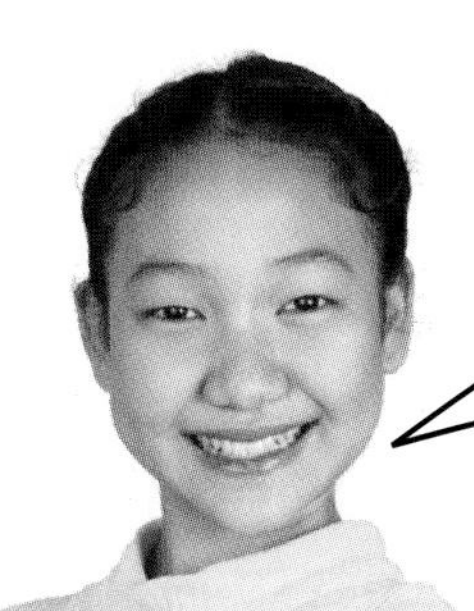

La razón '2 : 1' nos dice que 'hay 2 pastelitos de salvado por cada pastelito de arándano' o que 'hay 1 pastelito de arándano por cada 2 pastelitos de salvado'.

b Para comparar el número de pastelitos de arándano con el número de pastelitos de salvado, escríbelos en forma de razón, como se muestra.

1.°		2.°		1.er término		2.° término
Número de pastelitos de arándano	a	**Número de pastelitos de salvado**	→	**1**	:	**2**

Di: La razón del número de pastelitos de arándano al número de pastelitos de salvado es '1 a 2'.

La razón '1 a 2' nos dice también que 'hay 1 pastelito de arándano por cada 2 pastelitos de salvado' o que 'hay 2 pastelitos de salvado por cada pastelito de arándano'.

Práctica con supervisión

Completa.

1. La razón del número de banderines azules al número de banderines amarillos es ___ : ___.

2. La razón del número de banderines amarillos al número de banderines azules es ___ : ___.

La razón ___ : ___ nos dice que 'hay ___ banderines azules por cada ___ banderines amarillos' o que 'hay ___ banderines amarillos por cada ___ banderines azules'.

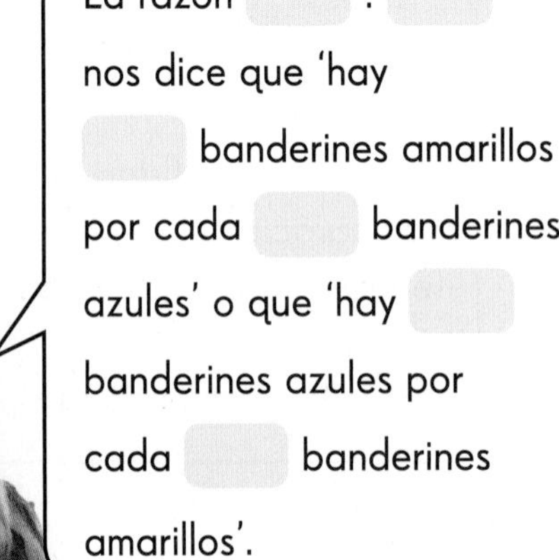

La razón ___ : ___ nos dice que 'hay ___ banderines amarillos por cada ___ banderines azules' o que 'hay ___ banderines azules por cada ___ banderines amarillos'.

No es necesario que una razón dé las cantidades reales que se comparan.

El encargado de una tienda de artículos deportivos colocó cubos con pelotas de béisbol y pelotas de lacrosse para vender. Hay 2 cubos de pelotas de lacrosse y 3 cubos de pelotas de béisbol. Cada cubo contiene la misma cantidad de pelotas.

2 cubos a 3 cubos es 2 : 3.

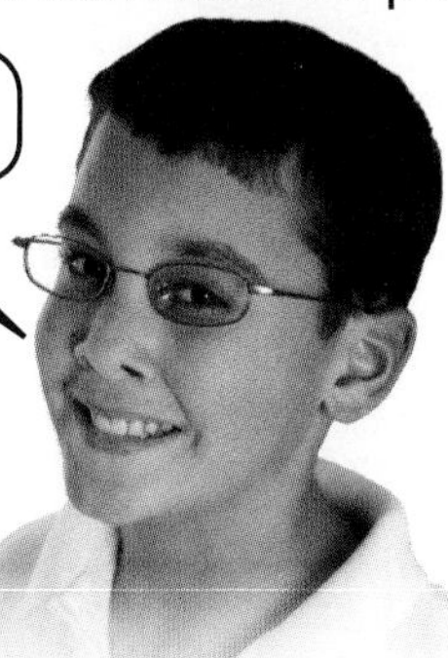

Sabes que hay igual cantidad de pelotas en cada cubo. La razón no nos da el número real de pelotas.

La razón del número de pelotas de lacrosse al número de pelotas de béisbol es 2 : 3.

La razón del número de pelotas de béisbol al número de pelotas de lacrosse es 3 : 2.

1 unidad

1 unidad = 2 hojas. Entonces, no se necesita que una razón dé las cantidades reales que se comparan.

 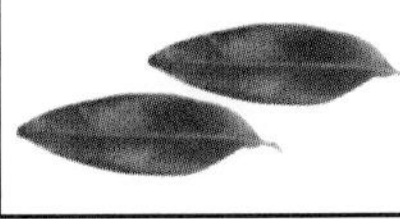  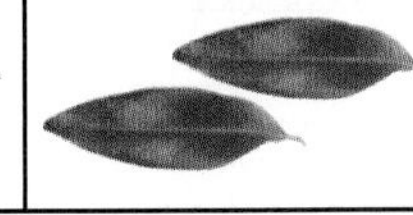

1 unidad

La razón del número de hojas redondeadas al número de hojas alargadas es 3 : 4

La razón del número de hojas alargadas al número de hojas redondeadas es 4 : 3.

Práctica con supervisión

Completa.

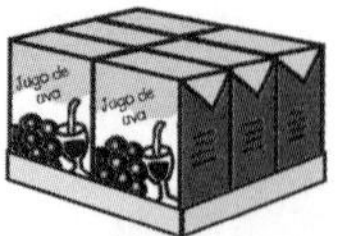

3. La razón del número de cajas de jugo de uva al número de cajas de jugo de manzana es ___ : ___.

4. La razón del número de cajas de jugo de manzana al número de cajas de jugo de uva es ___ : ___.

Ronald compró 2 libras de peras y 5 libras de naranjas.

Para comparar en forma de razón, los artículos tienen que estar expresados en la misma unidad. Sin embargo, la razón no tiene unidades.

5. La razón del peso de las peras al peso de las naranjas es ___ : ___.

6. La razón del peso de las naranjas al peso de las peras es ___ : ___.

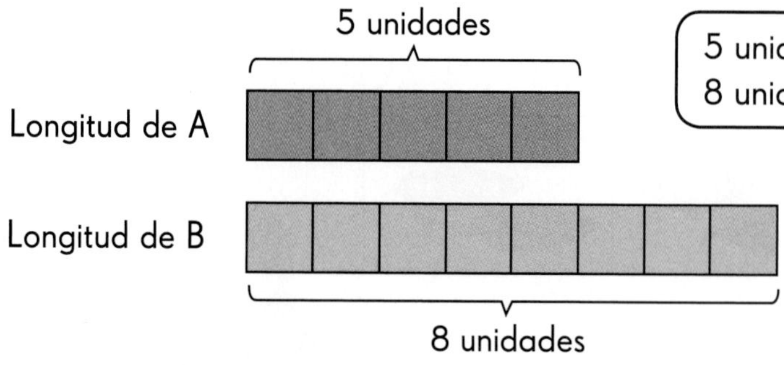

5 unidades a 8 unidades

7. La razón de la longitud de A a la longitud de B es ___ : ___.

8. La razón de la longitud de B a la longitud de A es ___ : ___.

Aprende

Usa un modelo de parte al todo para mostrar una razón.

Jim corta un pedazo de madera de 24 centímetros de largo en dos partes. La parte más corta mide 7 centímetros. Halla la razón de la longitud de la parte más corta a la longitud de la parte más larga.

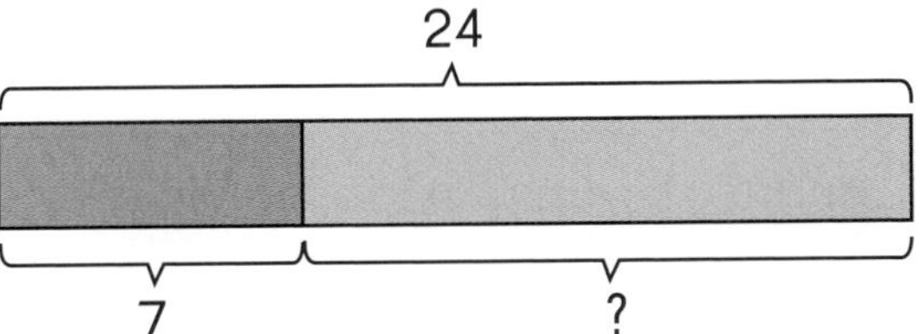

La longitud de la parte más corta es de 7 centímetros.

$24 - 7 = 17$

La longitud de la parte más larga es de 17 centímetros.

La razón de la longitud de la parte más corta a la parte más larga es 7 : 17.

Práctica con supervisión

Resuelve.

9 El señor Larson tenía 15 libras de habichuelas para vender en su puesto de verduras. Vendió 7 libras de habichuelas. Halla la razón del peso de las habichuelas vendidas al peso de las habichuelas que le quedan.

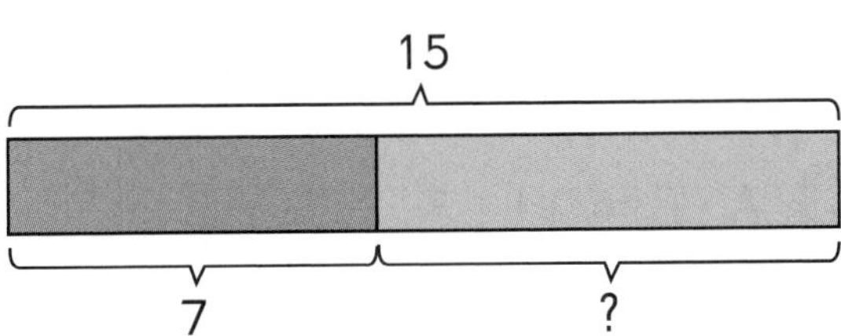

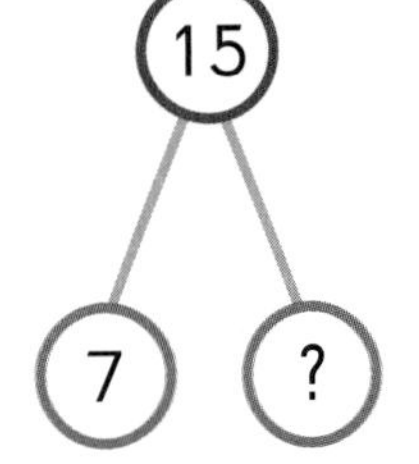

El peso de las habichuelas vendidas es de 7 libras.

___ − 7 = ___

El peso de las habichuelas que le quedan es de ___ libras.

La razón del peso de las habichuelas vendidas al peso de las habichuelas que le quedan es ___ : ___.

Practiquemos

Completa.

1 La tabla muestra el peso de los mariscos que se vendieron una tarde en un mercado de mariscos.

Mariscos	Mejillones	Langostinos	Cangrejos	Langostas	Vieiras
Peso	2 kg	5 kg	3 kg	11 kg	8 kg

Copia y completa la tabla. Luego, escribe todas las razones que puedas a partir de los datos.

Ejemplo

	Razón
Peso de mejillones al peso de langostinos	2 : 5
Peso de langostas al peso de vieiras	___ : ___
⋮	⋮
Peso de cangrejos al peso total de mariscos	___ : ___

Haz un modelo para mostrar cada razón.

Ejemplo

A : B = 2 : 5

A ▭▭

B ▭▭▭▭▭

2 A : B = 4 : 9

3 A : B = 11 : 7

Escribe dos razones para comparar los conjuntos.

4

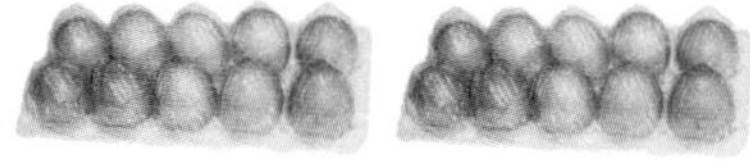

Conjunto A

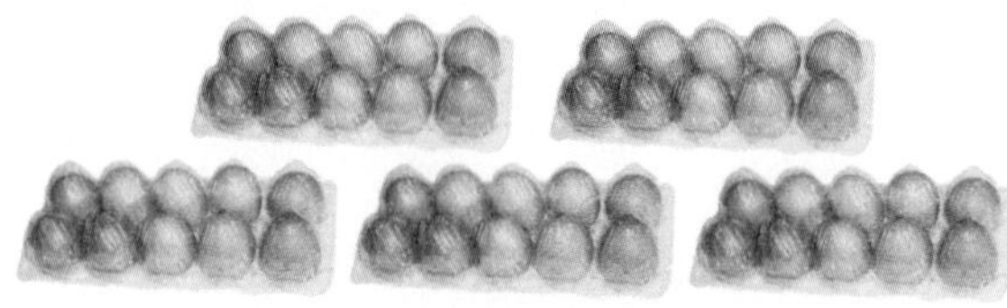

Conjunto B

Escribe dos razones para comparar los conjuntos.

5

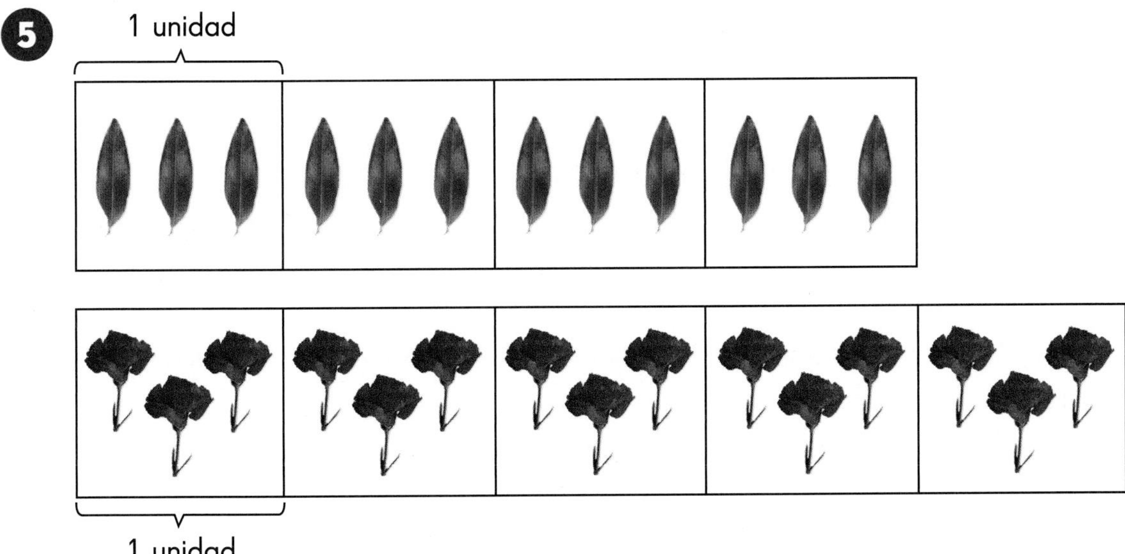

Resuelve.

6 Un mantel grande a cuadros mide 5 pies de ancho y 7 pies de largo. Halla la razón de la longitud del mantel a su ancho.

7 James tiene $88. Donó $35 a la obra de beneficencia A y el resto a la obra de beneficencia B. Halla la razón de la cantidad de dinero que donó a la obra A a la cantidad de dinero que donó a la obra B.

Ver Cuaderno de actividades A: Práctica 1, págs. 209 a 214

Lección 7.2 Razones equivalentes

Objetivo de la lección

- Hallar razones equivalentes.

Vocabulario
razones equivalentes
mínima expresión
máximo factor común

Aprende

Las razones equivalentes muestran las mismas comparaciones de números o cantidades.

Jack tiene 4 manzanas rojas y 8 manzanas verdes. La razón del número de manzanas rojas al número de manzanas verdes es 4 : 8.

Jack pone 2 manzanas del mismo color en cada bandeja.

2 bandejas de manzanas rojas

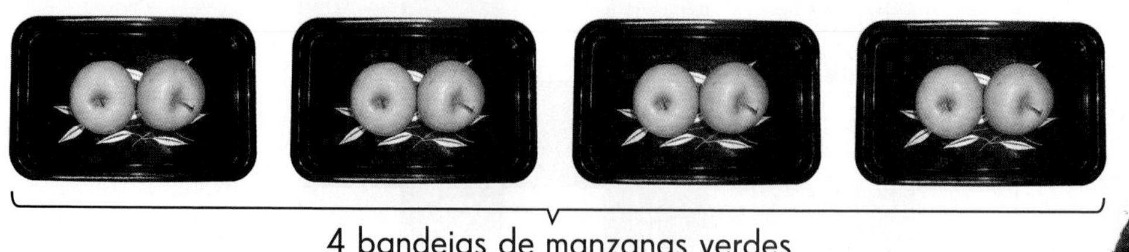

4 bandejas de manzanas verdes

Hay 2 bandejas de manzanas rojas y 4 bandejas de manzanas verdes.
La razón del número de manzanas rojas al número de manzanas verdes es 2 : 4.

Luego, pone 4 manzanas del mismo color en cada bandeja.

1 bandeja de manzanas rojas

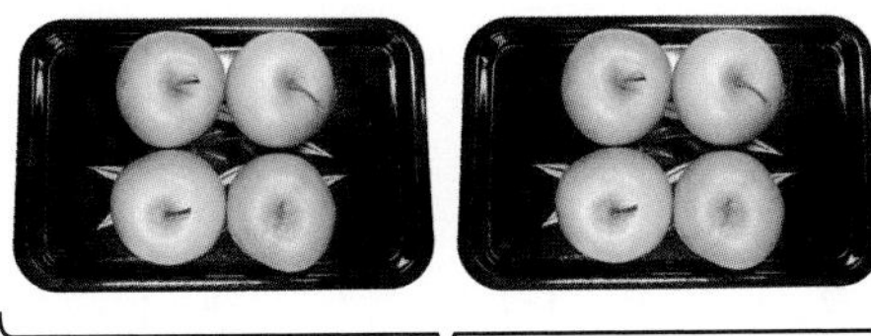

2 bandejas de manzanas verdes

Hay 1 bandeja de manzanas rojas y 2 bandejas de manzanas verdes.
La razón del número de manzanas rojas al número de manzanas verdes es 1 : 2.

Las tres razones, 4 : 8, 2 : 4 y 1 : 2, comparan el mismo número de manzanas rojas y de manzanas verdes.
Estas son razones equivalentes.

4 : 8 = 2 : 4 = 1 : 2
La razón en su **mínima expresión** es 1 : 2.

La razón que muestra el número real de manzanas rojas y de manzanas verdes es 4 : 8.

Práctica con supervisión

Completa.

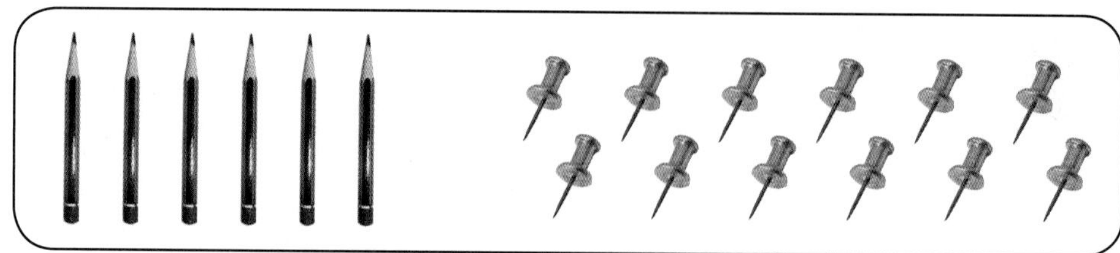

La razón del número de lápices al número de tachuelas es ___ : ___.

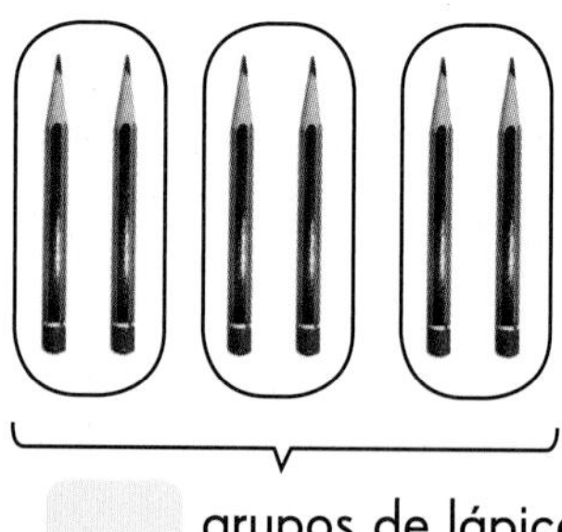

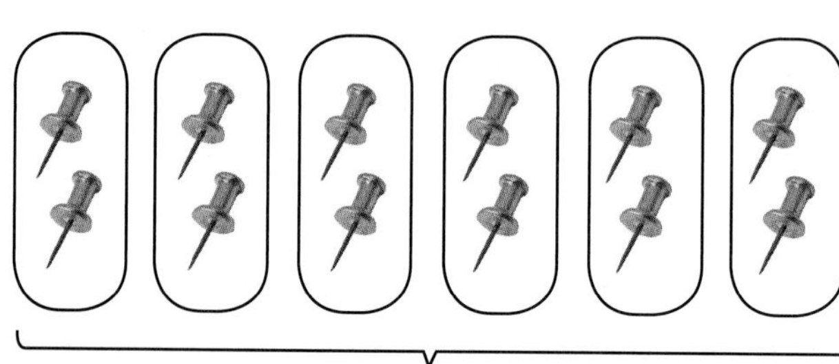

___ grupos de lápices

___ grupos de tachuelas

La razón del número de lápices al número de tachuelas es ___ : ___.

3

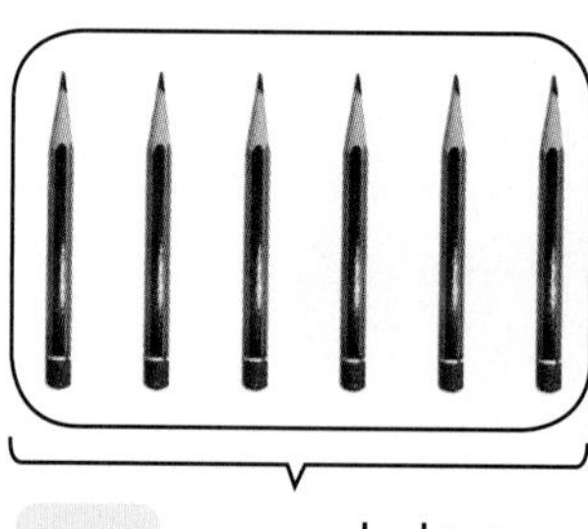

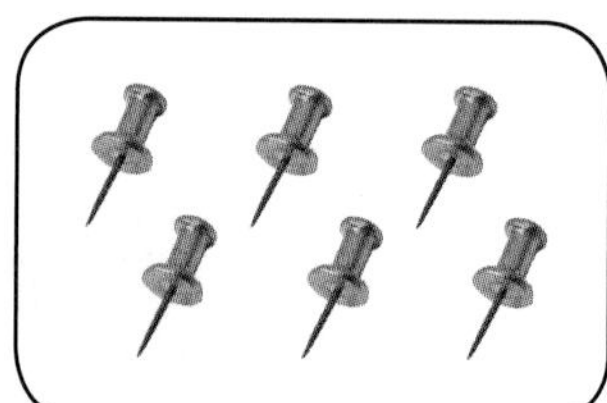

___ grupo de lápices

___ grupos de tachuelas

La razón del número de lápices al número de tachuelas es ___ : ___.

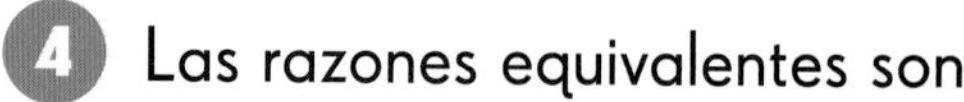

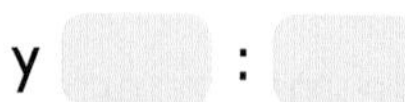

4 Las razones equivalentes son ___ : ___, ___ : ___ y ___ : ___.

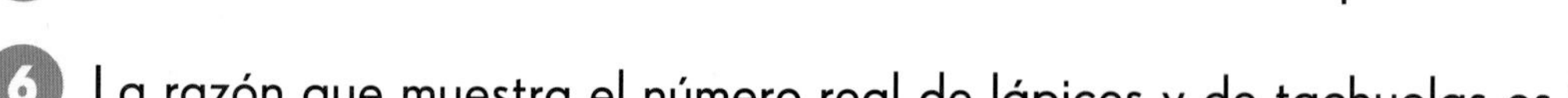

5 De estas razones equivalentes, la razón en su mínima expresión es ___ : ___.

6 La razón que muestra el número real de lápices y de tachuelas es ___ : ___.

Aprende

Usa el máximo factor común para escribir razones en su mínima expresión.

Halla la razón 4 : 6 en su mínima expresión.

Para escribir una razón en su mínima expresión, divide los términos entre su máximo factor común.

$2 \times 2 = 4$ y $2 \times 3 = 6$.
2 es el máximo factor común de 4 y 6.
Divide 4 y 6 entre 2.

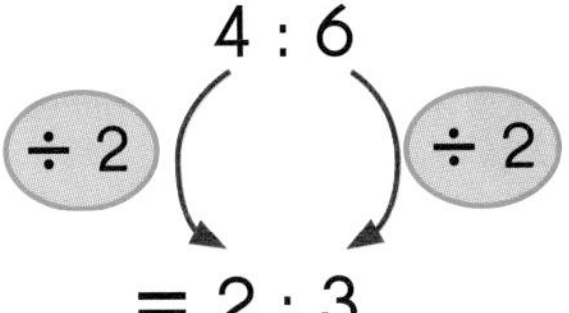

$4 : 6 \;\xrightarrow{\div 2}\; = 2 : 3$

Los números 2 y 3 solo pueden dividirse entre el factor común 1.

La razón está en su mínima expresión cuando sus términos solo tienen el factor común 1.

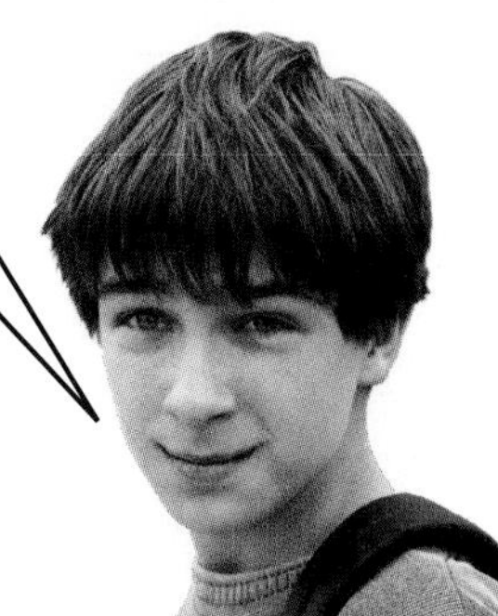

La razón 4 : 6 en su mínima expresión es 2 : 3.

Práctica con supervisión

Completa para escribir cada razón en su mínima expresión.

7 12 : 4

÷ ___ ÷ ___

= ___ : ___

El máximo factor común de 12 y 4 es ___. Divide 12 y 4 entre ___.

8 9 : 15

÷ ___ ÷ ___

= ___ : ___

Primero, halla el máximo factor común de 9 y 15.

Aprende

Usa la multiplicación para hallar el término que falta en las razones equivalentes.

Halla el término que falta en estas razones equivalentes.
2 : 5 = 6 : ?

Observa el primer término de las razones equivalentes: — **2** : 5 = **6** : ?.

Primero, halla el factor de multiplicación. Luego, multiplica el segundo término por el factor de multiplicación.

Método 1

2 × **3** = 6

2 : 5
× 3 × 3
= **6** : 15

El término que falta es 15.

Método 2

6 ÷ 2 = **3**

Entonces, **3** es el factor de multiplicación.
3 × 5 = 15

Aprende

Usa la división para hallar el término que falta en las razones equivalentes.

Halla el término que falta en estas razones equivalentes.

15 : 12 = ? : 4

Observa el segundo término de las razones equivalentes — 15 : **12** = ? : **4**.

Primero, halla un factor común de los términos de la primera razón.
Luego, divide el primer término entre el factor común.

Método 1

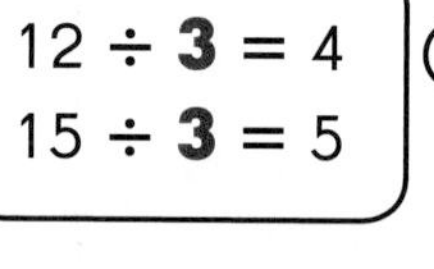
12 ÷ **3** = 4
15 ÷ **3** = 5

15 : **12**
÷ 3 ÷ 3
= 5 : **4**

El término que falta es 5.

Método 2

12 ÷ 4 = **3**

Entonces, **3** es el factor.
15 ÷ **3** = 5

Práctica con supervisión

Halla el término que falta en cada conjunto de razones equivalentes.

9 4 : 3
× ___ × ___
= 20 : ___

20 ÷ 4 = ___

3 × ___ = ___

10 7 : ___
× ___ × ___
= 21 : 12

21 ÷ 7 = ___

12 ÷ ___ = ___

11 ___ : 16
÷ ___ ÷ ___
= 3 : 2

16 ÷ 2 = ___

3 × ___ = ___

Manos a la obra

TRABAJAR EN GRUPO

Materiales:
- 14 cubos amarillos
- 28 cubos rojos

Trabajen en grupos de dos a cuatro estudiantes.

PASO **1** Agrupen los cubos de modo que haya igual número de cubos en cada grupo. (No mezclen cubos amarillos y cubos rojos en un grupo.)

PASO **2** Escriban la razón del número de grupos de cubos amarillos al número de grupos de cubos rojos.

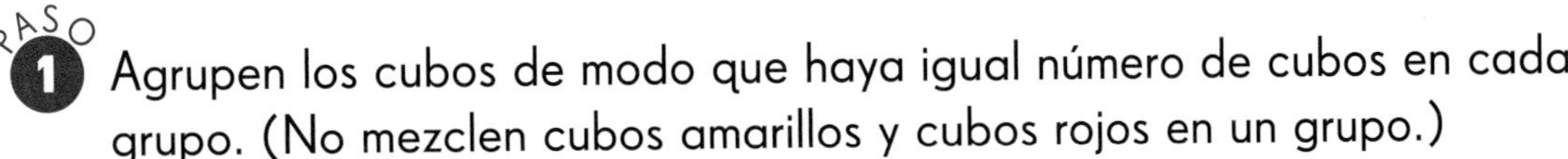

PASO **3** Repitan el PASO **1** y el PASO **2** con números diferentes de cubos en cada grupo para obtener otras dos razones.
¿Qué pueden decir de estas razones?

PASO **4** Repitan la actividad usando 8 cubos amarillos y 24 cubos rojos.
¿Qué pueden decir de estas razones?

¿Por qué es así? Expliquen su razonamiento.

Practiquemos

Resuelve.

La señora Jefferson tiene 3 cajas de tizas amarillas y 8 cajas de tizas blancas. Cada caja contiene 5 tizas.

1. Halla el número total de tizas amarillas.
2. Halla el número total de tizas blancas.
3. Halla la razón del número de tizas amarillas al número de tizas blancas.
4. Halla la razón del número de cajas de tizas amarillas al número de cajas de tizas blancas.
5. ¿Qué puedes decir de las razones dadas en 3 y 4?

Escribe cada razón en su mínima expresión.

6. 4 : 14 = ___ : ___
7. 18 : 8 = ___ : ___
8. 8 : 32 = ___ : ___
9. 42 : 12 = ___ : ___

Halla el término que falta en cada conjunto de razones equivalentes.

10. 4 : 7 = 12 : ___
11. 3 : 8 = ___ : 32
12. 27 : 15 = ___ : 5
13. 6 : 42 = 2 : ___

Halla el término que falta en cada conjunto de razones equivalentes.

14. 3 : ___ = 48 : 80
15. ___ : 51 = 4 : 3
16. 70 : ___ = 2 : 4
17. ___ : 7 = 128 : 224

POR TU CUENTA

Ver Cuaderno de actividades A: Práctica 2, págs. 215 a 216

Problemas cotidianos: Razones

Objetivo de la lección

- Resolver problemas cotidianos que incluyan razones.

Aprende

Halla la mínima expresión de las razones para comparar cantidades usadas en problemas cotidianos.

En un acuario hay 6 peces ángel y 18 tetras. Halla la razón del número de peces ángel al número de tetras del acuario.

La razón del número de peces ángel al número de tetras es 6 : 18.

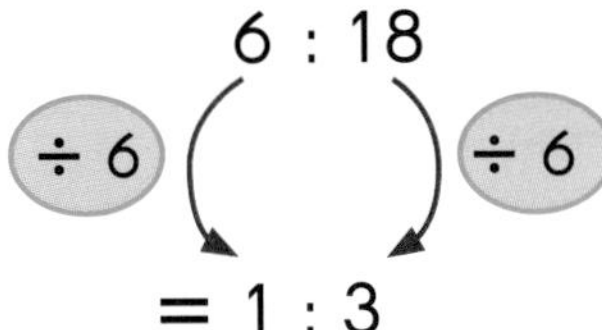

Escribe la razón 6 : 18 en su mínima expresión. Divide 6 y 18 entre su máximo factor común, 6.

La razón del número de peces ángel al número de tetras del acuario es 1 : 3.

Práctica con supervisión

Completa.

En el jardín de Beth, hay 12 rosas rosadas y 15 rosas amarillas.

1. ¿Cuál es la razón del número de rosas rosadas al número de rosas amarillas?

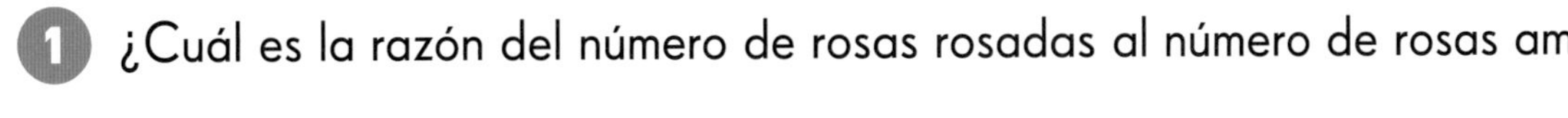

12 : 15

÷ ___ ÷ ___

= ___ : ___

Escribe la razón 12 : 15 en su mínima expresión. Divide 12 y 15 entre el máximo factor común, 3.

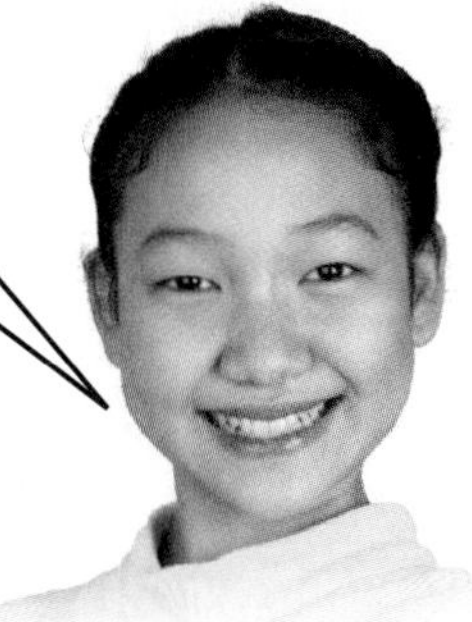

La razón del número de rosas rosadas al número de rosas amarillas es ___ : ___.

2. La razón del número de rosas amarillas al número de rosas rosadas es ___ : ___.

Aprende

Usa el entero para hallar la parte que falta en una razón.

En un programa de fútbol hay 48 estudiantes; 16 son mujeres.
Halla la razón del número de mujeres al número de varones del programa.

48 − 16 = 32

Hay 32 varones en el programa.

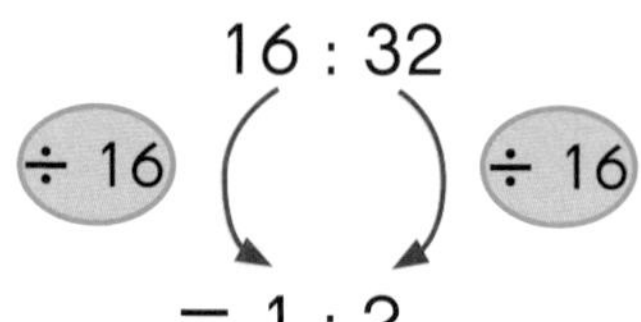

16 : 32 = 1 : 2

La razón del número de mujeres al número de varones del programa es 1 : 2.

Práctica con supervisión

Completa.

En la tienda Con Frío o con Calor se vendieron 56 paraguas e impermeables, en total, en un día lluvioso. Se vendieron 24 impermeables.

3. Halla la razón del número total de paraguas e impermeables vendidos al número de impermeables vendidos.

   ___ : ___ = ___ : ___

   La razón del número total de paraguas e impermeables vendidos al número de impermeables vendidos es ___ : ___.

4. Halla la razón del número de paraguas vendidos al número de impermeables vendidos.

   56 − ___ = ___
   El número de paraguas vendidos es ___.

   ___ : 24 = ___ : ___

   La razón del número de paraguas vendidos al número de impermeables vendidos es ___ : ___.

Aprende

Halla la nueva razón cuando cambia uno de los términos.

Ernesto tiene 25 tarjetas de fútbol americano y 40 tarjetas de béisbol. Regala 5 tarjetas de béisbol. ¿Cuál es la razón del número de tarjetas de fútbol americano al número de tarjetas de béisbol que Ernesto tiene ahora?

$40 - 5 = 35$

Ernesto tiene ahora 35 tarjetas de béisbol.

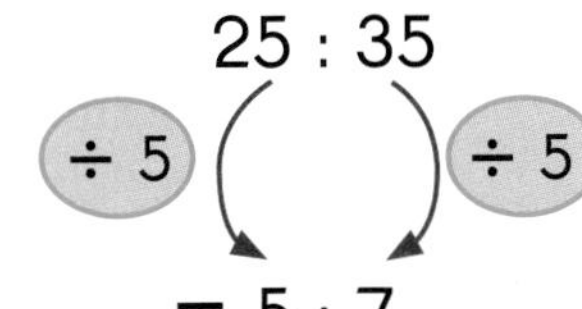

La razón del número de tarjetas de fútbol americano al número de tarjetas de béisbol que Ernesto tiene ahora es 5 : 7.

Práctica con supervisión

Completa.

Gerald donó 30 monedas de 25¢ y 16 monedas de 10¢ para una colecta de beneficencia. Luego, donó 18 monedas más de 25¢.

5 Halla la razón del número total de monedas de 25¢ al número de monedas de 10¢ que Gerald donó.

30 + ___ = ___

Gerald donó un total de ___ monedas de 25¢.

___ : 16 = ___ : ___

La razón del número total de monedas de 25¢ que donó al número de monedas de 10¢ que donó es ___ : ___.

6 Halla la razón del número total de monedas de 25¢ que Gerald donó al número total de monedas que donó.

Según **5**, el número total de monedas de 25¢ que Gerald donó es ___.

___ + 16 = ___

Gerald donó un total de ___ monedas.

___ : ___ = ___ : ___

La razón del número total de monedas de 25¢ que Gerald donó al número total de monedas es ___ : ___.

Aprende

Usa modelos para hallar una razón.

Amy tiene 96 libros de historietas y de cuentos en total. Tiene 60 libros de historietas. Halla la razón del número de libros de historietas al número de libros de cuentos.

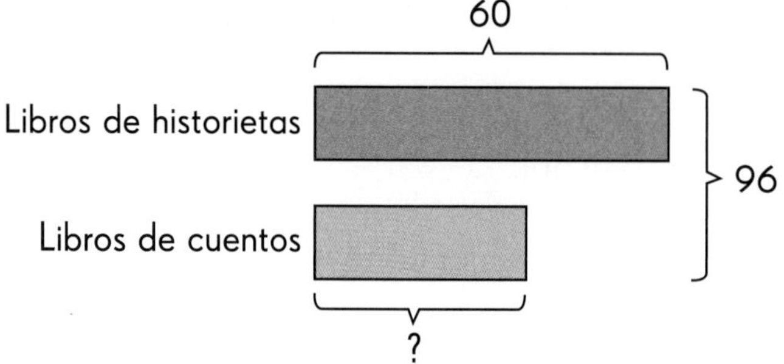

96 − 60 = 36

Hay 36 libros de cuentos.

60 : 36 = 5 : 3

La razón del número de libros de historietas al número de libros de cuentos es 5 : 3.

Práctica con supervisión

Completa.

Stanley colecciona estampillas como pasatiempo. En su colección, tiene 196 estampillas de Estados Unidos y 56 estampillas de otros países.

7. ¿Cuál es la razón del número de estampillas de Estados Unidos al número total de estampillas que tiene?

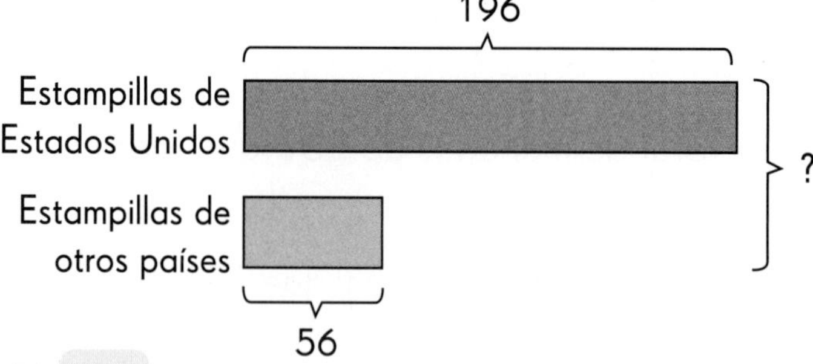

196 + 56 = ___

El número total de estampillas de la colección de Stanley es ___.

___ : ___ = ___ : ___

La razón del número de estampillas de Estados Unidos al número total de estampillas que Stanley tiene es ___ : ___.

Dada la razón y un término, halla el otro término.

Harold divide un envase de tomates en dos partes. La razón del peso de la parte más grande al peso de la parte más pequeña es 5 : 2. El peso de la parte más grande es de15 libras. Halla el peso de la parte más pequeña.

Método 1

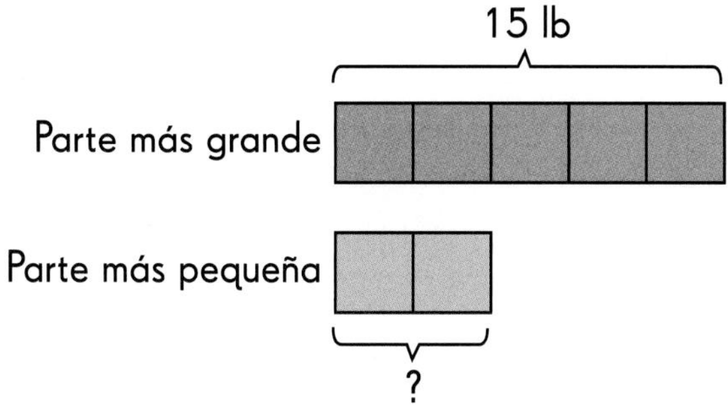

5 unidades ⟶ 15 lb

1 unidad ⟶ $15 \div 5 = 3$ lb

2 unidades ⟶ $2 \times 3 = 6$ lb

El peso de la parte más pequeña de tomates es de 6 libras.

Método 2

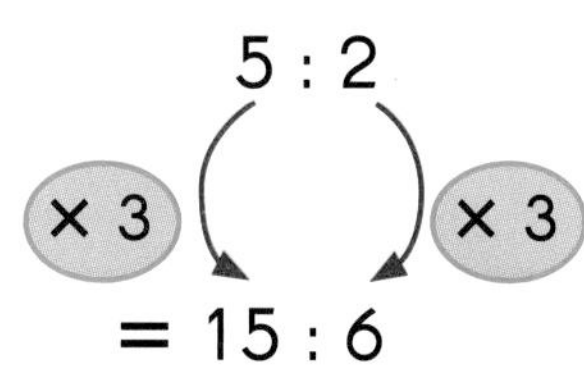

El peso de la parte más pequeña de tomates es de 6 libras.

Práctica con supervisión

Completa.

8 La señora Gardner tiene leche para preparar dos porciones de batido de fruta y tartaleta de fruta. La razón del volumen de la porción 1 al volumen de la porción 2 es 3 : 4. El volumen de la porción 1 es de 120 mililitros. Halla el volumen total de las dos porciones.

Método 1

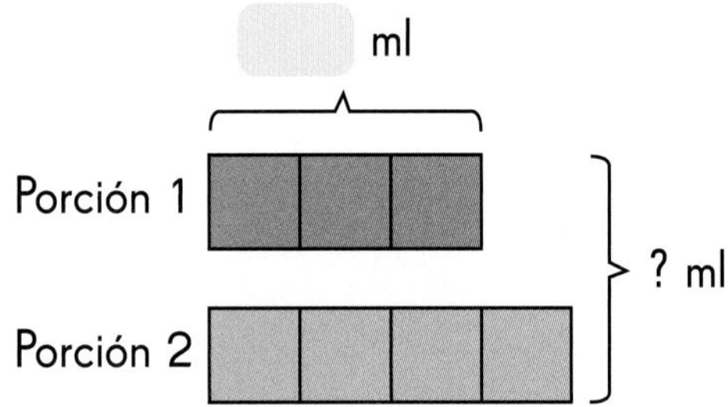

3 unidades ⟶ ___ ml

1 unidad ⟶ ___ ÷ ___ = ___ ml

7 unidades ⟶ ___ × ___ = ___ ml

El volumen total de ambas porciones es de ___ mililitros.

Método 2

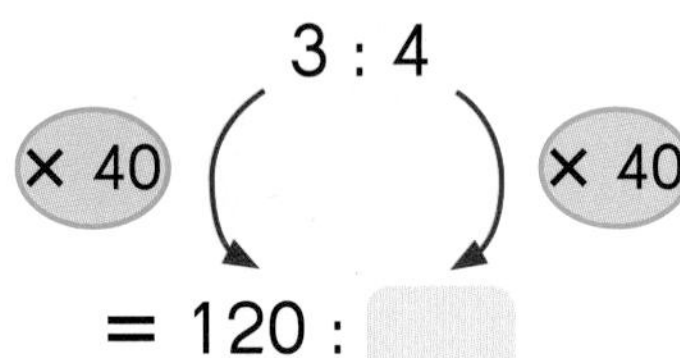

3 × 40 = 120
4 × 40 = ___

El volumen de la porción 2 es de ___ mililitros.

120 + ___ = ___

El volumen total de ambas porciones es de ___ mililitros.

LECTURA Y ESCRITURA

Diario de matemáticas

Observa el modelo. Escribe un problema cotidiano que incluya una razón y resuélvelo.

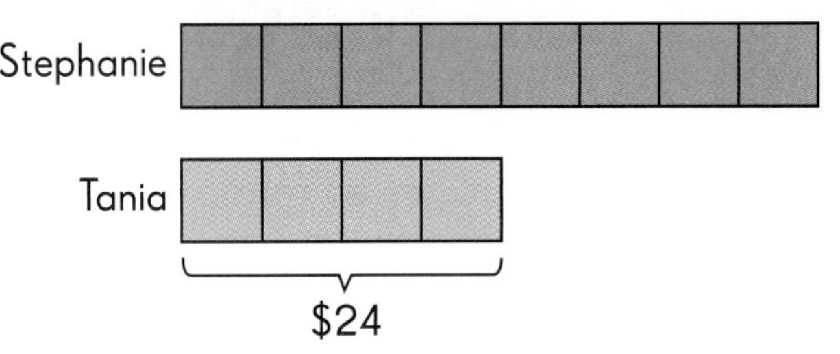

Practiquemos

Resuelve. Muestra el proceso.

1. Lindsay gastó \$24 y le quedan \$11. Halla la razón de la cantidad de dinero que gastó a la cantidad total de dinero que tenía al principio.

2. Una caja contenía 42 manzanas,12 de las cuales eran verdes. El resto de las manzanas eran rojas. Halla la razón del número de manzanas verdes al número de manzanas rojas.

3. Stella mezcló 20 mililitros de jugo de arándano con 30 mililitros de jugo de grosella negra. Luego, agregó otros 15 mililitros de jugo de arándano. Halla la razón de la cantidad de jugo de arándano a la cantidad de jugo de grosella negra de la mezcla final.

4. El señor Wong cortó un cable en dos partes, con una razón de 3 : 4. La parte más larga mide 32 centímetros. ¿Cuál era la longitud total del cable?

5. La razón del número de estudiantes que fueron al zoológico por la mañana a la razón del número de estudiantes que fueron al zoológico por la tarde es 5 : 3. Por la mañana fueron 145 estudiantes al zoológico. ¿Cuántos estudiantes fueron al zoológico por la tarde?

6. Ken y Bob trabajaron un total de 63 horas en una semana. Ken trabajó 36 horas. ¿Cuál es la razón de las horas que trabajó Bob al total de las horas que trabajaron Ken y Bob?

POR TU CUENTA

Ver Cuaderno de actividades A: Práctica 3, págs. 217 a 220

Lección 7.4 Razones en forma de fracción

Objetivos de la lección

- Interpretar razones dadas en forma de fracción.
- Escribir razones en forma de fracción para saber cuánto mayor es un número en comparación con otro.

Aprende Las razones también pueden escribirse en forma de fracción.

Jason tiene dos lápices de colores. Un lápiz es rojo y el otro es azul.

Este modelo representa la razón de la longitud del lápiz rojo a la longitud del lápiz azul.

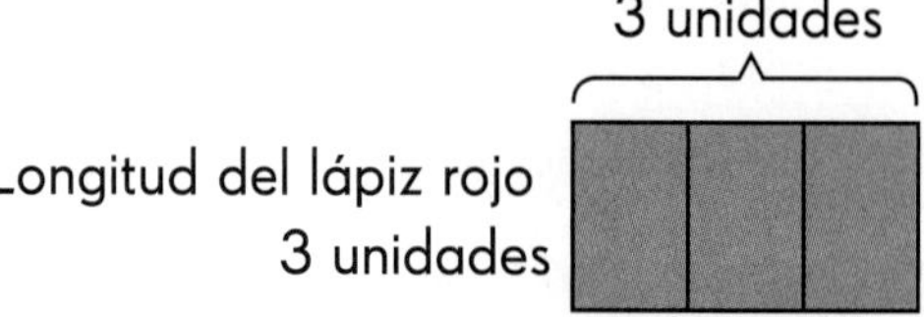

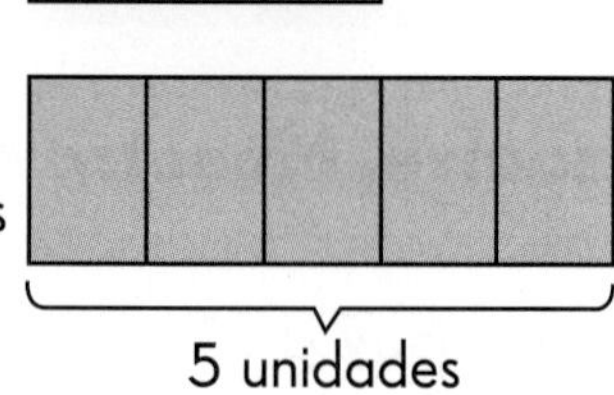

Número total de unidades $= 3 + 5 = 8$

a La razón de la longitud del lápiz rojo a la longitud del lápiz azul es 3 : 5.

Esta misma razón también puede escribirse en forma de fracción:

$$\frac{\text{Longitud del lápiz rojo}}{\text{Longitud del lápiz azul}} = \frac{3}{5}$$

b La razón de la longitud del lápiz azul a la longitud del lápiz rojo es 5 : 3. Esta misma razón puede escribirse en forma de fracción:

$$\frac{\text{Longitud del lápiz azul}}{\text{Longitud del lápiz rojo}} = \frac{5}{3}$$

c La razón de la longitud del lápiz rojo a la longitud total de los dos lápices es 3 : 8.

Esta misma razón también puede escribirse en forma de fracción:

$$\frac{\text{Longitud del lápiz rojo}}{\text{Longitud total de los dos lápices}} = \frac{3}{8}$$

Práctica con supervisión

Completa. Puedes hacer modelos como ayuda.

El modelo representa la razón de la estatura de Sam a la estatura de Gene.

1. La razón de la estatura de Sam a la estatura de Gene es ___ : ___ ó $\frac{\square}{\square}$.

2. La razón de la estatura de Sam a la estatura total de los dos estudiantes es ___ : ___ ó $\frac{\square}{\square}$.

Exploremos

En esta tabla se da la razón de una cantidad a otra cantidad.

	Forma de razón	Forma de fracción
A a B	3 : 8	$\frac{3}{8}$
C a D	4 : 7	$\frac{4}{7}$
E a F	5 : 9	$\frac{5}{9}$

1. Observa la forma de fracción de cada razón. Observa la cantidad del numerador. Ubica la misma cantidad en la forma de razón correspondiente. ¿Cuál es su posición?

2. Observa la forma de fracción de cada razón. Observa la cantidad del denominador. Ubica la misma cantidad en la forma de razón correspondiente. ¿Cuál es su posición?

¿Qué puedes decir sobre la relación entre la forma de razón y la forma de fracción de una razón?

Aprende

Escribe razones en forma de fracción para saber cómo se relaciona un número con otro.

El modelo representa el número de adultos y de niños que ven un espectáculo.

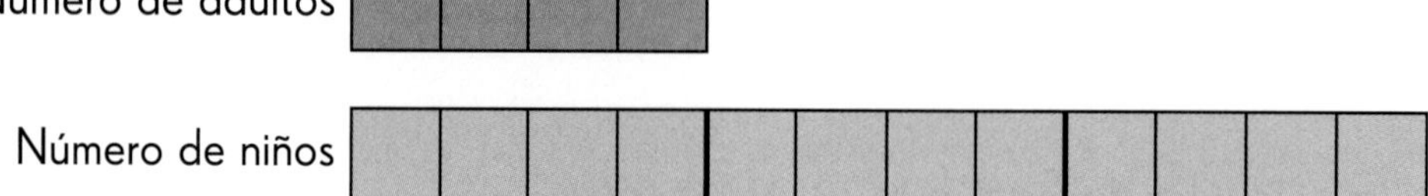

a ¿Cuánto menor es el número de adultos que el número de niños?

$$\frac{\text{Número de adultos}}{\text{Número de niños}} = \frac{4}{12} = \frac{1}{3}$$

El número de adultos es $\frac{1}{3}$ del número de niños.

b ¿Cuánto mayor es el número de niños que el número de adultos?

$$\frac{\text{Número de niños}}{\text{Número de adultos}} = \frac{3}{1}$$

El número de niños es 3 veces mayor que el número de adultos.

Práctica con supervisión

Completa. Da todas las respuestas en su mínima expresión.

Felice gastó $21 y Brad gastó $42.

3 $\frac{\text{Cantidad de dinero que Felice gastó}}{\text{Cantidad de dinero que Brad gastó}} = \frac{\square}{\square}$

La cantidad de dinero que Felice gastó es $\frac{\square}{\square}$ de la cantidad de dinero que Brad gastó.

4 $\frac{\text{Cantidad de dinero que Brad gastó}}{\text{Cantidad de dinero que Felice gastó}} = \frac{\square}{\square}$

La cantidad de dinero que Brad gastó es ☐ veces mayor que la cantidad de dinero que Felice gastó.

Aprende

Haz un modelo para representar una razón dada en forma de fracción.

Steve ahorró una cantidad de dinero igual a $\frac{3}{4}$ de la cantidad que ahorró Cristina.

Ahorros de Steve

Ahorros de Cristina

En forma de fracción:
Ahorros de Steve: Ahorros de Cristina = $\frac{3}{4}$

Entonces, en forma de razón:
Ahorros de Steve: Ahorros de Cristina = 3 : 4

Puedo hacer un modelo de 3 unidades para representar los ahorros de Steve y 4 unidades para representar los ahorros de Cristina.

Número total de unidades = 3 + 4 = 7
Según el modelo:

a La razón de los ahorros de Cristina a los ahorros de Steve es 4 : 3 ó $\frac{4}{3}$.

b La razón de los ahorros de Cristina al ahorro total de los dos es 4 : 7 ó $\frac{4}{7}$.

Práctica con supervisión

Completa. Usa el modelo como ayuda.

Ryan cortó una cuerda en dos partes. La primera parte medía $\frac{4}{7}$ de la longitud de la segunda.

Longitud de la primera parte

Longitud de la segunda parte

5 La razón de la longitud de la segunda parte a la longitud de la primera parte es ___ : ___ ó $\frac{\square}{\square}$.

6 La razón de la longitud de la segunda parte a la longitud total de las dos partes es ___ : ___ ó $\frac{\square}{\square}$.

TRABAJAR EN PAREJAS

Escriban tres razones en forma de fracción para cada situación.

1. En el Minimercado de Mim, la cantidad de huevos grandes es igual a $\frac{4}{7}$ de la cantidad de huevos medianos.

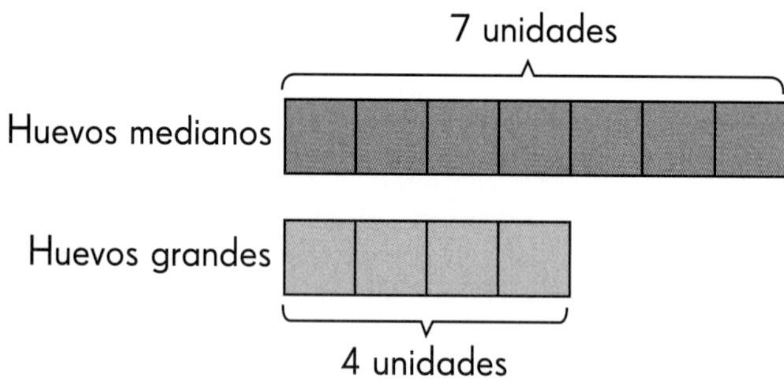

Ejemplo

Número de huevos grandes : número de huevos medianos $= \frac{4}{7}$

2. Todos los meses, Fang ahorra \$450 al tiempo que Lily ahorra \$150.

Practiquemos

Completa.

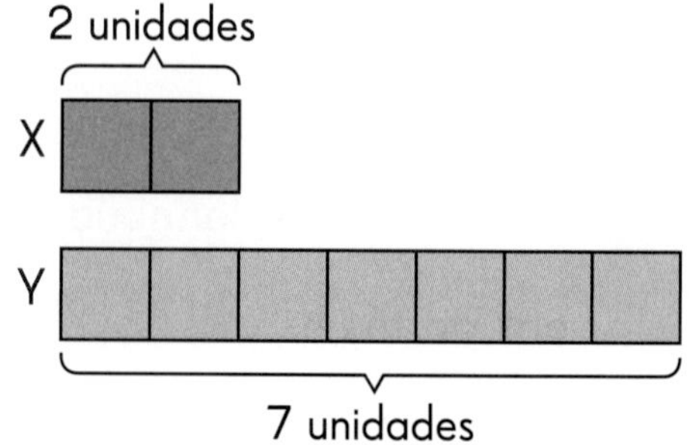

1. La razón de X a Y es ___ : ___ ó $\frac{\square}{\square}$.

2. X es $\frac{\square}{\square}$ de Y.

3. Y es $\frac{\square}{\square}$ de X.

Resuelve. Usa el modelo como ayuda.

El modelo representa la razón de la longitud del poste A a la longitud del poste B.

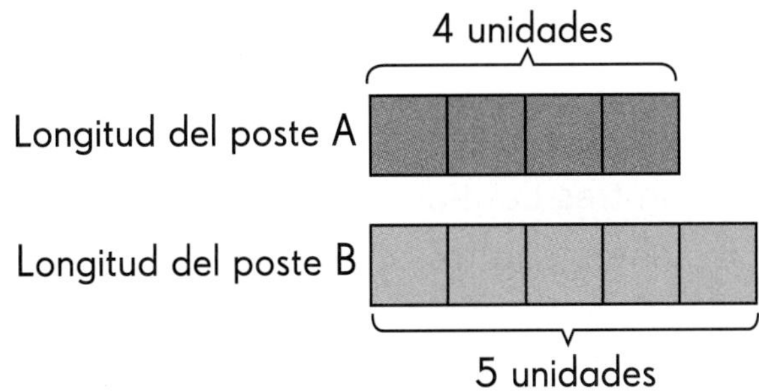

4. Halla la razón de la longitud del poste A a la longitud total de los dos postes. Da la respuesta en forma de fracción.
5. ¿Cuánto mayor es la longitud del poste B que la longitud del poste A?
6. ¿Cuánto menor es la longitud del poste A que la longitud del poste B?
7. ¿Cuánto mayor es la longitud total de ambos postes que la longitud del poste A?
8. ¿Cuánto mayor es la longitud total de ambos postes que la longitud del poste B?

Resuelve. Puedes hacer un modelo como ayuda.

Jessie tiene $15. Kimberly tiene $21.

9. Halla la razón de la cantidad de dinero que tiene Jessie a la cantidad de dinero que tiene Kimberly. Da la respuesta en forma de fracción.
10. ¿Cuánto menor es la cantidad de dinero de Jessie que la cantidad de dinero de Kimberly?
11. ¿Cuánto mayor es la cantidad de dinero de Kimberly que la cantidad de dinero de Jessie?
12. ¿Cuánto menor es la cantidad de dinero de Jessie que la cantidad que tienen las dos en total?
13. ¿Cuánto mayor es la cantidad de dinero de las dos que la cantidad de dinero de Kimberly?

Ver Cuaderno de actividades A: Práctica 4, págs. 221 a 226

Lección 7.5 Comparar tres cantidades

Objetivos de la lección

- Leer y escribir razones con tres cantidades.
- Expresar razones equivalentes con tres cantidades.

Aprende Usa razones para comparar tres cantidades.

Wendy tiene 4 claveles rojos, 8 claveles rosados y 12 claveles amarillos. La razón del número de claveles rojos al número de claveles rosados al número de claveles amarillos es 4 : 8 : 12.

Método 1

El máximo factor común de 4, 8 y 12 es 4.

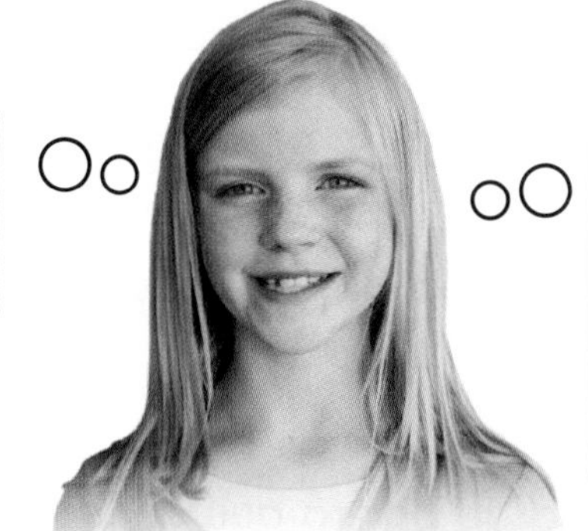

Puedo tomar

para formar 1 unidad.

Wendy coloca 4 claveles en cada casilla.

1 casilla de claveles rojos

2 casillas de claveles rosados

3 casillas de claveles amarillos

La razón del número de claveles rojos al número de claveles rosados al número de claveles amarillos es 1 : 2 : 3.

Método 2

$$
\begin{array}{c}
4 : 8 : 12 \\
\div 4 \quad \div 4 \quad \div 4 \\
= 1 : 2 : 3
\end{array}
$$

El máximo factor común de 4, 8 y 12 es 4.

1 : 2 : 3 es 4 : 8 : 12 en su mínima expresión.

La razón del número de claveles rojos al número de claveles rosados al número de claveles amarillos es 1 : 2 : 3.

Práctica con supervisión

Completa para indicar cada razón en su mínima expresión.

1 15 : 12 : 18

15 : 12 : 18

÷ ___ ÷ ___ ÷ ___

= ___ : ___ : ___

El máximo factor común de 15, 12 y 18 es ___. Divide 15, 12 y 18 entre ___.

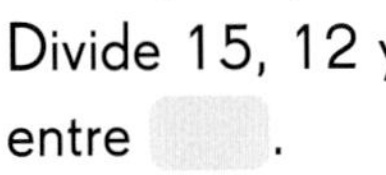

2 12 : 8 : 20

12 : 8 : 20

÷ ___ ÷ ___ ÷ ___

= ___ : ___ : ___

Primero, halla el máximo factor común de 12, 8 y 20.

Aprende

Usa la multiplicación para hallar los términos que faltan en las razones equivalentes.

Halla los términos que faltan en estas razones equivalentes.
2 : 3 : 5 = ? : 12 : ?

Observa el segundo término de las razones equivalentes.
2 : **3** : 5 = ? : **12** : ?

Primero, halla el factor de multiplicación. Luego, multiplica el primer término y el tercero por este factor.

Método 1

$3 \times \mathbf{4} = 12$

Multiplica todo por **4**.

Método 2

$12 \div 3 = \mathbf{4}$

2 : **3** : 5
× 4 × 4 × 4
= 8 : **12** : 20

Entonces, **4** es el factor de multiplicación.
$\mathbf{4} \times 2 = 8$
$\mathbf{4} \times 5 = 20$

Entonces, 2 : 3 : 5 = 8 : 12 : 20.

Práctica con supervisión

3 **Halla los términos que faltan en estas razones equivalentes.**

3 : 5 : 7 = 9 : ? : ?

Observa el primer término de las razones equivalentes — **3** : 5 : 7 = **9** : ? : ?.

Primero, halla el factor de multiplicación. Luego, multiplica el segundo término y el tercero por el factor de multiplicación.

Método 1

3 × ___ = 9
Multiplica todo por ___.

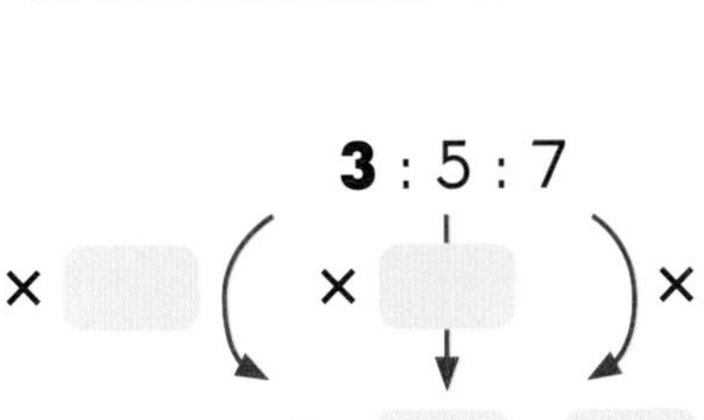

Método 2

9 ÷ 3 = ___

Entonces, ___ es el factor de multiplicación.

___ × 5 = ___

___ × 7 = ___

Aprende

Usa la división para hallar los términos que faltan en las razones equivalentes.

Halla los números que faltan en estas razones equivalentes.

18 : 12 : 9 = ? : ? : 3

Observa el tercer término de las razones equivalentes —
18 : 12 : **9** = ? : ? : **3**

9 ÷ 3 = 3
3 es el máximo factor común.

Primero, halla el máximo factor común de los tres términos. Luego, divide el primer término y el segundo término entre el máximo factor común.

18 : 12 : **9**

÷ 3 ÷ 3 ÷ 3

= 6 : 4 : **3**

Entonces, 18 : 12 : 9 = 6 : 4 : 3.

Práctica con supervisión

Halla los términos que faltan en cada conjunto de razones equivalentes.

4. 15 : 5 : 20 = ___ : 1 : ___

5. 7 : 21 : 14 = ___ : ___ : 2

Manos a la obra

TRABAJAR EN GRUPO

Materiales:
- 3 fichas verdes
- 12 fichas azules
- 18 fichas amarillas
- 5 cuadros de diez

Trabaja en grupo.

PASO 1 Ordenen 3 fichas verdes, 12 fichas azules y 18 fichas amarillas en [cuadro de diez].

PASO 2 Escriban la razón del número de fichas verdes al número de fichas azules al número de fichas amarillas.

PASO 3 Quiten algunas fichas de cualquiera de los dos colores. Hallen la nueva razón del número de fichas verdes al número de fichas azules al número de fichas amarillas. Den la razón en su mínima expresión.

Ejemplo

Quiten 1 ficha verde y dos fichas amarillas.

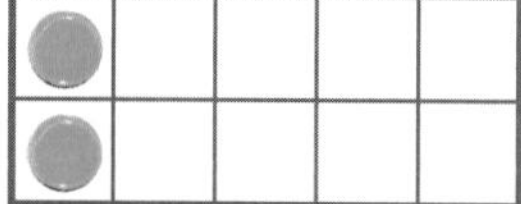 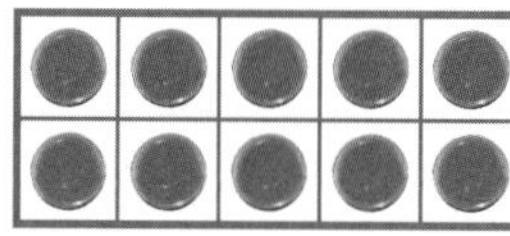 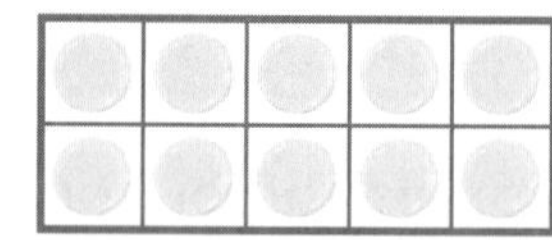

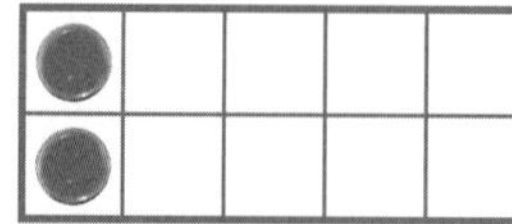 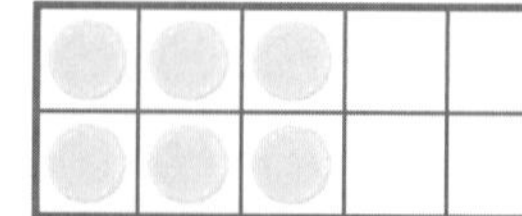

Número de  : Número de  : Número de ● (en su mínima expresión) = 1 : 6 : 8

Practiquemos

Completa para indicar cada razón en su mínima expresión.

1. 5 : 15 : 20

   5 : 15 : 20
   ÷ ___ ÷ ___ ÷ ___
   = ___ : ___ : ___

2. 4 : 18 : 24

   4 : 18 : 24
   ÷ ___ ÷ ___ ÷ ___
   = ___ : ___ : ___

3. 12 : 16 : 28

   12 : 16 : 28
   ÷ ___ ÷ ___ ÷ ___
   = ___ : ___ : ___

4. 36 : 45 : 72

   36 : 45 : 72
   ÷ ___ ÷ ___ ÷ ___
   = ___ : ___ : ___

Halla los términos que faltan en cada conjunto de razones equivalentes.

5. 1 : 4 : 5

   1 : 4 : 5
   × ___ × ___ × ___
   = 3 : ___ : ___

6. 32 : 56 : 16

   32 : 56 : 16
   ÷ ___ ÷ ___ ÷ ___
   = ___ : ___ : 2

7. 2 : 3 : 8 = ___ : 18 : ___

8. 4 : 5 : 9 = ___ : ___ : 63

9. 45 : 72 : 18 = ___ : 8 : ___

10. 15 : 100 : 125 = ___ : ___ : 25

POR TU CUENTA

Ver Cuaderno de actividades A: Práctica 5, págs. 227 a 228

Lección

7.6 Problemas cotidianos: Más razones

Objetivos de la lección

- Resolver problemas cotidianos que incluyan razones y fracciones.
- Resolver problemas cotidianos que incluyan razones con tres cantidades.

Aprende

Halla la mínima expresión de las razones para comparar cantidades usadas en problemas cotidianos.

En una juguetería, Bernice compró 3 carros de juguete rosados, 6 azules y 9 amarillos. ¿Cuál es la razón del número de carros rosados al número de carros azules al número de carros amarillos que Bernice compró?

Método 1

Coloca 3 carros en cada casilla.

1 casilla de carros de juguete rosados

2 casillas de carros de juguete azules

3 casillas de carros de juguete amarillos

La razón del número de carros rosados al número de carros azules al número de carros amarillos que Bernice compró es 1 : 2 : 3.

Método 2

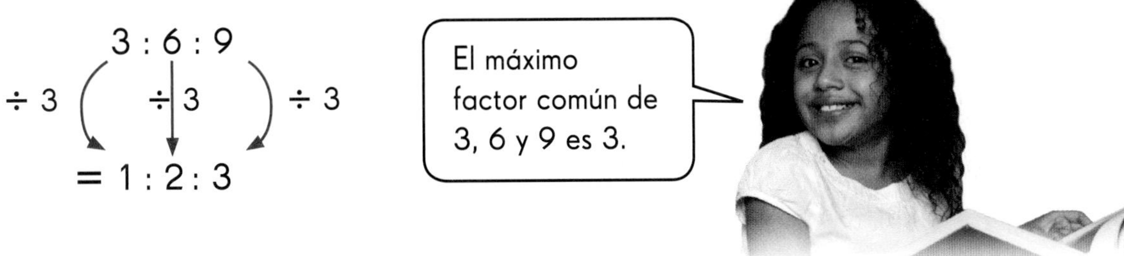

1 : 2 : 3 es 3 : 6 : 9 en su mínima expresión.

La razón del número de carros rosados al número de carros azules al número de carros amarillos que Bernice compró es 1 : 2 : 3.

Práctica con supervisión

Completa.

1 En unas pruebas de pista, Darren corrió 200 metros, Shelby corrió 800 metros y Antonio corrió 3,000 metros. ¿Cuál es la razón de la distancia que recorrió Darren a la distancia que recorrió Shelby a la distancia que recorrió Antonio?

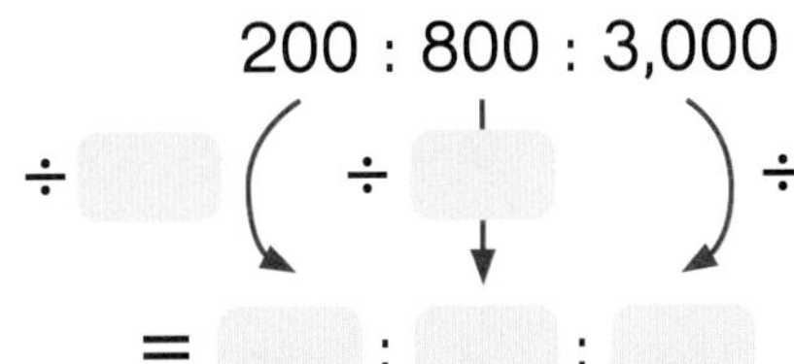

La razón de la distancia que recorrió Darren a la distancia que recorrió Shelby a la distancia que recorrió Antonio es ___ : ___ : ___.

Aprende

Halla razones equivalentes o usa modelos para resolver problemas cotidianos.

Rebeca llenó por completo tres recipientes, A, B y C, con jugo de naranja. La capacidad de los recipientes se expresa con la razón 2 : 3 : 4. La capacidad del recipiente más grande es de 12 tazas. Halla la capacidad del recipiente más pequeño.

Capacidad de B

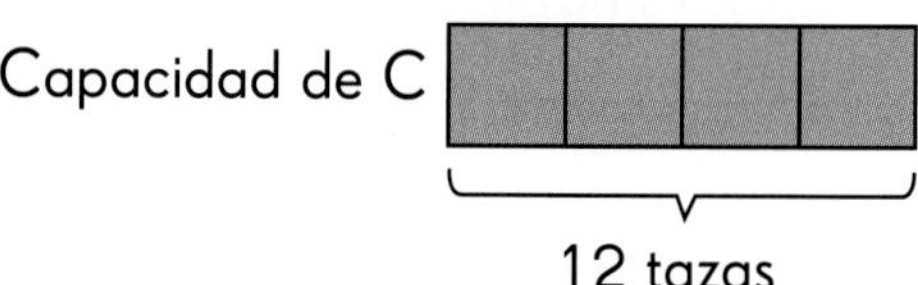

Método 1

4 unidades ⟶ 12 tazas

1 unidad ⟶ $12 \div 4 = 3$ tazas

2 unidades ⟶ $2 \times 3 = 6$ tazas

La capacidad del recipiente más pequeño es de 6 tazas.

Método 2

$$\begin{matrix} & A & B & C \\ & 2 : & 3 : & 4 \\ & \times 3 & \times 3 & \times 3 \\ = & 6 : & 9 : & 12 \end{matrix}$$

La capacidad del recipiente más pequeño es de 6 tazas.

Práctica con supervisión

Completa.

2 Raymond cortó una cinta en tres partes, X, Y y Z, según la razón 4 : 2 : 1. La parte más larga mide 28 centímetros de longitud. Halla la longitud total de las tres partes de la cinta.

28 cm

Longitud de X

Longitud de Y

Longitud de Z

? cm

4 unidades ⟶ 28 cm

1 unidad ⟶ ___ ÷ ___ = ___ cm

Número total de unidades $= 4 + 2 + 1 =$ ___

___ × ___ = ___

La longitud total de las tres partes de cinta es de ___ centímetros.

Práctica con supervisión

Completa.

3 El dinero que la señora Caito gastó el mes pasado en la cuota del carro, la electricidad y los comestibles se puede expresar con la razón 5 : 4 : 6. La factura de los comestibles es de $432. ¿Cuál es la cantidad total de las tres facturas?

6 unidades ⟶ $432

1 unidad ⟶ $ ___ ÷ ___ = $ ___

cuota del carro
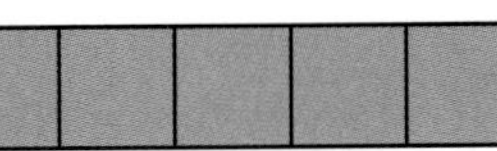

factura de electricidad
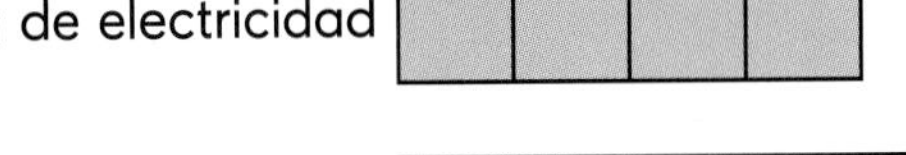

factura de comestibles
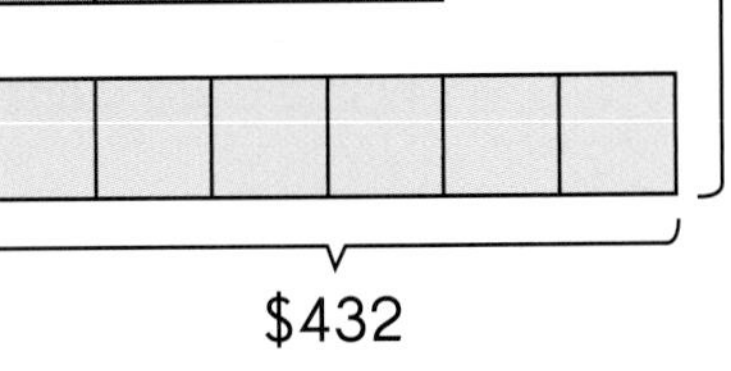

Número total de unidades = 5 + 4 + 6
= 15

___ × $ ___ = $ ___

La cantidad total de las tres facturas es de $ ___.

Aprende: Haz modelos para resolver problemas que incluyan razones en forma de fracción.

El salario de Camille es $\frac{2}{5}$ del salario de Belinda.

a Halla la razón del salario de Belinda al salario de Camille. Da la respuesta en forma de fracción.

b Belinda ganó $895. ¿Cuánto ganaron las dos en total?

Salario de Belinda
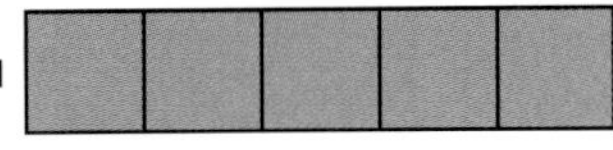

Salario de Camille

Número total de unidades = 5 + 2 = 7

Según el modelo:

a $\frac{\text{Salario de Belinda}}{\text{Salario de Camille}} = \frac{5}{2}$

La razón del salario de Belinda al salario de Camille es $\frac{5}{2}$.

b 5 unidades ⟶ $895

1 unidad ⟶ $895 ÷ 5 = $179

7 unidades ⟶ 7 × $179 = $1,253

Las dos ganaron $1,253 en total.

Práctica con supervisión

Completa.

4 El número de monedas que tiene Layla es $\frac{7}{3}$ del número de monedas que tiene Sally.

a Halla la razón del número de monedas que tiene Sally al número de monedas que tiene Layla al número total de monedas de las dos.

b Layla tiene 896 monedas. ¿Cuántas monedas tienen las dos en total?

896 monedas

Número de monedas que tiene Layla

Número de monedas que tiene Sally

Número total de unidades = ___ + ___ = ___

Según el modelo:

a La razón del número de monedas de Sally al número de monedas de Layla al número de monedas de las dos en total es ___ : ___ : ___.

b 7 unidades → ___ monedas

1 unidad → ___ ÷ ___ = ___ monedas

___ unidades → 10 × 128 = ___ monedas

Las dos tienen ___ monedas en total.

Aprende

Haz modelos para resolver problemas cotidianos.

La cantidad de ahorros de Carla es 4 veces mayor que los ahorros de Paulo.

a ¿Cuál es la razón de los ahorros de Carla a los ahorros de Paulo a los ahorros de los dos en total?

b ¿Cuánto menor son los ahorros de Carla que los ahorros totales de los dos?

c ¿Cuánto menor son los ahorros de Paulo que los ahorros de Carla?

d Los dos ahorran $120 en total. ¿Cuánto ahorra Carla?

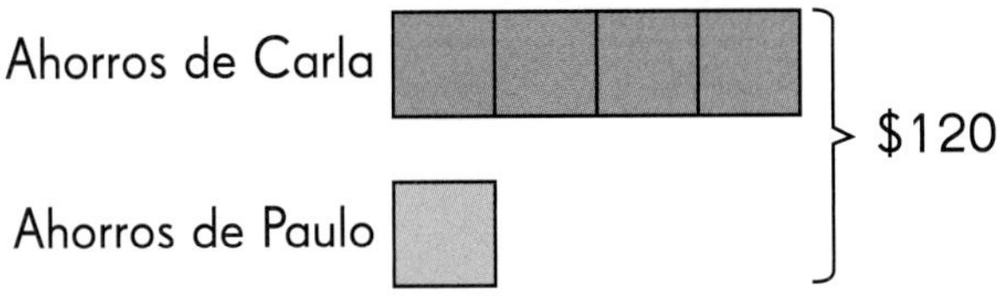

a Número total de unidades = 5
La razón de los ahorros de Carla a los ahorros de Paulo al total de los ahorros de los dos es 4 : 1 : 5.

b La razón de los ahorros de Carla al total de los ahorros de los dos es 4:5 ó $\frac{4}{5}$.
Los ahorros de Carla son $\frac{4}{5}$ del total de los ahorros de los dos.

c La razón de los ahorros de Paulo a los ahorros de Carla es 1:4 ó $\frac{1}{4}$.
Los ahorros de Paulo son $\frac{1}{4}$ de los ahorros de Carla.

d Según el modelo:

Método 1

5 unidades ⟶ $120

1 unidad ⟶ $120 ÷ 5 = $24

4 unidades ⟶ 4 × $24 = $96

Carla ahorra $96.

Método 2

La razón de los ahorros de Carla al total de los ahorros de los dos es 4:5 ó $\frac{4}{5}$.

Los ahorros de Carla son $\frac{4}{5}$ del total de los ahorros de los dos.

Entonces, los ahorros de Carla $= \frac{4}{5} \times \$120$

$= \$96$

Práctica con supervisión

Completa.

5 En un biatlón de natación y atletismo, Raúl cubrió una distancia 5 veces mayor corriendo que nadando.

a ¿Cuál es la razón de la distancia que Raúl cubrió corriendo a la distancia que cubrió nadando a la distancia total del biatlón?

b ¿Cuánto menor es la distancia que Raúl cubrió corriendo que la distancia total del biatlón?

c Raúl cubrió 3,200 metros más corriendo que nadando. ¿Cuál fue la distancia total del biatlón?

Distancia corriendo

Distancia nadando

3,200 m

Según el modelo:

a La razón de la distancia que Raúl cubrió corriendo a la distancia que cubrió nadando a la distancia total del biatlón es ___ : ___ : ___.

b $\frac{\text{Distancia que Raúl cubrió corriendo}}{\text{Distancia total del biatlón}} = \frac{\square}{\square}$

La distancia que Raúl cubrió corriendo es $\frac{\square}{\square}$ de la distancia total del biatlón.

El número total de unidades es 5 + 1 = 6

c ___ unidades → ___

___ unidad → ___

___ unidades → ___

La distancia total del biatlón fue de 4,800 metros ___.

Practiquemos

Resuelve. Muestra el proceso. Da todas las respuestas en su mínima expresión.

1. En una tienda de artículos para oficina, Rachel compró 5 borradores, 15 bolígrafos y 40 lápices. ¿Cuál es la razón del número de borradores al número de bolígrafos al número de lápices que compró?

2. Nita mezcla 200 mililitros de jugo de arándano, 300 mililitros de jugo de uva y 700 mililitros de agua de manantial para hacer un refresco de frutas. ¿Cuál es la razón del jugo de arándano al jugo de uva al agua de manantial?

3. Ronald traza tres líneas de colores diferentes: rojo, amarillo y verde. La razón de la longitud de la línea roja a la longitud de la línea amarilla a la longitud de la línea verde es 1 : 3 : 5. La línea amarilla mide 18 centímetros de largo. ¿Cuánto mide la línea verde?

4. Se mezcla jugo de manzana, de zanahoria y de apio según la razón 3 : 1 : 2. La cantidad de jugo de manzana es de 720 mililitros.

   a. ¿Cuánto jugo de manzana más que jugo de zanahoria se usa en la mezcla?

   b. ¿Cuál es la cantidad total de mezcla?

5. La cantidad de ahorros de Ana, Bety y Cyntia se representa con la razón 2 : 3 : 15. Cyntia tiene ahorrados $1,575.

   a. ¿Quién tiene la menor cantidad ahorrada?

   b. ¿Cuál es la cantidad total que tienen ahorrada entre las tres?

6. Un sábado se vendieron tortillas, roscas y panecillos en la panadería La Preferida, según la razón 12 : 5 : 7. Se vendieron 50 tortillas más que panecillos.

   a. ¿Cuántas tortillas se vendieron en La Preferida ese sábado?

   b. ¿Cuántas tortillas, roscas y panecillos se vendieron en total en La Preferida ese sábado?

7. La edad de Lilian en este momento es $\frac{2}{3}$ de la edad de Mary.

   a. Halla la razón de la edad de Mary a la edad de Lilian. Da la respuesta en forma de fracción.

   b. ¿Cuánto menor es la edad de Lilian que la edad total de las dos?

   c. ¿Cuánto menor es la edad de Mary que la edad total de las dos?

   d. La edad total de las dos suma 25 años. Halla la edad de cada una.

8. Las papas que usó la señora Wilson para la comida pesaban $\frac{5}{2}$ de lo que pesaban las zanahorias que usó.

   a. Halla la razón del peso de las papas al peso de las zanahorias al peso total de ambos ingredientes.

   b. ¿Cuánto menor es el peso de las papas que el peso total de ambos ingredientes?

   c. Las papas que usó pesaban 9 libras más que las zanahorias. Halla el peso total de ambos ingredientes

9. Una pared ha sido pintada de amarillo y café. El área pintada de amarillo es 3 veces mayor que el área pintada de café.

   a. ¿Cuál es la razón del área pintada de amarillo al área pintada de café? Da la respuesta en forma de fracción.

   b. ¿Cuál es la razón del área pintada de amarillo al área total de la pared? Da la respuesta en forma de fracción.

   c. ¿Cuánto menor es el área pintada de café que el área total de la pared?

   d. La pared tiene un área de 8 metros cuadrados. Halla el área de la pared pintada de amarillo.

10. Peter colecciona estampillas de Estados Unidos y de otros países. Tiene 5 veces más estampillas de Estados Unidos que de otros países.

    a. ¿Cuál es la razón del número de estampillas de Estados Unidos al número de estampillas de otros países al número total de estampillas de su colección?

    b. ¿Cuánto menor es el número de estampillas de Estados Unidos que el número total de estampillas?

    c. ¿Cuánto menor es el número de estampillas de otros países que el número total de estampillas?

    d. Peter tiene 140 estampillas más de Estados Unidos que de otros países. ¿Cuántas estampillas tiene en su colección?

POR TU CUENTA

Ver Cuaderno de actividades A: Práctica 6, págs. 229 a 236

Yolanda tiene 6 globos blancos y 15 globos rosados. Explica cómo se halla la razón del número de globos blancos al número de globos rosados. ¿Se puede simplificar la razón? Si es así, explica cómo se simplifica la razón. Haz un modelo como ayuda.

1. Usando estos números, escribe conjuntos de razones equivalentes en forma $a : b$. Usa cada número una sola vez.

2	3	5	6	7	8	9	10
12	14	15	20	21	25	35	

Ejemplo 2 : 3 = 6 : 9 = 8 : 12

2. Usando los mismos números de 1, escribe todos los conjuntos de razones equivalentes que puedas, en forma a : b : c. Usa cada número una sola vez.

¿Cómo hallaste los números de cada conjunto de razones equivalentes? Explica tu respuesta.

DESTREZAS DE RAZONAMIENTO CRÍTICO

¡Ponte la gorra de pensar!

RESOLUCIÓN DE PROBLEMAS

1. La razón del dinero que tiene Chris al dinero que tiene Tina es 5 : 2. Chris tiene $30.

   a. ¿Cuánto dinero tiene Tina?

   b. Si Tina tiene solo monedas de 25¢, ¿cuántas monedas de 25¢ tiene?

2. La razón del número de monedas de 25¢ al número de monedas de 10¢ que Lin tiene en su bolsillo es 3 : 2. Lin tiene 4 monedas de 10¢. ¿Cuánto dinero tiene Lin en total?

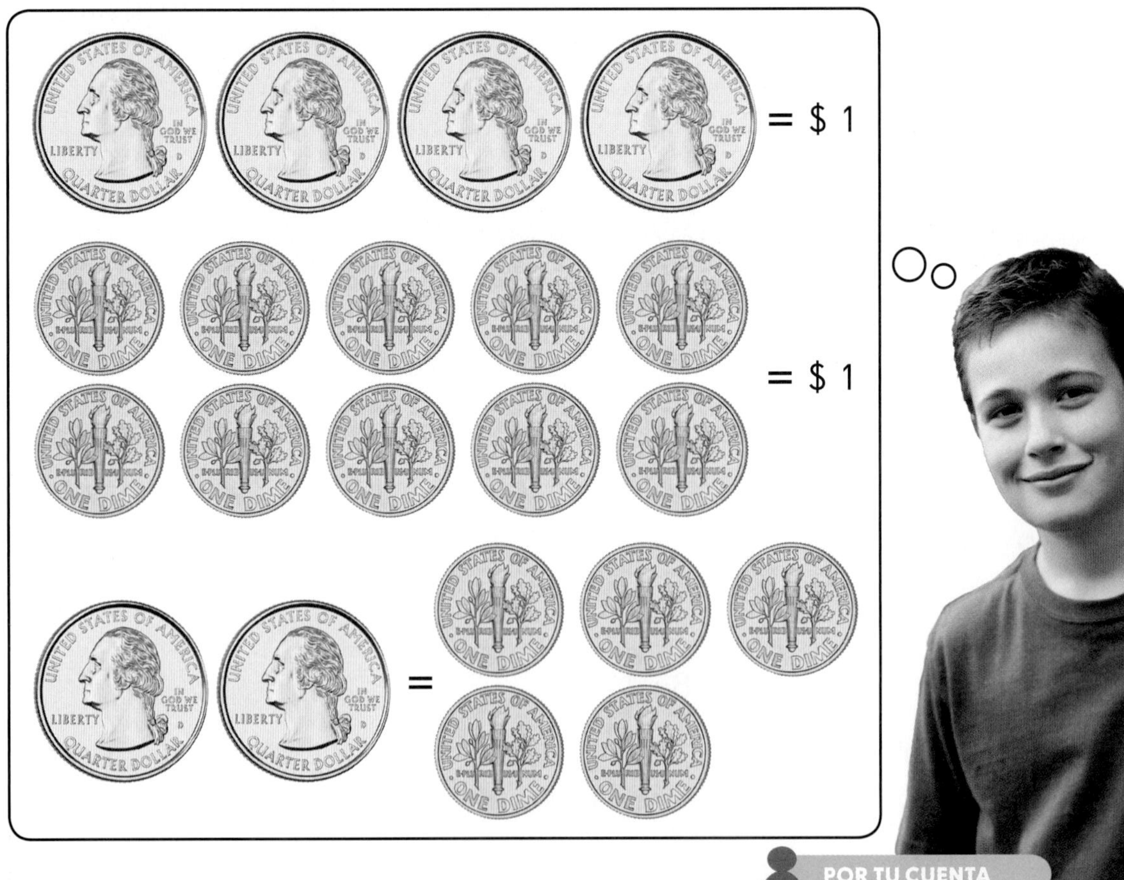

POR TU CUENTA

Ver Cuaderno de actividades A: ¡Ponte la gorra de pensar! págs. 237 a 238

Resumen del capítulo

Idea importante

▶ Para comparar dos números, se puede usar la resta. También es posible comparar dos o más números o cantidades mediante la división y expresar la comparación en forma de razón.

Guía de estudio

Has aprendido...

Razones

Comparar números o cantidades

- Una razón es una comparación que se hace mediante la división.
- Las razones se usan para comparar 2 ó 3 números o cantidades.
- No es necesario que una razón dé las cantidades reales que se comparan.

Formas de una razón

- Las razones pueden escribirse en tres formas.
  Forma de razón : 1 : 5
  Forma de fracción : $\frac{1}{5}$
  En palabras : 1 a 5
- Las razones en forma de fracción nos dicen cuánto mayor es un número que otro.
- En '$\frac{\text{Número de adultos}}{\text{Número de estudiantes}} = \frac{3}{12} = \frac{1}{4}$' el número de adultos es $\frac{1}{4}$ del número de estudiantes.

Razones equivalentes

- Divide entre el máximo factor común para hallar la mínima expresión de una razón.

  10 : 8 (÷ 2, ÷ 2)
  = 5 : 4

- Multiplica por el mismo factor para hallar razones equivalentes.

  1 : 3 (× 3, × 3)
  = 3 : 9

Resolver problemas cotidianos

Repaso/Prueba del capítulo

Vocabulario

Elige la palabra correcta.

razón
términos
razones equivalentes
mínima expresión
máximo factor común

1. Una ___ es una comparación de dos números o cantidades mediante la división. Las cantidades que se comparan constituyen los ___ de la razón.
2. Dos o más razones diferentes que comparan el mismo conjunto de números o cantidades se llaman ___.
3. Cuando una razón no puede simplificarse más, se dice que está en su ___.
4. El número mayor que puede dividir exactamente dos o más números se llama ___.

Conceptos y destrezas

Haz un modelo para mostrar cada razón.

5. A : B = 5 : 6
6. A : B = 3 : 10

¿Cómo se expresa A : B? Escribe la razón.

7. A ■■■■■
   B ■■■■
8. A ■■■
   B ■■■■■■■

Escribe cada razón en su mínima expresión.

9. 3 : 6
10. 12 : 8

Halla el término que falta en cada conjunto de razones equivalentes.

11. 1 : 5 = ___ : 10
12. 7 : 8 = 21 : ___
13. 8 : 20 = ___ : 5
14. 42 : 49 = 6 : ___

Convierte cada razón a fracción.

15 1 : 3

16 8 : 3

Escribe cada razón en su mínima expresión.

17 2 : 6 : 14

18 8 : 20 : 16

Halla los términos que faltan en cada conjunto de razones equivalentes.

19 1 : 5 : 3 = 3 : ___ : ___

20 4 : 3 : 7 = ___ : 15 : ___

21 18 : 20 : 12 = 9 : ___ : ___

22 40 : 55 : 15 = ___ : ___ : 3

Resolución de problemas

Resuelve. Muestra el proceso.

23 La razón del perímetro de un papel cuadrado al perímetro de un papel rectangular es 2 : 5. Cada lado del papel cuadrado mide 10 centímetros. Halla

a el perímetro del papel cuadrado,

b el perímetro del papel rectangular,

c la longitud del papel rectangular si su ancho es de 15 centímetros.

Glosario

- **Altura (de un triángulo)**

  Distancia perpendicular desde la base hasta el vértice opuesto.

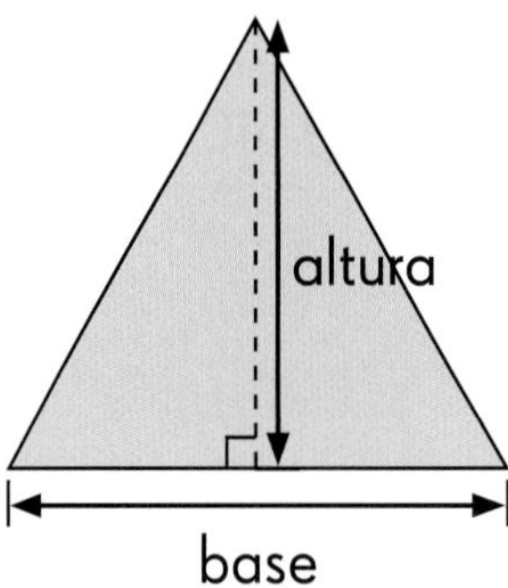

- **Ángulo**

  Un ángulo está formado por dos semirrectas que tienen un mismo extremo.

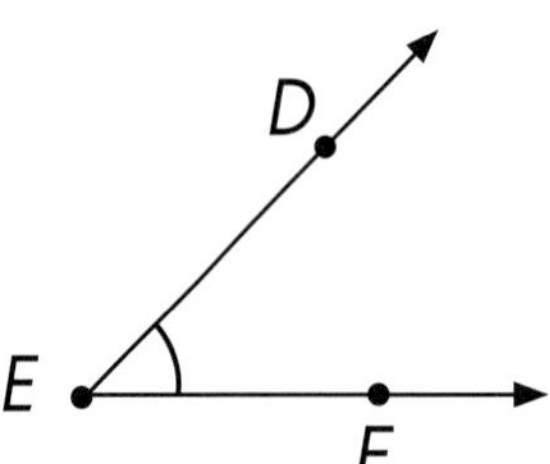

- **Área**

  Cantidad de superficie cubierta; por lo general se mide en unidades cuadradas, como centímetros cuadrados (cm^2) o pulgadas cuadradas ($pulg^2$).

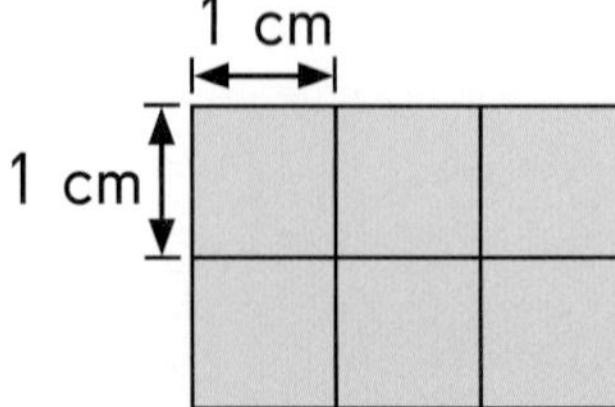

Área del rectángulo = 6 cm^2

B

- **Base**

  Cara o lado sobre el cual se apoya un objeto.
  En un triángulo, cualquier lado puede ser la base.

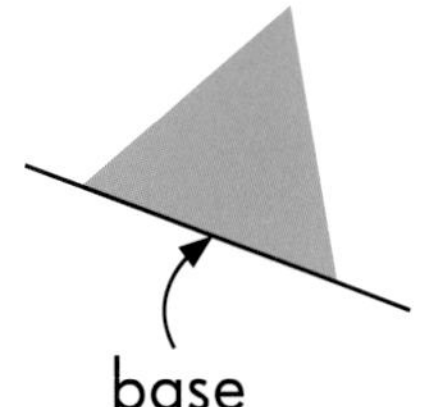

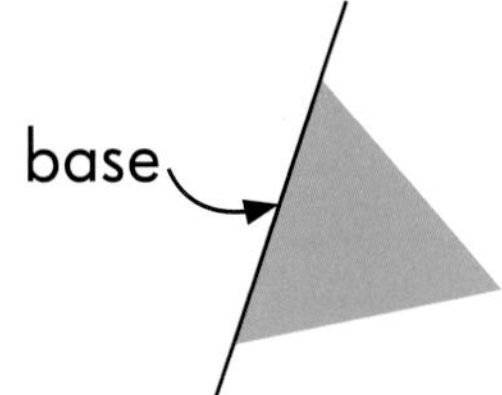

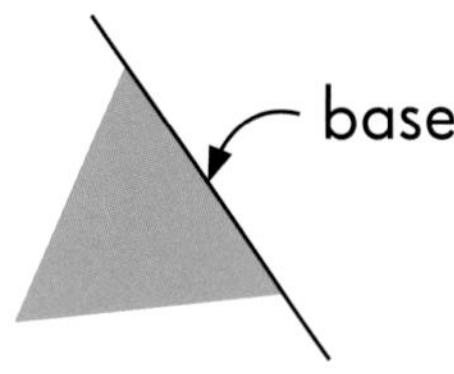

C

- **Centena de millar**

  10 decenas de millar o 100,000

- **Cociente**

  Resultado de la división.

$$\begin{array}{r} 16 \leftarrow \text{cociente} \\ 8\overline{)128} \end{array}$$

D

- **Desigualdad**

  Enunciado que afirma que dos expresiones no son iguales.
  $8 > 2$, $2x < 8$, $8 \neq 13$ y $3y \div 9 > y - 1$ son desigualdades.

- **Dividendo**
  Número que se divide.

$$8\overline{)128}$$
dividendo (128)

- **Divisor**
  Número entre el cual se divide el dividendo.

$$8\overline{)128}$$
divisor (8)

E

- **Ecuación**
  Enunciado que afirma que dos expresiones son iguales.
  $x + 5 = 10$, $x - 8 = 3$ y $2x = 4$ son ecuaciones.

- **En palabras**
  7,010,000 en palabras es siete millones diez mil.

- **Estimación por la izquierda con aproximación**
  Toma el valor de los dígitos que están más a la izquierda.
  Luego suma o resta los valores.

3,815	→	3,000
2,298	→	2,000
+1,972	→	+1,000
		6,000

Haz una estimación redondeando lo que sobra al lugar del dígito inicial de la suma o diferencia obtenida.

$$\begin{array}{rcr} 815 & \rightarrow & 800 \\ 298 & \rightarrow & 200 \\ +\ 972 & \rightarrow & +\ \ 900 \\ \hline & & 1{,}900 \end{array}$$

$1{,}900 \rightarrow 2{,}000$ (al millar más cercano)

Ajusta la estimación.

$6{,}000 + 2{,}000 = 8{,}000$

- **Evaluar (una expresión algebraica para un valor de la variable)**

  Sustituir el (los) valor(es) dado(s) para la(s) variable(s) de la expresión y así hallar el valor de la expresión.

- **Expresión**

  Número o grupo de números con símbolos de operaciones matemáticas.

- **Expresión algebraica**

  Expresión que contiene al menos una variable.
  $2x$, $x + 3$, $5 - x$ son expresiones algebraicas en función de x.

- **Expresión de división (en aritmética)**

  Expresión que contiene solo números y el símbolo de división.
  $2 \div 3$ es una expresión de división.

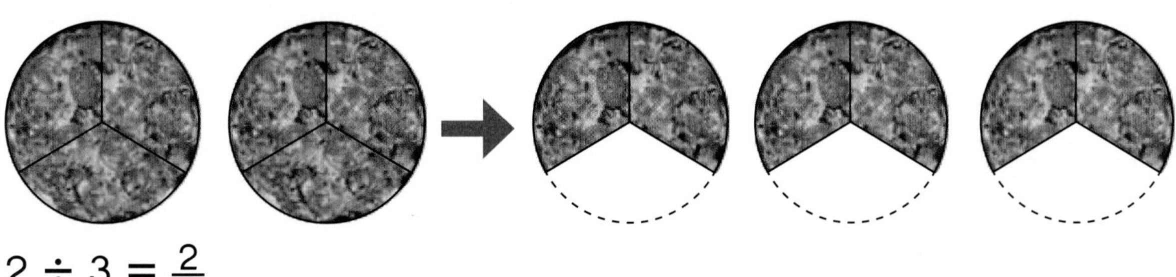

$2 \div 3 = \frac{2}{3}$

- **Expresión numérica**

  Expresión que contiene sólo números y símbolos matemáticos.

F

- **Factor**

  $2 \times 9 = 18$
  2 y 9 son factores de 18.

- **Factor común**

  Un número que es factor de dos o más números.
  Factores de 8: 1, 2, 4, 8
  Factores de 12: 1, 2, 3, 4, 6, 12
  1, 2 y 4 son factores comunes de 8 y 12.

- **Forma desarrollada**

  $768{,}540 = 700{,}000 + 60{,}000 + 8{,}000 + 500 + 40$
  en forma desarrollada.

- **Forma normal**

  Tres millones quinientos se expresa en forma normal como 3,000,500.

- **Fracción impropia**

  Fracción cuyo numerador es mayor que su denominador.
  Su valor es mayor que 1.
  $\frac{3}{2}$, $\frac{4}{3}$ y $\frac{6}{5}$ son fracciones impropias.

- **Fracción propia**

  Fracción cuyo numerador es menor que su denominador. Su valor es menor que 1.
  $\frac{3}{4}$, $\frac{5}{6}$ y $\frac{7}{8}$ son fracciones propias.

- **Fracciones de referencia**

  Números con los que es más fácil trabajar y que son más fáciles de visualizar que otros. Puntos de referencia comunes para hacer estimaciones con fracciones: 0, $\frac{1}{2}$ y 1.

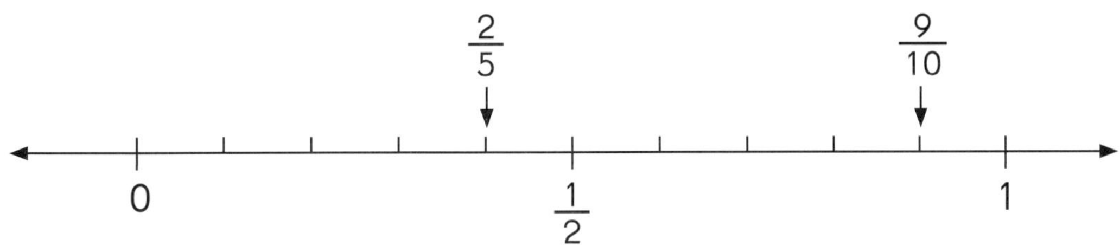

  $\frac{2}{5}$ es aproximadamente $\frac{1}{2}$.

  $\frac{9}{10}$ es aproximadamente 1.

- **Fracciones equivalentes**

  Fracciones que tienen el mismo valor.
  $\frac{1}{2}$, $\frac{2}{4}$ y $\frac{3}{6}$ son fracciones equivalentes.

L

- **Lado**

  Uno de los segmentos que forman el polígono.

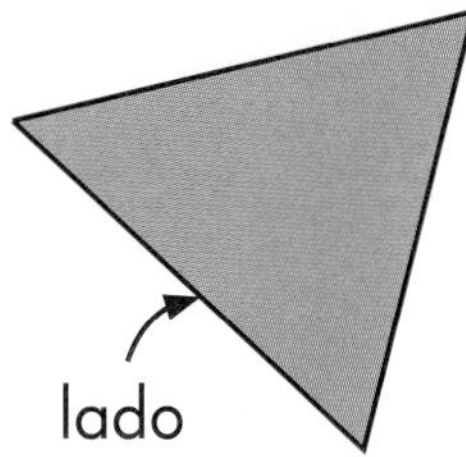

- **Líneas perpendiculares (⊥)**

  Líneas que forman ángulos rectos.

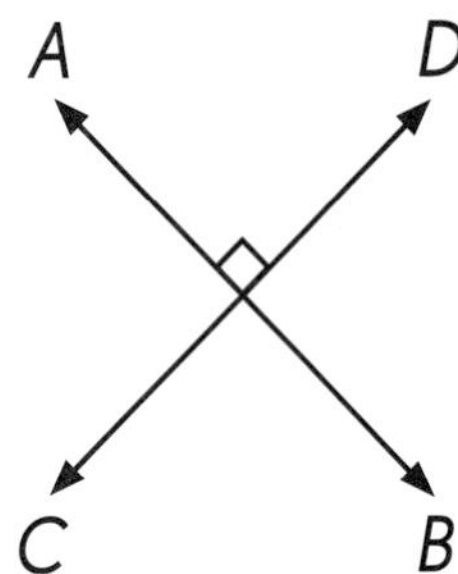

$\overleftrightarrow{AB}$ es perpendicular a $\overleftrightarrow{CD}$.

- **Mayor que (>)**

Centenas de millar	Decenas de millar	Millares	Centenas	Decenas	Unidades
5	1	2	3	7	4
4	1	2	3	7	4

512,374 > 412,374
512,374 es mayor que 412,374.

- **Menor que (<)**

Centenas de millar	Decenas de millar	Millares	Centenas	Decenas	Unidades
5	1	2	3	7	4
4	1	2	3	7	4

412,374 > 512,374
412,374 es menor que 512,374.

- **Millón**

  10 centenas de millar o 1,000,000

- **Mínima expresión (de una fracción)**

  Forma en la que el único factor común del numerador y el denominador es 1.

- **Mínima expresión (de una razón)**

  Forma en la que el único factor común de sus términos es 1.

- **Mínimo común denominador (m.c.d.)**

  Mínimo común múltiplo de los denominadores de dos o más fracciones.
  El m.c.d. de $\frac{2}{3}$ y $\frac{3}{4}$ es 12.

- **Mínimo común múltiplo (m.c.m.)**

  Número menor entre todos los múltiplos comunes de un conjunto de dos o más números.
  Múltiplos de 4: 4, 8, 12, 16, 20, 24, ...
  Múltiplos de 6: 6, 12, 18, 24, 30, 36, ...
  12 es el m.c.m. de 4 y 6.

- **Múltiplo**

  Producto de un número entero dado y cualquier otro número entero.

  $2 \times 4 = 8$

  El 8 es un múltiplo de 2 y de 4.

N

- **Número mixto**

  Número compuesto por un número entero y una fracción.

  número entero → $4\frac{2}{3}$ ← fracción

  ↑

  número mixto

- **Números compatibles**

  Pares de números cercanos a los pares de números originales y que se pueden sumar, restar, multiplicar o dividir mentalmente con facilidad. Se usan para estimar sumas, diferencias, productos y cocientes.

  Los números 240 y 6 son números compatibles que se usan para estimar $248 \div 6$.

O

- **Orden de las operaciones**

  Conjunto de reglas que indican el orden en el que se deben realizar las operaciones, '+', '−', '×' y '÷' cuando se simplifica cualquier expresión relacionada con dos o más operaciones:

  1 Trabaja dentro del paréntesis.
  2 Multiplica y divide de izquierda a derecha.
  3 Suma y resta de izquierda a derecha.

- **Período**

Grupo de tres lugares que generalmente se usa para leer números iguales o mayores que 1,000.

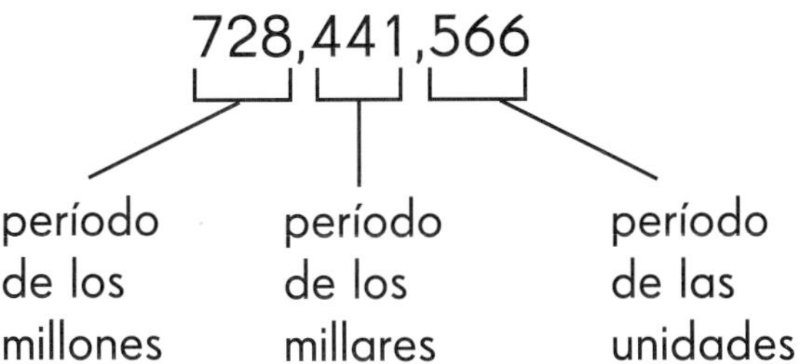

- **Producto**

Resultado de la multiplicación.

$2 \times 9 = 18$

factor factor producto

- **Propiedad de la igualdad**

Se puede sumar o restar el mismo número a ambos lados de la ecuación. La nueva ecuación seguirá siendo verdadera para el mismo valor de variable.

Mira la balanza.

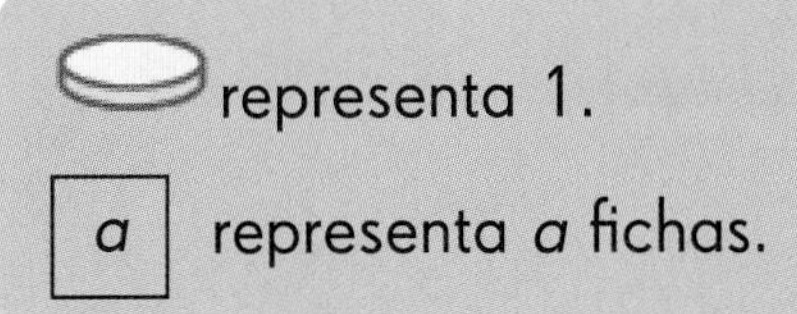

a fichas junto con 4 fichas del lado izquierdo equilibran 5 fichas del lado derecho.

Tienes la ecuación $a + 4 = 5$.
Esta ecuación es verdadera si $a = 1$.

Agrega 2 fichas a ambos lados de la ecuación.
Los dos lados siguen en equilibrio.

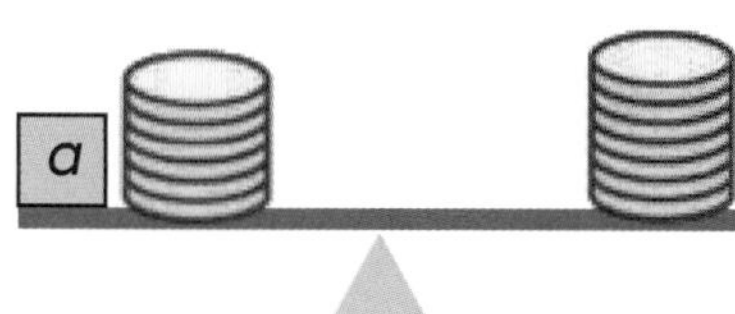

Tienes una nueva ecuación, $a + 6 = 7$.

$a + 6 = 1 + 6 = 7$

La nueva ecuación $a + 6 = 7$ sigue siendo verdadera si $a = 1$.

Se puede multiplicar o dividir por el mismo número ambos lados de una ecuación. La nueva ecuación seguirá siendo verdadera para el mismo valor de la variable.

Mira la balanza.

$4a$ fichas del lado izquierdo equilibran 8 fichas del lado derecho.
Tienes la ecuación $4a = 8$.
Esta ecuación es verdadera si $a = 2$.

Multiplica por 2 el número de fichas en ambos lados.
Los dos lados siguen en equilibrio.

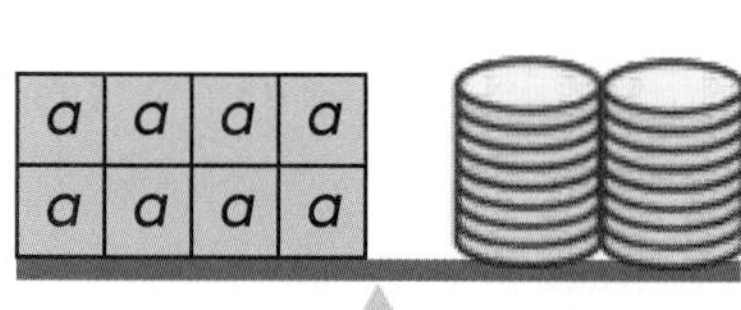

Tienes una nueva ecuación, $8a = 16$.

$8a = 8 \times 2 = 16$

La nueva ecuación $8a = 16$ sigue siendo verdadera si $a = 2$.

R

- **Razón**

  Comparación de dos números o cantidades mediante la división.

  muffin de salvado

  muffin de arándano

  La razón entre el número de *muffins* de salvado y el número de *muffins* de arándano es 2 : 1 (en forma de razón) o $\frac{2}{1}$ (en forma de fracción).

- **Razones equivalentes**

  Razones que muestran la misma comparación.

  La razón entre el número de cuentas verdes y el número de cuentas rosadas es 4 : 8 ó 2 : 4 ó 1 : 2.
  4 : 8, 2 : 4 y 1 : 2 son razones equivalentes.

- **Recíproco**

  $\frac{1}{5}$ es el recíproco de $\frac{5}{1}$ ó 5.

- **Redondear**

  Aproximar un número a la decena, centena, millar, etc., más cercanos. Para redondear cualquier número:
  Mira el lugar a la derecha del dígito que quieres redondear.

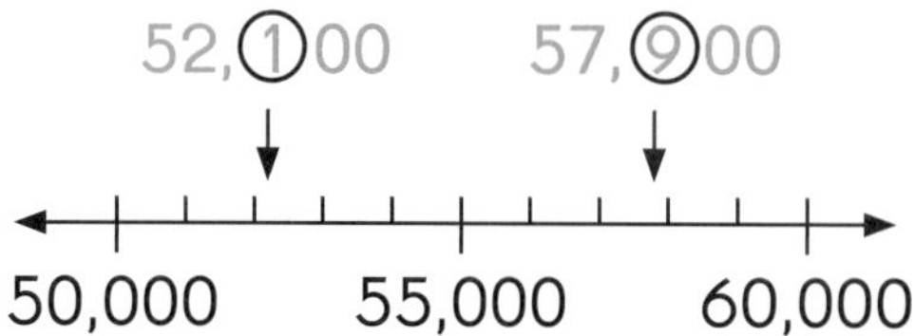

  Si el dígito es menor que 5, no cambies el número que está en el lugar al que se redondea. 52,① 00 al millar más cercano es 52,000.

  Si el dígito es 5 o más, súmale 1 al dígito que está en el lugar al que se redondea. 57,⑨ 00 redondeado al millar más cercano es 58,000.

- **Residuo (en división de números enteros)**

  Número que sobra cuando un divisor no divide el dividendo de manera exacta.

```
     1 5
 8 ) 1 2 8
     8 0
   -----
     4 8
     4 0
    ----
       8  ← residuo
```

- **Resolver**

  Hallar el valor de la variable que hará que una ecuación sea verdadera.

S

- **Simplificar**

  Combinar términos semejantes y aplicar las propiedades numéricas a una expresión.
  $9 + 5 - 4 - 1$ se simplifica como 9.
  $9s + 5 - 4s - 1$ se simplifica como $5s + 4$.

T

- **Término (de una expresión)**

  Números, variables, productos o cocientes cualesquiera que juntos forman la expresión.
  x, 1, $3x$ y 2 son términos de la expresión $x + 1 + 3x + 2$.

- **Término (de una razón)**

  Cualquiera de los números que forman la razón.

Forma de razón	Forma de fracción
2 : 1	$\frac{2}{1}$

1.er término

2.° término

- **Términos semejantes**

  a y $2a$ son múltiplos de a.
  a y $2a$ son términos semejantes.

- **Triángulo acutángulo**

  Triángulo en el que la medida de todos sus ángulos es menor que 90°.

- **Triángulo obtusángulo**

  Triángulo que tiene exactamente un ángulo mayor que 90°.

- **Triángulo rectángulo**

  Triángulo que tiene exactamente un ángulo recto.

- **Valor posicional**
  Valor de un dígito según su posición.
  En 5,873, el dígito 8 está en el lugar de las centenas, entonces representa 800.

- **Variable**
  Símbolo, como por ejemplo una letra, que representa un número desconocido en una expresión algebraica.
  En la expresión $m + 11$, m es la variable.

- **Verdadero**
  En $x + 5 = 9$, si $x = 4$,

  Lado izquierdo:
  $x + 5 = 4 + 5$
  $\quad\quad = 9$ (del lado derecho)

  Decimos entonces que $x + 5 = 9$ es verdadero si $x = 4$.

- **Vértice (de un ángulo)**
  Punto en el que dos segmentos o semirrectas se unen y forman un ángulo.

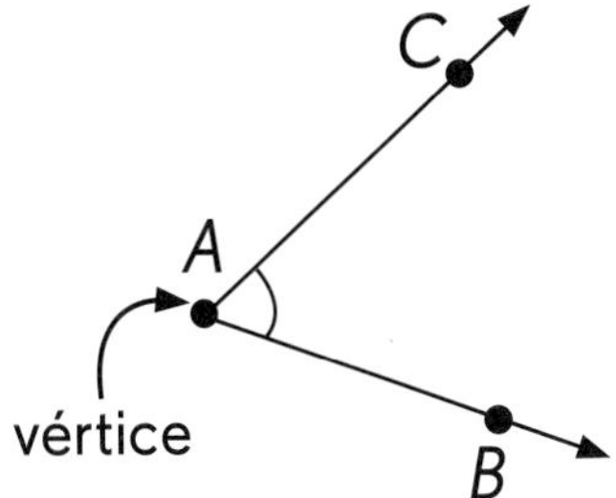

- **Vértice (de un polígono)**
  Punto de un polígono en el que dos lados se unen y forman un ángulo.

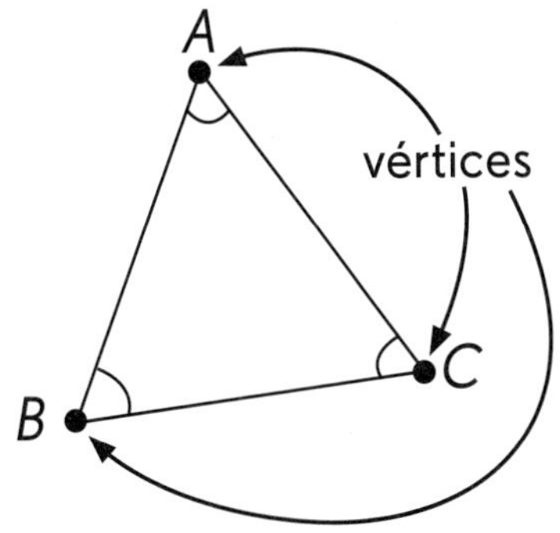

Índice

Adivinar y comprobar, *Ver* Resolución de problemas, estrategias

Álgebra
- con dos variables, 133–135, 156; *CA 87, 97–98*
- desigualdades, **226**–228, 235, 238–239, 243–244; 207–212, 227, 229; *CA 133–134*
- ecuaciones, *Ver* Ecuaciones
- expresiones, *Ver* Expresión algebraica
- fórmulas, 248, 256–259, 263
- gráficas de coordenadas de, **133**–135, 138, 156; *CA 87–88, 97*
- operaciones inversas, 206
- orden de las operaciones, **90**–95, 111–112, 206, 222; *CA 55–62*
- propiedades, *Ver* Propiedades
- variables, *en varios lugares, ver por ejemplo* **209**–245

Altura de un triángulo, **252**–259, 262–264; *CA 197–198*

Ángulo
- agudo, 189, 195–196; *CA 122*
- clasificar triángulos según el, 182–183, 188–190, 224–226; *CA 122, 125, 127, 130*
- congruente, 186, 190, 198–204, 213–218, 222, 224–228; *CA 127–131*
- de un triángulo acutángulo, 189–190, 192, 194, 199–204, 224–227; *CA 122*
- de un triángulo equilátero, 201–204, 225–226, 228; *CA 121, 129–132*
- de un triángulo escaleno, 188–190
- de un triángulo isósceles, 198–200, 203–204, 225–228; *CA 127–128, 130–131, 144*
- de un triángulo obtusángulo, 188–190, 192–194, 204, 224, 226; *CA 122*
- de un triángulo rectángulo, 195–197, 200, 224–227; *CA 125–126*
- en un punto, **169**–173, 178, 180–181; *CA 105–119, 151–152*
- en una línea, 163–168, 179–181; *CA 101–105, 109*
- entre los lados paralelos, 213–218, 220–223, 225, 227–228; *CA 137–142, 158*
- formar, 158–160, 167–168, 170
- grados, 159
- identificar, 158, 160, 168, 172–173, 178
- intersecar, 175
- medida de un, 159–160, 162–181
- medida desconocida de un, 165–166, 168, 171, 173, 175–178, 180–181; *CA 101–120, 123–126, 128–131, 151–155*
- medidas iguales, 174–181; *CA 109*
- medir, 159
- nombrar un, 159, 161, 170, 179, 184
- obtuso, 188–190, 193–194, 203–204, 224, 226
- opuesto, 213–218, 222, 226
- pares de, 214–218, 220–223, 225–227
- recto, 247, 160
- suma de las medidas de los ángulos
  - de un triángulo, **191**–204; *CA 123–124, 153–154*
  - en un punto, **169**–173, 177–178, 180–181; *CA 105–108, 151–152*
  - en una línea, **163**–168, 177–181, 184; *CA 101–104,150*
- transportador, 159, 162–164, 167, 170, 172, 175; *CA 101–102, 105–109*
- vertical, **174**–181; *CA 109–117*
- vértice de un, 247; 158–162

Ángulo recto, 247

Aplicaciones de la resolución de problemas, *Ver* Problemas cotidianos

Área
- definición de, 248
- fórmulas,
  - de un cuadrado, 248
  - de un rectángulo, 248
  - de un triángulo, **256**–259, 263
- plantillas (y área total), **267**–272, 274, 298; *CA 173–175*
- total, **267**
  - cubo, 267–268, 273, 298, 301; *CA 173*
  - prisma rectangular, 269–270, 274, 298, 301; *CA 174*
  - prisma triangular, 271–272, 274, 298, 301; *CA 175*

Área total, **267**–274, 298, 300–301; *CA 173–176, 198, 213*

Arista, **235**–239, 246–247, 252–254

Base
- de un cuerpo geométrico, **235**, 237–239, 242–244, 246–248, 252, 254–255
- de un triángulo, **251**–259, 262–264; *CA 197*

Calculadora
- calcular con números enteros, 47–50, 55, 60, 73, 78, 98–100, 102, 104, 108; *CA 27–28, 36, 63, 65–66*, 72, 207
- comprobar resultados con una, 47, 49–50; *CA 28*
- usar para dividir, *en varios lugares, ver por ejemplo* 50, 99–100, 102, 104, 108, 113; *CA 27*

usar para multiplicar, *en varios lugares, ver por ejemplo* 49–50, 98–100, 102, 108, 113; *CA 27*
usar para restar, *en varios lugares, ver por ejemplo* 48–49, 102, 108, 113; *CA 27*
usar para sumar, *en varios lugares, ver por ejemplo* 48–49, 100, 113; *CA 27–28*

Cálculo mental
decimales, 66
dividir
entre múltiplos de 10, 73–74, 77–79, 81–82, 111, 113; *CA 43–44, 47*
entre potencias de 10, 70–72, 74–77, 81, 111, 113; *CA 43, 45*
multiplicar,
con números fáciles, 109
decimales, 36
descomponer y juntar números, 109; 45, 48–49
por múltiplos de 10, 54–55, 59–61, 63, 110, 112; *CA 30, 32–34*
por potencias de 10, **51**–54, 56–59, 63, 110, 112; *CA 29, 31–32, 34*
sumar, 9, 75

Cara, **235**–239, 242–245, 252–255; *CA 159–161*

Centésimos, 2–4, 7–14, 16–22, 25–29, 33–34, 36, 39–44, 46–47, 51–58, 60–61, 63–64

Ceros (en decimales)
como marcador de posición, 84

Cilindro, **232**, 24, 6, 253; *CA 163–164*

Clave, **125**

Cocientes
calcular, *en varios lugares, ver por ejemplo* 50, 99–100, 102, 104, 108, 113; *CA 27*
decimales, 51–67; *CA 25–36*
estimar, **33**, 34, 37, 40, 44, 46, 79–81, 83-85, 111, 113; *CA 22, 48, 50–51*
redondear al centésimo más cercano, 57–58; *CA 7–8, 13*
redondear al décimo más cercano, 56, 58; *CA 7, 13*

Combinaciones, **139**
lista organizada, **139**–140, 143, 154–155; *CA 89*
mostrar, usando un diagrama de árbol, **140**–143, 145, 154–156; *CA 90–91*
multiplicar para hallar el número de, 141–143, 154; *CA 92*
ordenar elementos, 139
registrar en un orden sistemático, 139
seleccionar elementos, 139
significado de las, 139

Comparar
datos, 125–129, 155; *CA 83–84*
decimales, 3, 6, 18–22, 27–28; *CA 5–6, 74*
expresiones, 184
fracciones, decimales y porcentajes, 88–89, 91, 93
lista organizada y diagramas de árbol, 140; *CA 89–91, 99, 149*
números enteros, 2, 4, 20–21, 23, 36, 39; *CA 11–13*
usar una razón, *en varios lugares, ver por ejemplo* **269**–270, 296–297, 302–303, 313
volumen, 275–276, 279, 281–282, 285; *CA 179–180, 199*

Comparar expresiones algebraicas
en forma de desigualdades, 227; *CA 187*
en forma de ecuaciones, 227; *CA 187*

Comprobar
ecuaciones, 231–233
en resolución de problemas, 98, 154; *CA 23–24*
razonabilidad de respuestas, 69–74, 82–83; *CA 37–40*
usando la estimación, 65, 67–69, 98, 112; *CA 37–40*
usando una calculadora, 47, 49–50; *CA 28*

Comunicación
Diario de matemáticas, *Ver* Diario de matemáticas

Congruente, 231, 237

Cono, **247**–249, 253–254; *CA 143–144*

Contar salteado, **5**, 6, 9, 10; *CA 1*

Convertir unidades de medida
entre unidades del sistema métrico, 290–296, 301–302; *CA 185–191*
entre unidades del sistema usual, 134; *CA 97–98, 147*

Coordenada *x*, **132**–133

Coordenada *y*, **132**–133

Coordenadas, de un punto,131–133, 136–138, 155–156

Cuadrados,
área de, *en varios lugares, ver por ejemplo* 248

Las entradas en letra normal corresponden al Libro del estudiante A.
Las entradas en azul corresponden al Libro del estudiante B.
Las entradas en *cursiva negra* corresponden al Cuaderno de Actividades (CA) A.
Las entradas en *cursiva azul* corresponden al Cuaderno de Actividades (CA) B.
Las entradas en **negrita** indican dónde se presenta un término.

Cuadrícula de coordenadas, **131**–133, 136–138; *CA 85–88, 147, 156*
ejes de, 131, 136
hacer gráficas de puntos, 131–134, 136, 138; *CA 86*
hacer gráficas de variación lineal, 133–135, 138, 156; *CA 88, 97*
origen, **132**
ubicar puntos en, 131, 137; *CA 85*
usar para resolver problemas cotidianos, 133–135, 138, 156; *CA 87–88, 98*

Cubo
área total, 267–268, 273–274
plantilla de, 240–242, 253, 255, 267–268, 298; *CA 162, 166*
volumen, 277–280, 288–290, 298, 300–301; *CA 177, 180–181, 183–184*

Cubo de una unidad, **259**–265, 275–282, 284, 296–298, 300; *CA 167–168, 197, 212*

D

Datos
presentar y organizar
en un diagrama de puntos, 153
en un experimento, 146–148, 152
en una gráfica de barras, 120, 122, 124
en una gráfica de doble barra, 124–131, 154–155
en una gráfica de variación lineal, 133–135, 138, 156
en una tabla, 119–120, 124, 127, 129–130, 133–134, 146–148, 150–152; *CA 84, 88, 97*
en una tabla de conteo, 119, 128, 151
reunir, 146, 148–149
sacar conclusiones
de una gráfica de barras, 120, 122, 124, 147
de una gráfica de doble barra, 125, 127, 129, 155; *CA 83–84*
de una gráfica de variación lineal, 133–135, 138, 156; *CA 87–88*
de una tabla, 40, 101–102, 274; *CA 4, 68, 209–210*

Decimales
cociente, 33, 35, 74
comparar, 21–22, 26
centésimos, 6, 19
décimos, 3, 18–19
mayor que, 3, 6, 18–19, 21–22, 27
menor que, 20, 22, 27
unidades, 18–19
comprender
centésimos, 3
décimos, 3
milésimos, 7–8
conceptos de valor posicional, *en varios lugares, ver por ejemplo* 13–14, 17–18, 36, 43
convertir a fracciones o números mixtos, 23–25, 27, 29
denominador de 1,000, 7
desigualdad, 21
dígito, 13, 17, 19, 28, 31, 43, 46, 60, 63
dividendo, **51**, 74
dividir
a tres lugares decimales, 57–58
centésimos entre un número entero sin reagrupación, 51–52, 58; *CA 26*
con dos lugares decimales entre un número entero con reagrupación, 54–56, 58; *CA 29–30*
con un lugar decimal entre un número entero con reagrupación, *CA 27*
décimos entre un número entero sin reagrupación, 51, 58; *CA 25*
entre centenas, 60, 63, 65–67, 82–83; *CA 35–36*
entre decenas, 60–63, 67, 82–83; *CA 33–35*
entre millares, 60, 63, 65–67, 82–83, *CA 35–36*
divisor, **71**
equivalentes
centésimos, 9–10
milésimos, 9–10
escribir en su mínima expresión, 23–25, 29
estimar, **68**
cocientes, 68, 71, 73–74, 82–83; *CA 38, 39*
diferencias, 69, 72–74, 82–83; *CA 37, 39*
productos, 68, 70, 72–76, 82–83; *CA 38, 39*
sumas, 68, 72–74, 82–83; *CA 37, 39*
expresar
fracciones en forma de, 3, 6, 11, 17, 28
números mixtos en forma de, 4, 6, 12
porcentajes en forma de, 93, 95, 116–117
forma desarrollada, 13, 17, 26, 28; *CA 4*
forma fraccionaria, 7
forma vertical, 41
lugares, *en varios lugares, ver por ejemplo* 7–8, 19–23
multiplicar
centésimos por un número entero, 39; *CA 16*
con dos lugares decimales por un número entero, 40–42; *CA 18–19*
con un lugar decimal por un número entero, 37–38, 42; *CA 17*
décimos por un número entero, 36; *CA 15*
por centenas, 43, 46–50, 82–83; *CA 23–24*
por decenas, 43–45, 50, 82–83; *CA 21–23*
por millares, 43, 46–50, 82–83; *CA 24*
ordenar, 18–19, 22, 27–28
de mayor a menor, 19, 22
de menor a mayor, 18–19, 22, 27–28
parte de un modelo, 2, 5, 7–9, 15, 23–25, 29
problemas cotidianos, 40, 54, 74–80, 82
producto, 32, 35–37, 70
punto, 5, 8, 15
punto decimal, 36, 44, 47, 51, 63–64
reagrupar, 33–34, 37, 39–40, 51–57

recta numérica, *en varios lugares, ver por ejemplo* 2, 4, 7–8, 20–21
redondear, 4, 6, 20
al centésimo más cercano, 20–22, 27–29; *CA 32*
al décimo más cercano, 21–22, 72, 74; *CA 31*
al número entero más cercano, 4, 6, 21–22, 68–70, 74
cocientes al centésimo más cercano, 51, 56–58
cocientes al décimo más cercano, 51, 56–58
restar, 34
agregar ceros como marcadores de posición, 34
con reagrupación, 34
sin reagrupación, 34
sumar
con reagrupación, 33
sin reagrupación, 33
tabla de valor posicional, 3, 5–6, 8–13, 16–19, 21–22, 36–39, 51, 53–55

Denominador común
mínimo, **122**, 127; *CA 94*

Desarrollar expresiones, 231

Descomponer expresiones, 231

Descuento, 110–111, 113–118; *CA 68–69, 82, 208*

Desigualdades
comparar las longitudes de los lados, 205–210, 225
escribir, **226**–228, 235, 238–240, 243, 245
formar, 208–210; *CA 133–136, 154*
longitudes posibles, 209–210, 228
mayor que, 205–210, 225
menor que, 209–210
no es igual a, **230**
para resolver problemas 238–241, 243, 245

Destrezas de resolución de problemas
comprobar si la respuesta es razonable, 98, 154; *CA 23–24*
elegir la operación, 98–105, 113, 172–174, 183–184, 190–197; *CA 75–77*
resolver problemas de varios pasos, 98–105, 107–108, 113, 172–174, 183–184, 190–197; *CA 75–77*

Destrezas requeridas
Recordar conocimientos previos, 2–3, 42–44, 115–119, 161–163, 205–206, 247– 248, 267–268; 2–4, 31–34, 86, 120–123, 158–160, 183–184, 230–232, 257
Repaso rápido, *Ver* Evaluación

Diagrama de árbol, **140**–143, 145, 154–156; *CA 90–91*

Diagrama de puntos, 153

Diario de matemáticas, 89, 125, 154, 198, 217, 241, 289, 294, 311; 106, 114, 143, 152, 167, 193, 203, 222, 242, 250; *CA 23–24, 36, 41–42, 73–74, 102, 128, 158, 193–194, 201–202, 235–236*; *CA 12, 50, 70, 116, 132, 192*

Dígito
al redondear, 3, 43
inicial, 3, 28–29
por la izquierda, 3, 28–29

Distancia en una cuadrícula de coordenadas, 131–137, 156

Dividendo, **79**, 112

División
aproximar el cociente, 83–84
cocientes, 72, 76, 79, 81, 83, 112
con decimales, 51–68, 71, 73–74, 76–79, 82–84
con fracciones, **185**–189; *CA 149–152*
hacer un modelo, **185**–188; *CA 149*
con números enteros, *en varios lugares, ver por ejemplo* 43
de números de cuatro dígitos entre números de dos dígitos, *en varios lugares, ver por ejemplo* 87–89; *CA 53–54*
de números de dos dígitos entre números de dos dígitos, *en varios lugares, ver por ejemplo* 83–85, 89; *CA 50, 54*
de números de tres dígitos entre números de dos dígitos, *en varios lugares, ver por ejemplo* 85–86, 89; *CA 51–52, 54*
dividendo, **79**, 82, 112
divisor, **79**, 80, 82, 112
entre múltiplos de diez, cien y mil, 70–79, 81, 110–111, 113; *CA 43–47*
estimar cocientes, **33**, 34, 37, 40, 44, 46, 79–81, 83–85, 111, 113; 71, 73–74, 82–83; *CA 22, 48, 50–51*; *CA 38–39*
expresiones relacionadas con, 214–217, 237, 242, 244; *CA 171, 181–182*
interpretar residuos, 96, 97, 102
mental, *en varios lugares, ver por ejemplo* 70–79, 81; *CA 43–45, 47*
para expresar fracciones en su mínima expresión, *en varios lugares, ver por ejemplo* 116, 161; *CA 93, 113*

Las entradas en letra normal corresponden al Libro del estudiante A.
Las entradas en azul corresponden al Libro del estudiante B.
Las entradas en *cursiva negra* corresponden al Cuaderno de Actividades (CA) A.
Las entradas en *cursiva azul* corresponden al Cuaderno de Actividades (CA) B.
Las entradas en **negrita** indican dónde se presenta un término.

para hallar fracciones equivalentes, *en varios lugares, ver por ejemplo* 116
para hallar razones equivalentes, *en varios lugares, ver por ejemplo* 280–282, 299–301, 313–315; *CA 216, 227–228*
relacionada con decimales, 138–139; *CA 107*
relacionada con fracciones, **131**–133; *CA 103–104*
relacionada con números mixtos, **134**–135; *CA 105–106*
residuo, **82**–88, 96–97
usando una calculadora, *en varios lugares, ver por ejemplo* 50, 99–100, 102, 104, 108, 113; *CA 27–28*

Divisor, **79**, 80, 82, 112

Ecuaciones
escribir, **226**–228, 235, 238–240, 243, 245
para resolver problemas cotidianos, 238–241, 243, 245
hacer gráficas de, 131, 133–135, 138, 154, 156
hacer un modelo de, **228**–230
resolver **230**–235, 238–239, 243–245; *CA 188*
con dos variables, 133–135, 154–156
con variables a ambos lados, **232**–235, 238–239, 243, 245
con variables a un lado, **230**–231, 235, 245
usando adivinar y comprobar, **230**, 232–233
usando operaciones inversas, 206–207, 231–234, 238–239, 243
significado de, 133

Eje de la *x*, **131**–132, 134, 136

Eje de la *y*, **131**–132, 134, 136

Escribir
desigualdades, **226**–228, 235, 238–240, 243, 245; 205–210, *CA 133–136*
ecuaciones, *en varios lugares, ver por ejemplo* **226**–228, 235, 238–240, 243, 245, 226–228, 235; 133–135, 156
expresiones algebraicas, **208**–210, 212–218, 244; *CA 175–181*
problemas para ecuaciones, 238–240, 245
razones, **269**–270, 290, 292, 313

Escribir en un diario, *Ver* Diario de matemáticas

Esfera, **232**, 247–250, 253–254; *CA 163–164*

Estimación
con decimales, 69–74, 82–83; *CA 37–40*
con fracciones, **124**–126, 129–130, 156, 158; *CA 98, 101*
con números mixtos, 142–144, 147–149, 156, 159; *CA 112, 116*
para comprobar respuestas, 65, 67–69, 98, 112; 68–73; *CA 37–40*
por la izquierda, 3–4, 44, 46, 110
por la izquierda; con aproximación,
para estimar diferencias, 29, 31–32, 35, 37; *CA 20–21*
para estimar sumas, **28**, 30, 35, 37–38; *CA 19*
usando el redondeo,
para estimar diferencias, 3, 4, 27–28, 34, 36; *CA 18*
para estimar productos, 32–33, 35–36, 39, 43, 46, 61–63; 35; *CA 22, 35*
para estimar sumas, 3, 4, 27–28, 34, 36; *CA 17*
usando números compatibles, para estimar cocientes, *en varios lugares, ver por ejemplo* **33**, 34, 37; 35; *CA 22*

Estimación por la izquierda, *Ver* Estimación

Estimar
cocientes, **33**, 34, 37, 40, 44, 46, 79–81, 83–85, 111, 113; 71, 73–74, 82–83; *CA 22, 48, 50–51; CA 38–39*
diferencias, 3–4, 27–29, 31–32, 34–37, 39, 129–130, 147–149, 156, 158–159; 69, 72–74, 82–83; *CA 18, 20–21, 101, 116*; *CA 37, 39*
productos, 32–33, 35–36, 39, 43–44, 46, 61–63, 110; 70, 72–74, 82–83; *CA 22, 35*; *CA 38–40*
sumas, 3–4, 27–28, 30, 34–38, 124–126, 142–144, 156, 158–159; 68–69, 72–74, 82–83; *CA 17, 19, 98, 112*; *CA 37, 39*

Estrategias, *Ver* Resolución de problemas

Evaluación
Repaso acumulativo, *CA 79–92, 161–174, 239–250; CA 73–82, 145–158, 195–204*
Repaso de fin de año, *CA 205–218*
Repaso rápido, 4, 44–46, 119–121, 163–164, 207, 249–250, 267–268; 5, 35, 87, 122, 161–162, 184–185, 233–234, 258
Repaso semestral, *CA 251–264*
Repaso/Prueba del capítulo, 38–40, 112–113, 158–159, 202–203, 244–245, 264–265, 314–315; 28–29, 83–84, 117–118, 155–156, 181, 226–228, 254–255, 300–302

Experimentos, 144, 146–153

Exploración
Exploremos, 14, 15, 81, 94–95, 125, 129, 143, 168, 179, 216, 262, 291, 311; 66, 149, 203, 243–244, 261, 273

Exploremos, *Ver* Exploración

Expresión numérica, *en varios lugares, ver por ejemplo* **90**, 91, 208

Expresiones
algebraicas, significado de, **209**, 212, 214
con fracciones, 214–217, 237, 242, 244; *CA 178, 181–182*
de área, 256–259, 263
de multiplicación, *en varios lugares, ver por ejemplo* 212; *CA 177*
de resta, *en varios lugares, ver por ejemplo* **208**–209; *CA 175–176*
de suma, *en varios lugares, ver por ejemplo* **208**–209; *CA 175–176*
desarrollar, 231
descomponer, 231
evaluar, **211**, 213, 215–216, 218, 242, 244; *CA 176, 178, 181–182*
gráfica de, 133
numéricas, **208**, 212–216, 218, 242, 244; *CA 176, 178, 181–182*
simplificar, **219**–225, 242, 244–245; *CA 183–184*

Expresiones algebraicas
comparar, 227; *CA 187*
en desigualdades y ecuaciones, **226**–241, 243, 245
formar, **208**–210, 212–218, 244; *CA 175–181*
evaluar, **211**, 213, 215–216, 218, 242, 244; *CA 176, 178, 181–182*
relacionadas con la multiplicación y la división, *en varios lugares, ver por ejemplo* **212**, 214–217, 237, 242, 244; *CA 175, 181–182*
relacionadas con la suma y la resta, en varios lugares, ver por ejemplo **208**–209; *CA 175–176*
simplificar, **219**–225, 242, 244–245; *CA 183–184*
términos semejantes, *en varios lugares, ver por ejemplo* **220**
términos, *en varios lugares, ver por ejemplo* **220**

Factor
común, *en varios lugares, ver por ejemplo* **116**, 161, 267
máximo factor común, *en varios lugares, ver por ejemplo* **116**, 161, 267

Factores comunes
para simplificar la multiplicación con fracciones, *en varios lugares, ver por ejemplo* **166**, 175

Figuras tridimensionales, 235
cilindros, esferas y conos, 246–250, 253–255; *CA 163–164*
describirlas por sus caras, aristas y vértices, 235–239, 243–248, 252–254; *CA 159–161, 163–164*
plantillas, 240–242, 246, 253–255; *CA 162, 164, 166, 243–248, 252–254*
prismas y pirámides, 235–245, 251–252, 254; *CA 159–161, 165*

Forma de fracción de una razón, 290–295; *CA 221–226*

Forma desarrollada, 2, 4, 17–19, 36, 38, 42, 44; *CA 8, 10*
con decimales, 13, 17, 26, 28

Forma normal, 2, 4, 6, 7, 10, 12, 14, 36, 38; 7–8, 10–12; *CA 1–3, 5–6; CA 1–2*

Fracciones
dividir con, **185**–189; *CA 149–152*
hacer un modelo, **185**–188; *CA 149*
en forma de decimales, 137, 139; 11–12, 87; *CA 107*
en forma de porcentajes, 90, 94, 96–97, 116–118
en su mínima expresión, *en varios lugares, ver por ejemplo* 267
en una recta numérica, 116
equivalentes, *en varios lugares, ver por ejemplo* **122**, 127,158
estimar diferencias, 129–130, 156, 158; *CA 101*
estimar sumas, **124**–126, 156, 158; *CA 98*
impropias, *en varios lugares, ver por ejemplo* **175**
leer, 119, 137
mínimo común denominador, 122, 127; *CA 94*
multiplicar con, **165**–168, 175–176, 200, 202; *CA 131–132, 139–142*
hacer un modelo, **165**, 167, 175; *CA 131, 139*
no semejantes, *en varios lugares, ver por ejemplo* 115, 122, 127
números mixtos, *Ver* Números mixtos
punto de referencia, **124**, 129, 142, 147, 156, 158; *CA 98, 101, 112, 116*
recíprocas, **185**, 202
relacionadas con la división, **131**–133; *CA 103–104*
restar con,
denominadores distintos, 118, 121, 127–128, 130, 151, 156, 158; *CA 99–100*
hacer un modelo, 127–128; *CA 99–100*
denominadores semejantes, 118, 121
semejantes, *en varios lugares, ver por ejemplo* 115, 122, 156

Las entradas en letra normal corresponden al Libro del estudiante A.
Las entradas en azul corresponden al Libro del estudiante B.
Las entradas en *cursiva negra* corresponden al Cuaderno de Actividades (CA) A.
Las entradas en *cursiva azul* corresponden al Cuaderno de Actividades (CA) B.
Las entradas en **negrita** indican dónde se presenta un término.

sumar con,
denominadores distintos, 118, 121–123, 125–126, 152–154, 156, 158; *CA 95–97*
hacer un modelo, **122**–123; *CA 95–97*
denominadores semejantes, 118, 121; *CA 97*

Fracciones impropias
en forma de decimales; *CA 108*
en forma de números mixtos, 117, 121
multiplicar, **175**–176; *CA 139–142*

Funciones, *Ver* Máquinas de entrada y salida, Gráficas de variación lineal

Funciones lineales, *Ver* Gráficas de variación lineal

Geometría
ángulos, *Ver* Ángulos
aristas, **236**–239, 246–247, 252–254
base (de un cuerpo geométrico), **235**, 239, 246–248, 251, 254–255; *CA 163*
base circular plana, 246–247, 254–255
caras, **235**–239, 242–245, 252–255
cilindros, **232**, 245–247, 250, 253–254; *CA 163–164*
clasificar cuerpos geométricos
por el número de aristas, 235–239, 246–247, 252–254; *CA 160–161*
por el número de caras, 235–239, 242–245, 252–254; *CA 160–161*
por el número de vértices, 235–239, 246–248, 252–254; *CA 160–161*
clasificar triángulos, 186
conos, **232**, 248–249, 253–254; *CA 163–164*
cuadrados, *en varios lugares, ver por ejemplo* 248
cubos, 232, 235–236, 240–242, 251, 253–254, 258–268, 273, 275–284, 288–290, 294–300
esfera, **232**, 247, 250, 254; *CA 163–164*
figuras congruentes, 231, 233
figuras planas, 231
línea perpendicular, 160, 162–163, 167–168, 179
líneas secantes, **174**, 181
pirámides, **232**
cuadradas, **238**, 247, 254; *CA 161*
hexagonales, 244; *CA 161*
octagonales, 244
pentagonales, 239, 245; *CA 161*
triangulares, **239**, 241, 255; CA 160, 165
plantillas, **240**–242, 245–246, 253–255, 267–272, 274, 298; CA 162, 164, 175–176
polígonos, 230–231, 233, 235, 238–239
prismas, **232**
cuadrangulares, 235, 242, 250, 252, 255
hexagonales, 243
pentagonales, 238, 243, 249; *CA 159*
rectangulares, **232**, 237, 242–243, 250–251, 255; *CA 159*
triangulares, **237**, 239, 241, 244, 251–252, 255, 257–258, 271–272, 274; *CA 159, 165*
propiedades especiales
paralelogramo, **183**, 185, 211–217, 222, 225–228; *CA 137–138, 158*
rombo, **183**, 216–218, 222, 225–228; *CA 139*
trapecio, **183**, 219–223, 225–227; *CA 141–142, 158*
triángulos, *Ver* Triángulos,
punto, 158–161
rectángulos, área de, *en varios lugares, ver por ejemplo* 248
segmento, 158, 160–161
segmentos paralelos, 232
segmentos perpendiculares, 247, 160
semirrectas, 247; 158–159, 161, 169–170; *CA 105, 120*
superficies curvas, **232**, 234, 246–249, 252–255; *CA 164*
superficies planas, 232, 234, 249, 253–255
tangrama, **182**
trazar usando papel punteado
cubos, 263–266; *CA 169–172*
prismas rectangulares, 263–266; *CA 169–172*
triángulos, *Ver* Triángulos
vértices, **235**–239, 242, 246–247; *CA 160–161*

Glosario, 316–330; 303–317

Grados (medidas de ángulos), 159

Gráfica de doble barra, **124**–131, 154–155; *CA 83–84*

Gráfica de variación lineal (en una cuadrícula de coordenadas), 133–136, 138, 156; *CA 87–88, 97*

Gráficas
clave, **125**
coordenada *x*, **132**–133
coordenada *y*, **132**–133
coordenadas, **131**–133, 136–138, 155–156; *CA 85–86*
cuadrícula de coordenadas, **131**–133, 136–138; *CA 85–88*
datos, 120, 124–125, 127–130, 133; *CA 83–84, 88, 97–98*
de barra, 125
de una ecuación, **131**, 133–135, 154–156; *CA 87–88, 97–98, 147, 210*
de una expresión, 133
diagrama de puntos, 153
eje de la *x*, **131**–132, 134, 136

eje de la *y*, **131**–132, 134, 136
eje horizontal, 125
eje vertical, 125
ejes, 131, 136
elemento, 125
encuesta, 124
escala adecuada, 125; *CA 97*
gráfica de barras, 120, 122, 124; CA 83–84, 145, 209
gráfica de doble barra, **124**–131, 154–155; *CA 83–84*
gráficas de conversión, 134; *CA 97–98, 210*
hacer, 124–125, 136; *CA 88, 97*
interpretar, 124, 126; *CA 83–84, 87–88, 97–98*
intervalos iguales, 125
línea recta, 131, 133–136, 138; *CA 87–88, 97*
marcar, 131–132, 136, 138; *CA 86*
medida, 134, 136
origen, **132**
par ordenado, **131**–134, 136–138; *CA 85–86*
plano de coordenadas, **131**
punto en una, 131–134, 136, 138; *CA 85–86*
puntos correspondientes, 134
recta numérica, *Ver* Recta numérica
recta numérica horizontal, 131
recta numérica vertical, 131
tabla de datos, 118, 120, 124, 127–130, 133–134
ubicación, 137
ubicar puntos, 131–137

Gráficas de barras, 120, 122, 124, 147; *CA 83–84, 145*

Hacer una lista
para hallar el máximo factor común, 267
para hallar el mínimo común múltiplo, **122**, 127, 156
para hallar el número de combinaciones, 139–140, 155
para resolver problemas, *Ver* Resolución de problemas, Estrategias

Hallar el valor
expresiones algebraicas, **211**, 213, 215–216, 218, 242, 244; *CA 176, 178, 181–182*
significado de, **211**, 244

Hallar un patrón, estrategia, *Ver* Resolución de problemas, Estrategias

Impuesto sobre las ventas, **108,** 113–116, 118; *CA 67, 69*

Impuesto sobre los alimentos, **109**, 115–116; *CA 64–70*

Interés, **112**–113, 115–118; *CA 67*

Interpretar residuos, 96, 97, 102

Lados de las figuras, **251**

Líneas, 158, 160–161, 163–168, 174–181
ángulos en una, 163–168, 179–181; *CA 101–105, 109*
lados paralelos, 184
nombrar, 159, 161, 170, 179, 184
perpendiculares, 160
secantes, **174**, 181

Líneas secantes, **174**, 181

Lista organizada
para hallar el máximo factor común, 267
para hallar el mínimo común múltiplo, **122**, 127, 156
para hallar el número de combinaciones, 139–140, 143, 154–155, *CA 89*
para resolver problemas, *Ver* Resolución de problemas, Estrategias

Manos a la obra, 11, 47, 49, 50, 53, 55, 58, 60, 72, 73, 76, 78, 80, 94, 123, 128, 133, 135, 167, 179, 188, 216, 224–225, 257–259, 281, 300; 14, 44, 46, 49, 61, 64, 79, 99, 105, 113, 128, 136, 142, 148, 167, 172, 175, 196, 206, 212–214, 220, 241, 249, 282

Máquinas de entrada y salida, 204

Más probable, 121, 123

Máximo factor común, *en varios lugares, ver por ejemplo* 116, 161, 267
para escribir fracciones en su mínima expresión, *en varios lugares, ver por ejemplo* 116, 161; *CA 93, 113*

Mayor que, *en varios lugares, ver por ejemplo* 2, 20–21, 23, 36, 40, 205, 226–228; *CA 11–13*

Las entradas en letra normal corresponden al Libro del estudiante A.
Las entradas en azul corresponden al Libro del estudiante B.
Las entradas en *cursiva negra* corresponden al Cuaderno de Actividades (CA) A.
Las entradas en *cursiva azul* corresponden al Cuaderno de Actividades (CA) B.
Las entradas en **negrita** indican dónde se presenta un término.

Medición
de ángulos, 159, 162–164, 170, 172, 175, 189–190; *CA 101–102, 105, 109, 123, 125, 129*
de la base y la altura, **251**–259, 262–264; *CA 197–198*
de la longitud, 49, 134
de los lados, 187, 190, 206; *CA 129, 133–134*
del área, **256**–259, 263; *CA 199–205, 207*
del área total, 267–272
del volumen, 277–293, 298–302

Menor que, *en varios lugares, ver por ejemplo* **20**, 23, 36, 40; *CA 11–13, 205, 226–228*

Menos probable, 121, 123

Milésimos, 7–14, 17–21, 24–26, 28, 44, 63–64

Millones **9**–14, 18–24, 36, 38–40, 42, 44, 58; *CA 5–6, 9–10, 12–14*

Mínima expresión de fracciones, *en varios lugares, ver por ejemplo* 267

Mínima expresión de razones, **276**, 278, 301

Mínimo común denominador
para convertir fracciones con denominadores semejantes, **122**, 127; *CA 94*

Mínimo común múltiplo, **122**–123, 127–128, 156, 158, 162, 171–172, 190–192, 194; *CA 95, 99*

Modelo de área
producto de fracciones, **165**, 175; *CA 131, 139*

Modelos
ecuaciones, **228**–230
con decimales, 2, 5, 7–10, 15, 23–25, 29, 86–87
con fracciones, 122–123, 127–128, 167, 175, 185–188; *CA 95–97, 99–100, 131, 139, 149*
con números mixtos, 140–142, 145–147, 177–180; *CA 109–111, 113–115, 143*
con porcentajes, 89–94, 96, 117
modelos con fichas para valor posicional, 52, 57, 71, 75; 31–32, 43, 46–47, 60–61, 63–64
modelo de área para fracciones, **165**, 175; *CA 131, 139*
modelos de barras, *en varios lugares, ver por ejemplo* 42–43, 103–106, 109, 151–152; 76–78, 101–104

Modelos con fichas para valor posicional 52, 57, 71, 75; 18; 31–32, 43, 46–47, 60–61, 63–64; *CA 21*

Modelos de barras, *en varios lugares, ver por ejemplo* 42–43, 103–106, 109, 151–152; 76–78, 101–104

Multiplicación
con fracciones, **165**–168, 175–176, 200, 202; *CA 131–132, 139–142*
con números mixtos, **177**–180, 201–202; *CA 143–148*
con variables, **212**–213; *CA 177–178*
de decimales, *Ver* Decimales
de números enteros, *en varios lugares, ver por ejemplo* **42**
de un número de cuatro dígitos
por decenas, *en varios lugares, ver por ejemplo* 68–69; *CA 39*
por un número de dos dígitos, *en varios lugares, ver por ejemplo* 68–69; *CA 39–40*
de un número de dos dígitos
por decenas, *en varios lugares, ver por ejemplo* 64–66, 69; *CA 37*
por un número de dos dígitos, *en varios lugares, ver por ejemplo* 65–66, 69; *CA 37*
por un número de tres dígitos, *en varios lugares, ver por ejemplo* 67–69; *CA 38*
de un número de tres dígitos
por decenas, *en varios lugares, ver por ejemplo* 66, 68–69; *CA 38*
estimar productos, 32–33, 35–36, 39, 43–44, 46, 61–63, 110; 70, 72–74, 82–83; *CA 22*, 35; *CA 38–40*
expresiones relacionadas con, *en varios lugares, ver por ejemplo* 212; *CA 177*
factor, *en varios lugares, ver por ejemplo* **51**
mentalmente, *en varios lugares, ver por ejemplo* **51**–55, 59–61, 63, 105, 110, 112; *CA 29–32, 34*
para hallar combinaciones, 141–143, 154; *CA 91–92*
para hallar fracciones equivalentes, *en varios lugares, ver por ejemplo* 116, 122–123, 127–128, 137, 140–142, 145–147, 161, 163, 171–172, 194; *CA 93–94*
para hallar razones equivalentes, *en varios lugares, ver por ejemplo* 280–282, 299–301, 313–315; *CA 216, 227–228*
por un recíproco, **185**–187, 189; *CA 149–152*
producto, *en varios lugares, ver por ejemplo* 51
propiedades, 205
representar, 165, 167, 175–180; *CA 131, 139, 143*
usando una calculadora, *en varios lugares, ver por ejemplo* 49–50, 98–100, 102, 108, 113; *CA 27*

Múltiplos, *en varios lugares, ver por ejemplo* **122**, 127
mínimo común múltiplo, **122**–123, 127–128, 156, 158, 162, 171–172, 190–192, 194; *CA 95, 99*

Múltiplos comunes
mínimo, **122**–123, 127–128, 156, 158, 162, 171–172, 190–192, 194; *CA 95, 99*

No es igual a, **230**

Números
compatibles, **33**, 38
compuestos, 117, 121
decimales, 137–139; *CA 107–108*; *Ver* Decimales
decimales, *Ver* Decimales
en palabras, 2, 4, 6–8, 10, 12–14, 36, 38, 40, 42, 44; *CA 1, 3–6*
enteros, 1–113; *CA 1–92*
forma desarrollada de los, 2, 4, 17–19, 36, 38, 42, 44; 13, 17, 26, 28; *CA 8, 10*; *CA 4*
forma normal, 2, 4, 6, 7, 10, 12, 14, 36, 38; 7–8, 10–12; *CA 1–3*, 5–6; *CA 1–2*
fracciones, *Ver* Fracciones
negativos, 14, 15
números mixtos, *Ver* Números mixtos
positivos, 14, 15
primos, 117, 120

Números compatibles
para estimar cocientes, *Ver* Estimación

Números compuestos, 117, 121

Números enteros,
comparar, 2, 4, 20–23, 36, 39; *CA 11–14*
dividir, *en varios lugares, ver por ejemplo* 43; 32, 35
en palabras, 2, 4, 6–8, 10, 12–14, 36, 38, 40, 42, 44; *CA 1, 3–6*
escribir, 2, 4–10, 12–14, 36, 42, 44; *CA 1–3, 5–6*
estimar, 3–4, 27–40, 43–44, 46, 61–63, 79–81, 83–85, 110–113; *CA 17–22, 35, 48, 50–51*
forma desarrollada de los, 2, 4, 17–19, 36, 38, 42, 44; *CA 8, 10*
forma normal de los, 2, 4, 6, 7, 10, 12, 14, 36, 38; *CA 1–3, 5–6*
leer, **8**, 13
multiplicar, *en varios lugares, ver por ejemplo* 42; 31, 35
redondear, 3–4, 25–27, 34, 39, 43, 46; *CA 15–16*
restar, *en varios lugares, ver por ejemplo* 42
sumar, *en varios lugares, ver por ejemplo* 42
valor posicional de los, 16–21, 36, 39; *CA 7–10*

Números mixtos
en forma de decimal, 138
estimar diferencias de, 147–149, 156, 159; *CA 116*
estimar sumas de, 142–144, 156, 159; *CA 112*
multiplicar, **177**–180, 201–202; *CA 143–148*
hacer un modelo de, **177**–180; *CA 143*
relacionados con la división, **134**–135; *CA 105–106*
restar, **145**–149, 156, 159; *CA 113–115*
hacer un modelo de, 145–147; *CA 113–115*
sumar, 140–142, 144, 156, 159; *CA 109–111*
hacer un modelo de, 140–142; *CA 109–111*

Números negativos, 14, 15

Números positivos, 14, 15

Números primos, 117, 120

Objetos de manipuleo
bolsa de papel, 128
cinta métrica, 136
cubos interconectables, 260–261, 282–283
cubos numerados, 281
escuadra, 254
fichas, 300
modelos con fichas para valor posicional, 52, 57, 71, 75; 61, 64
modelos con fichas para dividir decimales, 51, 53–55, 60–61, 63–64; CA 33
modelos con fichas para multiplicar decimales, 36–39, 43–44, 46–47; *CA 21*
objetos del salón de clases
crayolas, 167
lápiz de color, 188
marcadores de colores, 142
regla, 259; 167, 175, 206
tijeras, 257; 212, 241
palitos planos, 224–225
papel, 142
papel cuadriculado, 167; 136
papel para calcar, 175
papel punteado, 263–266
regla, 142
tarjetas con letras, 216
tarjetas con números, 216
tiras de fracciones, 133, 135
tiras de papel: azules, verdes, rojas, amarillas, 128
transportador, 167, 172

Las entradas en letra normal corresponden al Libro del estudiante A.
Las entradas en azul corresponden al Libro del estudiante B.
Las entradas en *cursiva negra* corresponden al Cuaderno de Actividades (CA) A.
Las entradas en *cursiva azul* corresponden al Cuaderno de Actividades (CA) B.
Las entradas en **negrita** indican dónde se presenta un término.

Operaciones
  inversas, **206**
  orden de las, **90**–95, 111–112, 206, 222; *CA 55–62*

Operaciones inversas
  de multiplicación y división, 206
  de suma y resta, 206
  para resolver ecuaciones, 206–207, 231–234, 238–239, 243
  significado de las, 206

Ordenar decimales, 18–19, 27–28, 31–32

Origen, **132**

Papel cuadriculado, 167; 136

Par ordenado, 131–134, 136–138

Paralelogramo, **183**, 211–218, 222, 225-228; *CA 137–138, 144*

Paréntesis, orden de las operaciones y, 92, 93

Parte de un entero
  en forma de decimal, 88–89
  en forma de fracción, 88–89
  en forma de porcentaje, 88–89

Patrón, hallar un, estrategia, *Ver* Resolución de problemas, Estrategias

Patrones
  división, 70–72, 74–77, 81
  multiplicación, **51**–54, 56–59, 63

Perímetro, *CA 87*

Período de un número, **8**, 10, 13, 38; *CA 2*

Pirámide, **235**, 238–239, 241–242, 244–245, 252, 254–255; *CA 160–161, 195*

Pirámide cuadrada, **238**, 244–245, 250, 252; *CA 161*

Pirámide triangular, **239**, 241, 244, 252, 254–255; *CA 160, 165*

Plantillas, **240**–242, 245–246, 253, 267–272, 274, 298, *CA 175, 196, 207, 213*

¡Ponte la gorra de pensar!, *Ver* Resolución de problemas

Por unidad, **59**

Porcentajes, **88**, 95, 117; *CA 55*
  de un número, 86, 118; *CA 63–66*
  decimales en forma de, 91, 94, 117; *CA 56*
  denominador de 100, 86
  expresar
    en forma de decimal, 89, 93, 95, 117; *CA 57*
    en forma de fracción, 88–89, 92, 94, 117; *CA 56*
    en forma de fracción en su mínima expresión, 92; *CA 57*
    fracciones en forma de, 80, 90, 94, 96–97, 99, 117–118; *CA 59–61*
  fracción equivalente, 92, 98; *CA 59*
  hacer un modelo, 89–94
  partes de un todo, 88–90, 106
  problemas cotidianos, *Ver* Problemas cotidianos en forma de porcentaje
    de un número, 101–104, 106–107, 118; *CA 63–66, 80*
    relacionados con descuento, 110–111, 113–115, 118; *CA 68–69, 82*
    relacionados con impuesto sobre las ventas, 108, 113–115, 119; *CA 67, 81*
    relacionados con impuesto sobre los alimentos, 109, 115; *CA 69–70*
    relacionados con interés, 112–113, 115, 119; *CA 67, 69*
  recta numérica, 91, 93, 95–97; *CA 58, 60*

Práctica
  Práctica con supervisión, 6–8, 10, 12–13, 16–18, 21–23, 25–28, 30–34, 53–56, 59–63, 65–69, 72, 74, 77, 79–80, 82, 84–88, 90–93, 96–98, 100–101, 104–105, 107, 123–124, 128–129, 132–133, 135–138, 141–143, 145–148, 150–152, 166, 170, 172–173, 176, 178, 181–183, 186–187, 191, 194–196, 210–211, 213, 215, 220–223, 227–228, 231, 234, 236–237, 239, 253, 260, 270, 272–273, 278–279, 281, 283–286, 288, 291–293, 297, 299–300, 303–306, 308; 8–10, 12–14, 19, 21, 24–25, 37–38, 41, 44–45, 48–49, 52, 54, 56–58, 61–63, 65–66, 69–73, 76–78, 89–93, 97–98, 102, 104, 109, 111–112, 127, 132, 135, 140–142, 145, 147, 164, 166, 170–171, 175–177, 187, 189, 192, 197, 200, 202, 207, 209–210, 215–219, 221, 236, 238–239, 241, 247–248, 260–261, 268, 270, 272, 276, 278–279, 281, 289–293

Practiquemos, 14, 19, 23–24, 34–35, 63, 69, 81, 89, 95, 102, 107–108, 126, 130, 136, 139, 144, 148–149, 153, 168, 174, 176, 180, 184, 189, 197, 217–218, 225, 235, 239–240, 254–255, 274, 282, 289, 294–295, 301, 309–310; 15, 21, 25, 42, 50, 58, 67, 73–74, 80, 94–95, 99–100, 106–107, 114–115, 129–130, 136–137, 143, 149–151, 168, 173, 178, 190, 194, 204, 210, 222–223, 244–245, 249–250, 262, 265–266, 273–274, 284–285, 294–296

Práctica con supervisión, *Ver* Práctica

Practiquemos, *Ver* Práctica

Prisma, **235**–238, 241–245, 249–252, 254–255; *CA 159–160, 195*

Prisma rectangular, **237**, 257–258, 263–266, 269–270, 274–275, 277, 279–280, 282–283, 286–288, 296, 299–301; *CA 159, 165, 169–177, 180–184, 186–193*
  volumen de, 286–288, 296–301; *CA 199*

Prisma triangular, **237**, 239, 241, 244, 251–252, 255, 257–258, 271–272, 274; *CA 159, 165*

Probabilidad
  escribir en forma de fracción, 121, 123, 145–147, 151–152
  experimental, 144, 146–155; *CA 93–96*
  experimentos, 146–152
  predicciones, 121, 144–145
  presentar en una tabla, 146–148, 150–152
  posibilidad de un suceso, 121
  pruebas, 146, 154
  registrar, 146–149, 151–153
  resultados favorables, **121**, 144
  resultados reales, 146–154
  sucesos, 146
  teórica, 144–155, *CA 93–96*

Posibilidad de un suceso (resultados), 121, 123, 144–154

Probabilidad experimental, **144**–155; *CA 93–96, 100*

Probabilidad teórica, **144**–145, 147–155

Problemas cotidianos
  álgebra, 236–240; *CA 189–192*
  decimales
    división, 51, 54, 76–78, 80, 84; *CA 41–46, 48–51*
    multiplicación, 39–40, 76–78, 80, 84; *CA 40–49, 51–52, 54*
    resta, 78, 80, 84; *CA 42–43, 45, 47–48, 51–52, 54*
    suma, 68, 77, 80, 84; *CA 49*
  multiplicación con fracciones, 169–174; *CA 133–138*
  multiplicación con números mixtos, 181–184; *CA 153–157*
  multiplicación y división con fracciones, 190–197; *CA 147–148*
  porcentajes
    de un número, 101–104, 106–107, 118; *CA 63–69, 71*
    relacionados con descuento, 110–111, 113–115, 118; *CA 68–69*
    relacionados con impuesto sobre las ventas, 108, 113–115, 118; *CA 67*
    relacionados con impuesto sobre los alimentos, 109, 115; *CA 69–70*
    relacionados con interés, 112–113, 115, 118; *CA 67*
  razones y más razones, 283–289, 302–310; *CA 217–220, 229–234*
  usar fracciones y números mixtos, 150–153, *CA 117–127*
  usar multiplicación y división, 96–108; *CA 63–72*

Productos
  calcular, *en varios lugares, ver por ejemplo* 49–50, 98–100, 102, 108, 113; *CA 27*
  estimar, 32–33, 35–36, 39, 43–44, 46, 61–63, 110; *CA 22, 35*

Propiedad conmutativa
  de la multiplicación, 205
  de la suma, 205, 223

Propiedad de identidad
  de la multiplicación, 205
  de la suma, 205

Propiedad del cero,
  de la multiplicación, 205

Propiedad distributiva, 205

Propiedades
  propiedad del cero, 205
  propiedad distributiva, 205
  propiedades asociativas, 205
  propiedades conmutativas, 205, 223
  propiedades de identidad, 205

Las entradas en letra normal corresponden al Libro del estudiante A.
Las entradas en azul corresponden al Libro del estudiante B.
Las entradas en *cursiva negra* corresponden al Cuaderno de Actividades (CA) A.
Las entradas en *cursiva azul* corresponden al Cuaderno de Actividades (CA) B.
Las entradas en **negrita** indican dónde se presenta un término.

propiedades de la igualdad, 228–230
propiedades de los ángulos, 163, 169, 174, 188–189, 191, 195, 198–199, 201, 203, 224–225
propiedades de los triángulos, 186–189, 203, 224–226
propiedades especiales de las figuras de cuatro lados, 183, 211–217, 219–221, 226

Propiedades asociativas
de la multiplicación, 205; 31, 45; *CA 22, 24*
de la suma, 205

Propiedades de la igualdad de las ecuaciones, **228**–230

Propiedades de los números, 205, 223, 228–230

Punto de referencia
fracciones de referencia, **124**, 129, 142, 147, 156, 158; *CA 98, 101, 112, 116*

Razonamiento, 125, 129, 143, 168; *CA 75, 195*

Razonamiento algebraico
funciones, *Ver* Máquinas de entrada y salida, Gráficas de variación lineal
máquinas de entrada y salida (funciones), 204
modelos de barras, *en varios lugares, ver por ejemplo* 42–43, 103–106, 109, 151–152
patrones en una tabla de valor posicional, 52–53, 57–58, 71–72, 75–76, 81
sumas de ángulos (en una línea o en un punto) 163–173, 180; *CA 101–105, 107–108*

Razonamiento matemático, *Ver* Razonamiento

Razones
como comparación de cantidades relativas, 271
diferentes formas de, **269**–270, 290, 313
en forma de fracción, 290–295; *CA 221–226*
equivalentes, **276**–289, 296–304, 311, 313–315; *CA 215–216, 227–228*
escribir, 269–270, 290, 292, 313
leer, **269**–270
modelos de partes al todo y, 273; *CA 213 –214*
simplificar, *en varios lugares, ver por ejemplo* **279**, 296–297
términos de, **269**
usar para comparar,
dos cantidades, **269**–275; *CA 209–214*
tres cantidades, 296–301; *CA 227–228*

Razones equivalentes, **276**–289, 296–304, 311, 313–315; *CA 215–216, 227–228*

Recíprocos
usar para dividir, **185**–187, 189; *CA 149–152*

Recordar conocimientos previos, *Ver* Destrezas requeridas

Recta numérica
redondear en una, 3, 25–27, 43; *CA 15–16*
representar decimales en una, 5, 8, 15–16, 20–21, 25, 28; *CA 2, 7, 20, 58*
representar decimales y fracciones, 86–87
representar decimales y porcentajes, 91, 93, 95
representar fracciones en una, 116
representar fracciones y porcentajes, 96–97
representar porcentajes, 95; *CA 60*
ubicar decimales en una, 2, 4–5, 8, 15–16, 28; *CA 2, 12*
ubicar fracciones de referencia en una, **124**, 129, 142, 147, 158; *CA 98, 101, 112, 116*

Rectángulos
área de, *en varios lugares, ver por ejemplo* 248
perímetro de, 205

Recursos
no tecnológicos, *Ver* Objetos de manipuleo
tecnológicos,
calculadora, 47–50, 55, 60, 73, 78, 98–100, 102, 104, 108; *CA 27–28, 36, 63, 65–66, 72, 207*
herramienta de dibujo para computadora, 123, 128, 196
Internet, 11, 15

Redondear
decimales, 4, 6, 20–22, 27–29, 56–58, 68–80, 82–83; *CA 7–8, 13*
números enteros, 3–4, 25–27, 34, 39, 43, 46; *CA 15–16*
para estimar 3–4, 27–28, 32–36, 39, 43, 46, 61–63; *CA 17–18, 22, 35*

Repaso
Repaso/Prueba del capítulo, *Ver* Evaluación
Resumen del capítulo, 36–37, 110–111, 156–157, 200–201, 242–243, 263, 313; 26–27, 82, 116, 154, 180–181, 224–225, 252–253, 298–299

Repaso acumulativo, *Ver* Evaluación

Repaso de fin de año, *Ver* Evaluación

Repaso rápido, *Ver* Evaluación

Repaso semestral, Ver Evaluación

Repaso/Prueba del capítulo, *Ver* Evaluación

Representación, *Ver* Modelos, Rectas numéricas, Variables.

Residuo
dividir decimales, 53–57
interpretar, 96, 97, 102

Resolución de problemas
destrezas de razonamiento,
analizar las partes y el todo, 155; *CA 129, 159–160, 238*; *CA 14, 51–52, 99*
comparar, 35, 312; 153; *CA 25–26, 76–77, 207, 260*; *CA 13–14, 51, 71*
deducir, 262; 179, 223, 251; *CA 202–206*; *CA 117–120, 144, 165–166, 193*
identificar patrones y relaciones, 35, 109, 199; *CA 26, 75–77, 159–160, 195–196, 203–207, 237, 259*; *CA 52–54, 71–72, 97, 143–144, 193–194*
inducir, 219
ordenar en secuencia, *CA 25*
visualización espacial, 199, 262, 312; 223, 251; *CA 202–206, 208, 237, 260*; *CA 144, 165–166, 193*
estrategias,
adivinar y comprobar, 35, 230, 232–233; 81; *CA 25–26, 76 –77, 207, 260*; *CA 99*
buscar patrones, 35, 109, 199, 162; *CA 207, 260*
concepto de antes y después, 105–106, 155, 284–285
escribir una ecuación, 238–239, 245
hacer un diagrama o un modelo, 103–108, 122–123, 151–153, 155, 159, 169–174, 177–178, 185–187, 189–196, 199, 237, 286–289, 293–295, 304–310; 25, 115, 153, 179, 251; *CA 77, 128, 130, 159–160, 196, 236*; *CA 51–53, 71–72, 97, 100, 117–120, 143–144, 165, 194*
hacer una lista organizada, 106–108, 312; *CA 54*
hacer una representación, 251; CA 129; *CA 165–166*
hallar un patrón, 35, 109, 199, 262
plantear el problema de otra manera, 109
resolver parte de un problema, *CA 75–76, 195, 203–206, 208, 237–238*; *CA 51–52*
simplificar el problema, 223
trabajar de atrás para adelante, *CA 25–26*
¡Ponte la gorra de pensar!, 35, 109, 155, 199, 241, 262, 312; 25, 81, 115, 153, 179, 223, 251, 297; *CA 25–26, 75–78, 129–130, 159–160, 195–196, 203–208, 237–238*; *CA 13–14, 51–52, 71–72, 97–100, 117–120, 143–144, 166, 193–194*
problemas cotidianos, *Ver* Problemas cotidianos

Resta
con decimales, 69, 72–74, 82–83; *CA 37, 39*
con fracciones,
denominadores distintos, *en varios lugares, ver por ejemplo* 118, 121, 127–128, 130, 151, 156, 158; *CA 99–100*
denominadores semejantes *en varios lugares, ver por ejemplo* 118, 121
hacer un modelo, 127–128; *CA 99–100*
con números enteros, *en varios lugares, ver por ejemplo* 42
con números mixtos,
con denominadores distintos, **145**–149, 156, 159; *CA 113–115*
con porcentajes, 103–104, 107, 110–111, 115, 118; *CA 65–66, 69*
hacer un modelo, 145–147; *CA 113–115*
con términos semejantes, *en varios lugares, ver por ejemplo* 221
diferencia, *en varios lugares, ver por ejemplo* 48
estimar diferencias,
con fracciones, 129–130, 156, 158; *CA 101*
con números enteros, 3, 4, 27–29, 31–32, 34–37, 39; *CA 18, 20–21*
con números mixtos, 147–149, 156, 159; *CA 116*
expresiones relacionadas, *en varios lugares, ver por ejemplo* **208**–209; *CA 175–176*
usando una calculadora, *en varios lugares, ver por ejemplo* 48–49, 102, 108, 113; *CA 27*

Resultado, 144
experimento, 148–149
favorable, 144
igualmente probable, 144

Resultado favorable, **144**

Resultado igualmente probable, 121, 123, 144

Resultado imposible, 121, 123

Resultado seguro, 121, 123

Resumen del capítulo, *Ver* Repaso

Reunir términos semejantes, *en varios lugares, ver por ejemplo* **223**

Rombo, **183**, 185, 216–218, 222, 225–227; *CA 139–140, 143*

Las entradas en letra normal corresponden al Libro del estudiante A.
Las entradas en azul corresponden al Libro del estudiante B.
Las entradas en *cursiva negra* corresponden al Cuaderno de Actividades (CA) A.
Las entradas en *cursiva azul* corresponden al Cuaderno de Actividades (CA) B.
Las entradas en **negrita** indican dónde se presenta un término.

Segmentos
paralelos, 232
perpendiculares, 247; 160

Segmentos perpendiculares, 247; 160, 162, 163, 167–168, 177, 179

Semirrectas, 247; 158–159, 161, 169–170; *CA 105, 120*

Signo de igual, 205

Sucesos, probabilidad de los, 121, 123, 144–154

Suma
con fracciones,
denominadores distintos, 118, 121–123, 125–126, 152–154, 156, 158; *CA 95–97*
hacer un modelo, **122**–123; *CA 95–97*
denominadores semejantes, 118, 121; *CA 97*
con números enteros, *en varios lugares, ver por ejemplo* 42
con números mixtos,
denominadores distintos, 140–142, 144, 156, 159; *CA 109–111*
hacer un modelo, 140–142; *CA 109–111*
con términos semejantes, *en varios lugares, ver por ejemplo* **220**
estimar sumas,
con decimales, 68–69, 72–74, 82–83; *CA 37, 39*
con fracciones, **124**–126, 156, 158; *CA 98*
con números enteros, 3–4, 27–28, 30, 34–38; *CA 17, 19*
con números mixtos, **142**–144, 156, 159; *CA 112*
expresiones relacionadas, *en varios lugares, ver por ejemplo* **208**–209; *CA 175–176*
propiedades de la, 205, 223
total, *en varios lugares, ver por ejemplo* 48
usar una calculadora, *en varios lugares, ver por ejemplo* 48–49, 100, 113; *CA 27–28*

Tabla de conteo, 120, 146–148, 150–152; *CA 96*

Tabla,
Usar datos de, 40, 101–102, 274; 120, 124, 127–130, 133–134; *CA 68, 209–210*

Tangrama, 182

Tasas, 59

Teoría de los números
máximo factor común, *en varios lugares, ver por ejemplo* 116, 161, 267
mínimo común múltiplo, **122**–123, 127–128, 156, 158, 162, 171–172, 190–192, 194; *CA 95, 99*
números primos y compuestos, 117, 120–121

Términos de una razón, **269**

Términos semejantes
restar, *en varios lugares, ver por ejemplo* 221
reunir, *en varios lugares, ver por ejemplo* 223
sumar, *en varios lugares, ver por ejemplo* **220**

Transportador, 159, 162–164, 167, 170, 172, 175

Trapecio, **183**, 211, 219–221, 223, 225–227; *CA 141–142, 144*

Trazar un diagrama, *Ver* Resolución de problemas, estrategias

Triángulo agudo, *en varios lugares, ver por ejemplo* **257**, 264

Triángulo isósceles, **186**–188, 190, 195, 197–200, 202–204, 224–228; *CA 121, 127–128, 131–132*

Triángulo obtusángulo, *en varios lugares, ver por ejemplo* **257**

Triángulo rectángulo, *en varios lugares, ver por ejemplo* **257**

Triángulos,
acutángulos, *en varios lugares, ver por ejemplo* **257**, 264; 189–192, 194, 199–204, 224–227
altura de los, **252**–259, 262–264; *CA 197–198*
ángulos, *Ver* Ángulos
área de los, **256**–265
base de los, **251**–259, 262–264; *CA 197*
desigualdades
comparar las longitudes de los lados, 205–210, 225
formar, 208–210; *CA 133–136, 154*
longitudes posibles, 209–210, 228
mayor que, 205–210, 225
menor que, 209–210
equiláteros, 186–187, 189–190, 201–204, 223–228; *CA 121, 129–132*
escalenos, 186, 188–190, 203–204, 224, 246; *CA 121*
iguales, 183, 185–190, 194–195, 198–204, 224–228
isósceles, 186–188, 190, 198–200, 203–204, 224–228; *CA 122, 127–128, 130–131, 144*
lado, **251**
medidas
de ángulos, 189–190, 196; *CA 123, 125, 129*
de lados, 187, 190, 206; *CA 129*

obtusángulos, *en varios lugares, ver por ejemplo* **257**; 186
opuestos, 198–199
partes de, **251**
rectángulos, *en varios lugares, ver por ejemplo* **257**; 186, 188
vértice, **251**

Triángulos equiláteros, **186**–187, 189–190, 195, 201–204, 224–228; *CA 121, 129–132*

Unidades de medida del sistema usual
convertir, 134; *CA 97–98, 147*

Usar papel punteado para trazar
cubos y rectángulos, 264–266, 298, 300, *CA 169–172, 198*

Valor posicional
significado de, **16**,18
tablas,
incluyendo centenas, 52
incluyendo centenas de millar, 5–8, 16, 20–21, 53; *CA 1–3, 7, 11*
incluyendo decenas de millar, 2, 57, 75–76
incluyendo millares, 71–72, 81
incluyendo millones 9–10, 12–13, 18, 20, 36, 38–39, 58; *CA 5–6, 9, 12*
para decimales, 3, 5–6, 8–13, 16–19, 21–22, 36–39, 51, 53–55; *CA 1–2, 5, 21, 33*

Valores de los dígitos en números, 2, 5–7, 9–10, 12, 16–21, 36, 39; *CA 7–10, 14*

Variables, *en varios lugares, ver por ejemplo* **209**–245

Vértice
de ángulos, 247; 158–162
de conos, 248, 253
de cuerpos geométricos, 236–239, 254
de pirámides, 238–239, 252
de prismas, 235–238, 252
de triángulos, **251**; 230–231

Vocabulario, 5, 16, 20, 25, 38, 51, 70, 82, 90, 112, 122, 131, 158, 165, 175, 177, 185, 202, 208, 219, 226, 244, 251, 256, 264, 269, 276, 314; 7, 28, 51, 68, 83, 88, 108, 117, 124, 131, 139, 144, 155, 163, 169, 174, 181, 186, 211, 226, 235, 246, 254, 259, 267, 300

Volumen
altura y, 280–281, 283, 285–289, 294, 296, 299; *CA 181*
ancho y, 280–281, 283, 285–289, 294, 296, 299; *CA 181*
arista, 259, 266–268, 274, 280, 300
capacidad, 257–258, 286, 290–296, 299, 302
centímetro cúbico, 280–281, 284, 287, 290–294, 299, 301; *CA 178–179*
comparar, 276, 279, 281–282, 285, 299; *CA 179–180*
cubo, 258–268, 273, 275–284, 288–290, 294–299, 300
cubo de una unidad, 259–266, 275–282, 284, 296–298, 300; *CA 167–168*
cubos de 1 centímetro, 280–281, 283–284, 287–288
de líquidos, 290–296, 299, 302; *CA 185–193, 200, 202–204*
espacio, 275
litro, 257–258, 290–293, 295–296, 299, 301
longitud y, 280–281, 283, 285–289, 294, 296, 299; *CA 181*
mayor, 276, 279, 281, 299
medir, 268, 274, 302; *CA 177–180, 199*
menor, 279, 285, 299
metro cúbico, 280, 289, 294; *CA 179*
mililitro, 257–258, 290–296, 299, 301–302
pie cúbico, 280–281, 289; *CA 180*
prisma rectangular, 286–289, 296, 299–301; *CA 169–172*
pulgada cúbica, 280, 285, 289, 299; *CA 180*
unidades cúbicas, 277–279, 284, 299–300

Las entradas en letra normal corresponden al Libro del estudiante A.
Las entradas en azul corresponden al Libro del estudiante B.
Las entradas en *cursiva negra* corresponden al Cuaderno de Actividades (CA) A.
Las entradas en *cursiva azul* corresponden al Cuaderno de Actividades (CA) B.
Las entradas en **negrita** indican dónde se presenta un término.

Photo Credits

5: ©iStockphoto.com/Thomas Perkins, *6*: ©iStockphoto.com/Jennifer Conner, *9l*: ©iStockphoto.com/Ana Abejon, *9r*: ©iStockphoto.com/Irina Shoyhet, *10*: ©iStockphoto.com/Quavondo Nguyen, *11bl*: ©Dreamstime.com/Erdosain, *11br*: ©iStockphoto.com/Jacom Stephens, *17*: ©iStockphoto.com/Pathathai Chungyam, *20*: ©iStockphoto.com/Jose Manuel Gelpi Diaz, *22t*: ©iStockphoto.com/Jani Bryson, *22b*: ©iStockphoto.com/Ana Abejon, *28*: ©iStockphoto.com/Andrey Shadrin, *33t*: ©iStockphoto.com/Eileen Hart, *33b*: ©iStockphoto.com/Tracy Whiteside, *34*: ©iStockphoto.com/Ana Abejon, *48t*: ©iStockphoto.com/Ana Abejon, *48b*: ©iStockphoto.com/Jennifer Conner, *49*: © iStockphoto.com/Ana Abejon, *50*: ©iStockphoto.com/Jani Bryson, *51*: ©iStockphoto.com/Andrey Shadrin, *52t*: ©iStockphoto.com/Lisa Howard, *52b*: ©iStockphoto.com/Tracy Whiteside, *53*: ©iStockphoto.com/Quavondo Nguyen, *54*: ©iStockphoto.com/Jose Manuel Gelpi Diaz, *56t*: © iStockphoto.com/Pathathai Chungyam, *56b*: ©iStockphoto.com/Andrey Shadrin, *57*: © iStockphoto.com/Tracy Whiteside, *58l*: ©iStockphoto.com/Ana Abejon, *58r*: ©iStockphoto.com/Lisa Howard, *59*: ©iStockphoto.com/Irina Shoyhet, *64t*: ©iStockphoto.com/Irina Shoyhet, *64b*: © iStockphoto.com/Jose Manuel Gelpi Diaz, *65*: © iStockphoto.com/Jani Bryson, *66*: ©iStockphoto.com/Tracy Whiteside, *67l*: ©iStockphoto.com/Ana Abejon, *67m*: ©iStockphoto.com/Jani Bryson, *67r*: ©iStockphoto.com/Andrey Shadrin, *68*: ©iStockphoto.com/Jennifer Conner, *70t*: ©iStockphoto.com/Eva Serrabassa, *70b*: ©iStockphoto.com/Jose Manuel Gelpi Diaz, *71t*: ©iStockphoto.com/Lisa Howard, *71b*: ©iStockphoto.com/Ana Abejon, *72t*: ©iStockphoto.com/Jennifer Conner, *73*: © iStockphoto.com/Ana Abejon, *75t*: ©iStockphoto.com/Irina Shoyhet, *75b*: ©iStockphoto.com/Andrey Shadrin, *76l*: © iStockphoto.com/Eva Serrabassa, *76r*: ©iStockphoto.com/Jose Manuel Gelpi Diaz,

77: ©iStockphoto.com/Eileen Hart, *79*: ©iStockphoto.com/Pathathai Chungyam, *80*: ©iStockphoto.com/Tracy Whiteside, *82*: ©iStockphoto.com/Jacom Stephens, *83tl*: ©iStockphoto.com/Jani Bryson, *83ltl*: ©iStockphoto.com/Tracy Whiteside, *83ml*: iStockphoto.com/Ana Abejon, *83bl*: ©iStockphoto.com/Irina Shoyhet,

84tl: ©iStockphoto.com/Jacom Stephens,*84ltl*: ©iStockphoto.com/Eileen Hart, *84ml*:©iStockphoto.com/Eva Serrabassa, *84bl*:©iStockphoto.com/Ana Abejon, *85t*: ©iStockphoto.com/Pathathai Chungyam, *85b*: ©iStockphoto.com/Ana Abejon, *86*: ©iStockphoto.com/Jose Manuel Gelpi Diaz, *87*: ©iStockphoto.com/Jani Bryson, *88*: ©iStockphoto.com/Jennifer Conner, *91*: ©iStockphoto.com/Eva Serrabassa, *92*: ©iStockphoto.com/Jani Bryson, *98t*: iStockphoto.com/Ana Abejon, *98b*: ©iStockphoto.com/Lisa Howard, *99*: ©iStockphoto.com/Ana Abejon, *100l*: ©Rudolf Stricker/Wikimedia Commons, *100r*: ©iStockphoto.com/Jennifer Conner, *101tr*: ©iStockphoto.com/Jose Manuel Gelpi Diaz, *101br*: ©iStockphoto.com/Eva Serrabassa, *104*: ©iStockphoto.com/Jacom Stephens, *105*: ©iStockphoto.com/Jani Bryson, *106t*: ©iStockphoto.com/Ana Abejon, *106b*: ©iStockphoto.com/ Jennifer Conner, *107*: ©iStockphoto.com/Tracy Whiteside, *109*: ©iStockphoto.com/Irina Shoyhet, *115t*: ©Wikimedia Commons/MECU,.com/Pathathai Chungyam, *122t*: ©iStockphoto.com/Ana Abejon, *122b*: ©iStockphoto.com/Pathathai Chungyam, *123*: ©iStockphoto.com/Eva Serrabassa, *124*: ©iStockphoto.com/Thomas Perkins, *127t*: ©iStockphoto.com/Jennifer Conner, *127b*: ©iStockphoto.com/Ana Abejon, *128*: ©iStockphoto.com/Pathathai Chungyam, *131t*: ©iStockphoto.com/Andrey Shadrin, *131b*: ©iStockphoto.com/Eileen Hart, *132t*: ©iStockphoto.com/Tracy Whiteside, *132b*: ©iStockphoto.com/Jennifer Conner, *134t*: ©iStockphoto.com/Tracy Whiteside, *134b*: ©iStockphoto.com/Lisa Howard, *140*: ©iStockphoto.com/Eileen Hart,

141: ©iStockphoto.com/Jennifer Conner, *145*: ©iStockphoto.com/Jani Bryson, *146*: ©iStockphoto.com/Ana Abejon, *150*: ©Wikimedia Commons/Przykuta, *152t*: ©iStockphoto.com/Pathathai Chungyam, *152b*: ©iStockphoto.com/Ana Abejon, *154*: ©iStockphoto.com/Eva Serrabassa, *155*: ©iStockphoto.com/Tracy Whiteside, *166*: ©iStockphoto.com/Jani Bryson, *171*: ©iStockphoto.com/Jacom Stephens, *172*: ©iStockphoto.com/Pathathai Chungyam, *175*: ©iStockphoto.com/Tracy Whiteside, *177*: ©iStockphoto.com/Lisa Howard, *178*: ©iStockphoto.com/Ana Abejon, *179*: ©iStockphoto.com/Jacom Stephens, *Jennifer Conner, 185*: ©iStockphoto.com/Jose Manuel Gelpi Diaz, *190*: ©iStockphoto.com/Pathathai Chungyam, *191*: ©iStockphoto.com/Lisa Howard, *192*: ©iStockphoto.com/Jacom Stephens, *194*: ©iStockphoto.com/Jani Bryson, *198*: ©iStockphoto.com/Jani Bryson, *209l*: ©iStockphoto.com/Irina Shoyhet, *209r*: ©iStockphoto.com/Ana Abejon, *211*: ©iStockphoto.com/Lisa Howard, *212bl*: ©iStockphoto.com/Jacom Stephens, *212bm*: ©iStockphoto.com/Lisa Howard, *212br*: ©iStockphoto.com/Tracy Whiteside, *213*: ©iStockphoto.com/Tracy Whiteside, *214l*: ©iStockphoto.com/Jennifer Conner, *214r*: ©iStockphoto.com/Ana Abejon, *221t*: ©iStockphoto.com/Lisa Howard, *221b:* ©iStockphoto.com/Jennifer Conner, *223*: ©iStockphoto.com/Irina Shoyhet, *224*: ©Image Source, *228*: ©iStockphoto.com/Eva Serrabassa, *230l*: ©iStockphoto.com/Jacom Stephens, *230r*: ©iStockphoto.com/Lisa Howard, *231*: ©iStockphoto.com/Tracy Whiteside, *232*: ©iStockphoto.com/Jose Manuel Gelpi Diaz, *233tr*: ©iStockphoto.com/Pathathai Chungyam, *233br*: ©iStockphoto.com/Tracy Whiteside, *234*: ©iStockphoto.com/Jose Manual Gelpi Diaz, *235*: ©iStockphoto.com/Ana Abejon, *251l*: ©Dreamstime.com/Ivonne Wierink, *251m*: ©Dreamstime.com/Jamie Duplass, *252*: ©iStockphoto.com/Irina Shoyhet, *256*: ©iStockphoto.com/Tracy Whiteside, *257*: ©iStockphoto.com/Jose Manuel Gelpi Diaz, *258*: ©iStockphoto.com/Ana Abejon, *269bml*: ©iStockphoto.com/Jose Manuel Gelpi Diaz, *269bmr*: ©iStockphoto.com/Pathathai Chungyam, *270tr*: ©iStockphoto.com/Andrey Shadrin, *270bm*: ©iStockphoto.com/Thomas Perkins, *271tr*: ©iStockphoto.com/Ana Abejon, *271mr*: ©iStockphoto.com/Jani Bryson,, *271br*: ©iStockphoto.com/Ana Abejon, *272mr*: ©iStockphoto.com/Irina Shoyhet, *272br*: ©iStockphoto.com/Tracy Whiteside, *273*: ©iStockphoto.com/Jani Bryson, *276*: ©iStockphoto.com/Jacom Stephens, *277*: ©iStockphoto.com/Tracy Whiteside, *279ttr*: ©iStockphoto.com/Quavondo Nguyen, *279mtr*: ©iStockphoto.com/Andrey Shadrin, *279tbr*: ©iStockphoto.com/Irina Shoyhet, *279br*: ©iStockphoto.com/Ana Abejon, *280tl*: ©iStockphoto.com/Lisa Howard, *280tr*: ©iStockphoto.com/Ana Abejon, *280bl*: ©iStockphoto.com/Eva Serrabassa, *280br*: ©iStockphoto.com/Tracy Whiteside, *283tr*: ©iStockphoto.com/Jani Bryson, *283br*: ©iStockphoto.com/Pathathai Chungyam, *284*: ©iStockphoto.com/Lisa Howard, *287*: ©iStockphoto.com/Andrey Shadrin, *288*: ©iStockphoto.com/Jennifer Conner, *293*: ©iStockphoto.com/Jani Bryson, *296*: ©iStockphoto.com/Jennifer Conner, *297tr*: ©iStockphoto.com/Jose Manuel Gelpi Diaz, *297mr*: ©iStockphoto.com/Ana Abejon, *297br*: ©iStockphoto.com/Eva Serrabassa, *298*: ©iStockphoto.com/Jacom Stephens, *299tm*: ©iStockphoto.com/Irina Shoyhet, *299br*: ©iStockphoto.com/Jani Bryson, *303tr*: ©iStockphoto.com/Quavondo Nguyen, *303br*: ©iStockphoto.com/Ana Abejon, *307*: ©morguefile.com/mconnors, *308*: ©iStockphoto.com/Ana Abejon, *312br*: ©iStockphoto.com/Tracy Whiteside